경제적 자유를 찾는 여행자를 위한 안내서

투자 김선생 지음

BOOKK

요즘, 안녕하신가요?

[안녕하세요?]

우리는 사람들에게 인사할 때 대개 '안녕하세요?'라는 말로 인사를 하곤 합니다. 그동안 불편함 없이 무탈했는지, 편안하게 살고 있는지 묻는 우리나라 특유의 정이 느껴지는 인사말입니다. 여러분들은 어떠신가요? 요즘, 안녕하신가요?

흔하게 하는 인사만큼 안녕히 지내는 사람들이 많았으면 합니다만, 요즘 우리 사회에는 안녕하지 못한 사람들도 많이 보이는 것 같습니다. 직장에 열심히 다니고 있고, 어제보다 나은 오늘을 만들기 위해서 항상 노력하고 있지만, 미래에 대한 걱정이나 나름의 고민으로 머리가 아픈 분이 많습니다. 뉴스를 보거나, 주변 사람들과 이야기를 나누다 보면 우울한 말들이 많이 들려오곤 합니다.

"요즘 신혼집 구하고 있는데 참 어렵다."

"월급 들어와도 낼 거 다 내고 나면 내 돈은 없는 기분이야."

"첫째가 중3인데 학원비가 한 달에 백만 원이 넘어.

둘째도 곧 중학교 가는데 걱정이다."

"내 월급 빼고 다 오르네."

"퇴직하고 나면 막막해요. 연금으로는 어림도 없고."

거기다 뉴스는 연일 '3포·5포를 넘어 N포 세대까지 등장', '출산율 역대 최저, 인구절벽 시작되었다', '기름값 11주째 상승', '잡힐 듯 안 잡히는 물가'와 같은 기사들로 도배가 되어 있습니다. 최근에 마음이 따뜻해지는 뉴스를 본 게 언제였나 싶습니다. 희망적인 소식이 더 많으면 좋을 텐데 말입니다.

여러분은 요즘 어떤 고민을 하고 계신가요? 사람들의 고민을 들여다보면, 대부분 '돈'과 관련된 문제들이 많습니다. 자본주의 사회에서 살아가는 우리에게 어쩌면 당연한 현상일지도 모릅니다. 계좌에 찍혀있는 10개도 안 되는 숫자들을 보며, 우리는 웃기도 하고 울기도 합니다. 다 같이 웃을 수 있는 세상이라면 얼마나 좋을까요.

저 역시 돈과 관련된 고민이 많았고, 더 나은 미래를 위해 공부하고, 찾아보고, 정신과 마음을 담금질하며 하루하루를 살아 나가고 있습니다. 그 과정에서 배우고 느낀 것들을 다른 이들과 공유하고자 책을 쓰게 되었습니다.

혹시 보드게임 좋아하시나요? 처음 보는 게임을 할 때, 규칙을 몰라 헤매다가 점점 룰에 적응하면 어느새 게임을 즐기고 있는 자신을 발견하게 됩니다. 자본주의도 현실 세계에서 좀 더 복잡하게 진행되고 있을 뿐 규칙만 알면 재미있게 즐길 수 있는 게임이 아닐까 생각합니다. 처음 돈 공부를 시작할 때 어렵고 막막했던 기분을 생각하며, 전혀 재테크에 관심이 없었던 분들에게도 쉽게 읽힐 수 있는 책을 써보고 싶었습니다.

보잘것없는 제 이야기가 여러분들에게 조금이라도 보탬이 되어 안녕한 사람들이 좀 더 많아졌으면 좋겠습니다.

경제적자유를 찾는 여행자를 위한 안내서

부자는
불가능의 영역일까

나는 돈에 대해 이야기하는 것을 좋아한다. 지금까지 공부하며 알게 되었던 것, 새롭게 떠올린 투자 아이디어, 나름대로 깨달은 돈에 대한 생각들을 나누는 것이 즐겁기 때문이다. 그래서 언제나 주변 사람들과 경제나 재테크를 소재로 이야기를 채워나가며 시간을 보낼 때가 많다.

특히 나의 이야기가 누군가에게 도움이 될 때는 큰 보람을 느낀다. 그저 흥미가 있어서 즐겁게 나누는 대화가 누군가에겐 적지 않은 도움이 된다는 것은 참 신이 나는 일이다. 내가 자투리 시간마다 우리 반 아이들에게 경제교육을 하고, 주변 어른들에게 무료로 재무 상담을 해주거나, 직장 동료들을 모아놓고 강의를 하기도 하는 것은 그들에게 이로움을 주기 위함도 있지만, 무엇보다 내가 즐겁기 때문에 하는 일이다.

물론 돈 이야기를 모두가 좋아하는 것은 아니다. 가끔은 대화에 불편한 기색을 드러내며 내게 이렇게 말하는 사람들도 있다.

'부자는 아무나 되는 줄 아냐?'

'요즘 세상에
우리 같은 평범한 사람이
부자가 되는 건 불가능하다고 봐야지.'

'흙수저는 그냥 흙수저야.'

이런 말을 하는 사람들은 평범한 사람이 부자가 되는 것은 불가능한 일이라고 생각한다. '부'라는 것이 운이나 천재성, 타고난 출신 성분 같은 우리가 아무리 노력해도 어쩔 수가 없는 것으로 결정되는 것으로 생각하는 것이다.

그러나,

나는 이들의 생각에 전혀 동의하지 않는다.
단언할 수 있다.
부자가 되는 것은 절대 불가능의 영역이 아니다.

태어날 때부터 금수저라서, 천재적인 재능을 타고나서, 엄청나게 운이 좋아서 부자가 되는 사람들도 분명히 있긴 하다. 하지만 그것이 평범한 이는 부자가 될 수 없다는 것을 의미하지는 않는다. 저마다 유불리는 있을 수 있으나, 부자 되는 것 자체가 불가능한 것은 아니라는 말이다.

우리가 살고 있는 자본주의 세상은 하나의 커다란 게임이다. 이 게임에 참여하고 있는 한, 부자가 될 가능성은 누구에게나 얼마든지 열려있다. 애초에 많은 사람이 부자 되기가 어려운 가장 큰 이유는, 가진 조건이 불리해서라기보다 자신이 참여하고 있는 게임의 룰을 잘 모르고 있거나, 이 세상이 게임인 것조차 모르고 있기 때문인 경우가 훨씬 많다.

여러분이 생각하는 부자는 어떤 사람인가? 내가 생각하는 부자의 정의는 이렇다.

'돈에 구애받지 않는 자유로운 삶을 사는 사람'

사람들은 이것을 '경제적 자유'라고 부른다. 만약 이것이 부자의 기준이라면, 그것을 원하는 사람은 누구나 부자가 될 수 있다는 것이 나의 생각이다.

나는 이 책을 통해 자본주의 게임의 핵심 규칙을 이야기하고자 한다. 그 규칙 속에서 원하는 경제적 목표를 달성하는 힌트를 얻을 수 있길 바란다.

차례

STEP 0. 마인드부터 바꿔봅시다

STEP 1. 그래서, 얼마나 벌고 싶으신가요?

STEP 2. 시드머니를 모으자

STEP 3. 투자를 시작하기 전에

STEP 4. 어디에 투자할까

2. 주식

3. 안전자산

STEP 5. 나만의 포트폴리오 만들기

평범한 사람들의 경제적 자유를 만드는 5 STEP

STEP 0. 마인드세팅

STEP 1. 경제적 목표 설정

STEP 2. 시드머니 모으기

STEP 3. 투자마인드 만들기

STEP 4. 투자로 자산 불리기

STEP 5. 자산 관리하기

STEP 0.

마인드부터

바꿔봅시다

단단한 투자 마인드가
필요한 이유

투자에 전혀 관심이 없던 사람들이 뭔가 해야겠다고 느낄 때, 열심히 투자 생활을 하고 있는 사람에게 가서는 보통 이렇게 말한다.

"그래서 뭘 사야 해?"
"주식으로 돈 좀 벌었다며? 정보 좀 줘봐.
좋은 건 같이 해야지!"

간혹 실제로 이런 이야기를 들을 때마다 개인적으로 어질어질한 기분이 든다. 과연 저렇게 남에게 이야기를 듣고 투자를 한 사람들이 성공할 확률은 얼마나 될까? 위와 같은 생각이 옳은 사고방식이라면, 주변 사람들에게 묻지 않고 세계적으로 유명한 투자자들을 따라 하는 것만으로도 모두가 손쉽게 부자가 될 수 있지 않았을까?

하지만 자산시장은 그렇게 호락호락하지 않은 것이 현실이다. 투자해서 망하거나 크게 손실을 보았다는 사람들의 이야기를 뉴스나 주변에서 한 번쯤은 들어본 적이 있을 것이다. 그 유명한 투자의 대가 '워런 버핏'도 크게 손실을 기록했다는 소식이 들릴 때가 있다. 언제나 예측 불가하고 다양한 변수에 의해 움직이는 것이 시장이다. 학창 시절 수학이나 과학을 공부할 때 달달 외우던 공식 같은 것이 딱히 존재하지 않는다는 이야기다. (실제로 만유인력의 법칙을 발견한 아이작 뉴턴도 주식으로 -90%의 손실을 보았다는 일화가 유명하다.)

투자를 하다보면, 시장의 모습이 꼭 스포츠 경기 같다는 생각이 든다. 어떤 날은 잘하는 팀이 어이없게 지는 날도 있고, 만 년 꼴찌 하던 팀이 기적처럼 대역전승을 거두기도 한다. 팀의 승리를 위해선 뛰어난 선수뿐만 아니라 그에 걸맞는 좋은 감독이 필요하다. 투자 세계에서 마인드는 훌륭한 감독과 같다. 내가 가진 투자 지식이나 정보를 성공적인 투자로 이끌어주기 때문이다. 좋은 마인드는 어려운 상황에서도 의지가 되어주며 돌파구를 찾을 수 있도록 돕는다.

'호랑이 굴에 끌려가도 정신만 차리면 산다.'는 말이 있다. 투자를 하는 사람들에게 실패나 불황은 생각보다 빈번하게 찾아온다. 우연한 한 번의 성공으로 만족하고 투자판을 떠날 것이 아니라면, 단단한 투자 마인드를 만들어 필연적으로 찾아올 실패의 순간을 대비하도록 하자.

경제적자유를 찾는 여행자를 위한 안내서

"有備無患[유비무환]:
미리 준비해두면 근심될 것이 없다."

"월급 빼고는
다 오른다"

 TV 속 뉴스, 이발소에 있던 신문 기사 제목, 주변 어른들의 이야기…. 취직은커녕 교복 입고 학교에 다닐 적부터 늘상 누군가로부터 들어오던 이야기다. '월급'이라는 개념이 존재하지 않는 시절엔 전혀 와닿지 않던 이야기였지만 어느덧 10년 차 직장인이 되어보니 실감이 난다. 일하다 쉬는 시간에 검색을 해보니 아래와 같은 기사 제목들이 보인다.

국민일보
계절은 초여름…체감물가는 한겨울…'월급빼고 다오른다'
기사입력 2001.05.15. 오후 12:08 최종수정 2001.05.15. 오후 12:08 스크랩 본문듣기 · 설정

노컷뉴스
"월급빼고는 다 올랐다"
기사입력 2004.10.02. 오후 3:22 최종수정 2004.10.02. 오후 3:22

MT 머니투데이
생필품 가격인상 "월급 빼고 다 올라"
기사입력 2009.01.06. 오전 9:02 최종수정 2009.01.06. 오전 10:48 기사원문 스크랩

경제적자유를 찾는 여행자를 위한 안내서

MT ○ 머니투데이

[댓글&태클] 월급과 우리 애 성적만 안오른다

기사입력 2012.08.18. 오전 10:58   기사원문   스크랩   🔊 본문듣기 · 설정

▨ 헤럴드경제

맥주·라면 너마저…"내 월급 빼고 다 오른다"

기사입력 2016.02.09. 오전 9:25   기사원문   스크랩   🔊 본문듣기 · 설정

세계일보

"월급 빼고 다 오른다" 현실 되나… 소비자물가 5개월째 2%대 상승

A2면 1단 | 기사입력 2021.09.24. 오전 6:02   기사원문   스크랩   🔊 본문듣기 · 설정

[월급과 우리 애 성적만 안 오른다'라는 표현이 인상적이다]

   눈썰미가 좋은 사람들은 위 사진들을 보고 알아챈 부분이 있을지 모르겠다. 해당 뉴스 기사들은 '월급 빼고'라는 키워드로 검색 후 오래된 순으로 정렬한 가운데 캡처한 사진이다. 각 기사는 위에서부터 01, 04, 09, 12, 16, 21년도 순으로 작성되었다.

[인플레이션]

   경제에 관심 없는 사람들도 친숙한 단어다. 통화량이 넘쳐 화폐 가치가 하락하며 물가가 지속적으로 상승하는 현상을 말한다. 결국, 야속하게 내 월급만 빼고 다 오르는 현상이라고도 하는 인플레이션은 언제나 우리와 함께하고 있었기에 익숙한 단어가 되어버린 것이다. 최근 2020년에는 팬데믹으로 인한 위기 상황을 극복하기 위한 세계 여러 국가의 적극적인 개입으로 화폐 가치의 하락이 가속화되었다.

우리나라에서 대부분의 직장인은 현금으로 월급을 받는다. 때문에 자본소득이 높지 않은 우리 월급쟁이들은 인플레이션이 찾아와 명치와 뼈를 때릴 때마다 아파하고 스트레스를 받는다. 사실 정확히 말하면 '월급은 쥐꼬리만큼 올랐는데 물가는 훨씬 많이 올라서 내 월급 따위는 늘었다는 느낌이 조금도 없어요'라고 표현하는 것이 맞다. 매년 근속 연수가 쌓이면서 직장인들의 월급은 분명히 올랐다. 근데 물가상승률이 매우 매우 높은 것일 뿐이다.

대부분의 사람들은 이런 인플레이션으로부터 자유롭지 못한 경우가 많다. 인플레의 늪 속에서 소중한 월급의 가치가 떨어지는 모습을 멍하니 지켜보고만 있어서는 안 된다. 자산에 관심을 갖고 투자 공부를 통해 내 월급이 인플레이션에 녹아버리지 않도록 안전하게 지켜야 한다.

경제적자유를 찾는 여행자를 위한 안내서

부모님은 알려주지 '못하는' 부자 되는 방법

경제 공부를 줄곧 해오면서 항상 생각하던 것이 있다. '내가 지금 배우고 있는 내용들을 좀 더 어릴 때 알았더라면 어땠을까?' 반은 아쉬움, 반은 호기심으로 자주 하던 생각이다.

어릴 적 가족들로부터 들었던 이야기는 대개 '대출 좋아하면 안 된다, 투자하면 망한다, 돈은 일해서 떳떳하게 버는 것이다'와 같은 내용이었다. 분명히 나에게 도움이 되길 바라면서 했던 조언이었을 것이다. 하지만 현시점에서 돌아보면 조언을 따르는 것이 정답은 아닌 경우가 많았다. 애플의 주가는 10년 사이 10배가 되었고, 최근 크게 화제가 되고 있는 엔비디아는 10년간 120배가 되었다. 그 외 부동산, 금, 비트코인 등 많은 자산들이 높은 상승률을 보여주었다는 것은 굳이 말하지 않아도 잘 알고 있을 것이다.

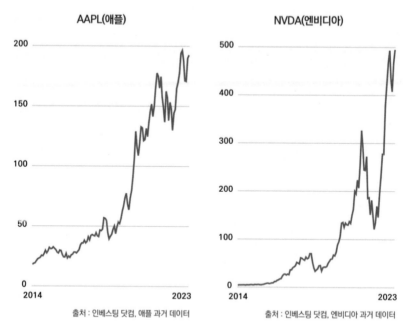

AAPL(애플)

NVDA(엔비디아)

출처 : 인베스팅 닷컴, 애플 과거 데이터

출처 : 인베스팅 닷컴, 엔비디아 과거 데이터

[우리 부모님은 나를 사랑하지 않았던 것일까...?]

냉정하게 생각해 보자. 고등학생 A가 명문대에 진학하기 위해 수능 공부를 할 때 A는 부모님과 유명 1타 강사 중 누구에게 배워야 하는가? 99%의 사람들은 강사에게 배워야 한다고 답할 것이다. 자식이 부모를 존경하지 않거나 부모가 자식을 사랑하지 않아서가 아니다. 단지 부모는 해당 분야의 전문가가 아니기 때문이다.

'부'라는 것은 상대적인 개념이기 때문에 사람마다 각각 이상적으로 생각하는 부자의 기준이 다르다. 디테일하게 내가 원하는 부자의 기준을 생각해 보자. 구체적인 금액도 좋고 만족할 수 있는 특정한 상황이어도 좋다.

경제적자유를 찾는 여행자를 위한 안내서

'나의 부모님은 내 기준에서 부자인가?'

내가 생각하는 부자의 기준이 자산 20억이라면, 나는 20억 자산가에게 부자가 되는 방법을 배워야 한다. 모 기업 회장의 2세 3세들은 태어나면서부터 돈을 가르쳐주는 1타 선생님과 함께 자고, 먹고, 놀면서 높은 확률로 부자 되는 법을 체득하게 된다. 반면 10대, 20대 시절의 우리는 부자와 대화는커녕 마주치는 일도 거의 없는 것이 현실이다. 그렇다면 우리는 부자가 될 수 없는 것일까?

자수성가한 부자들은 대부분 이렇게 말한다.

"우리는 단군 이래
가장 돈 벌기 좋은 세상에 살고 있어요."

깊이 동감하는 부분이다. 다양한 플랫폼을 통한 지식의 공유를 통해 정보의 비대칭성은 이전보다 비약적으로 줄었고 배우고자 하면 어떤 정보든 검색창에 입력하면 얻을 수 있는 세상이 되었다. 심지어 유튜브나 블로그, 서점의 책들을 통해 살면서 한 번 마주치기도 어려운 인물들이 앞다투어 자신들의 경험과 생각을 아주 저렴한 가격 또는 무료로 나누어주고 있다.

유튜브에 부자라는 단어를 검색하고 마지막 영상이 나올 때까지 스크롤을 내려보자. 몇 분 이내에 이 세상엔 부자들이 수없이 많고 자신이 그렇게 될 수 있었던 팁을 공짜로 나누어주는 사람이 매우 많다는 것을 알 수 있다.

이렇게 돈 벌기 좋은 세상에서 부자 선배들의 이야기에 한 번 귀를 기울여 보는 것은 어떨까? 별것 아닌 작은 노력이 꽤나 커다란 결과를 안겨줄지도 모른다.

"아무것도 하지 않으면

아무 일도 일어나지 않는다."

-기시미 이치로-

월급쟁이의 한계
(feat. 부루마블)

지금처럼 보드게임이 다양하지 않았던 시절 누구나 한 번쯤, 그것도 꽤 자주 즐겨 했던 추억의 게임이 하나 있었다. 바로 부루마블이다. 방과 후 교실, 수학여행 숙소에서 친구들 서너 명이 모여서 무료함을 달랠 수 있도록 도와준 고마운 게임이다.

부루마블에는 중요한 규칙이 하나 있다. 플레이어들은 보유한 현금으로 땅을 매입할 수 있고, 다른 플레이어가 그 땅을 밟게 되면 땅 소유자에게 일정 금액을 지불해야 한다. 이 규칙 때문에 아이들은 열심히 주사위를 굴려 건물주가 되기도 하고 호화여객선 회사의 사장이 되기도 했다. 한 바퀴를 돌면 받는 월급만 가지고는 게임에서 승리할 수 없다. 전략적으로 토지를 매수하고 건물을 올려 투자를 하는 일종의 자산 증식형 게임이기 때문이다.

어릴 때 게임을 즐길 때는 깨닫지 못했지만 지금 생각해 보면 우리가 사는 모습과 닮아있다. 어떤 이는 자산가가 되어 게임에서 승리하고 어떤 이는 임대료를 지불하지 못해 파산하고 만다. 자본주의가 무엇인지 알지도 못하는 때에도 우린 간접적으로 그것을 체험하고 있었던 것이다.

규모가 다르고, 규칙이 좀 더 복잡할 뿐 사람들은 자본사회에서 정한 룰을 따르며 머니게임에 참여하고 있다. 게임의 플레이어인 우리는 현실 속 자본주의 게임에 어떤 전략을 가지고 참여하고 있는지 생각해 보아야 한다.

'나는 자산을 증식시키는 사람인가?
월급을 위해 열심히 말판 위를 뛰어다니는 사람인가?'

얼마 전 서울 아파트 중위 가격이 10억을 넘겼다는 뉴스를 봤다. 이제막 취직한 연봉 5천의 직장인은 숨만 쉬고 일하며 모든 소득을 열심히 모아도 적당한 서울 아파트를 사는 데 20년을 쏟아부어야 한다. 그것도 아파트 가격의 변동이 없을 때나 가능한 일이다. 순수하게 월급만으로 집값 모으기, 여러분은 이것이 좋은 전략이라고 생각하는가?

머니 게임에서 이기기 위해서는 월급 이외의 수입이 반드시 필요한데, 이는 사업이나 투자를 통해 만들어낼 수 있다. 이 말을 듣고 당장 머릿속에 떠오르는 대표적인 승자들이 있을 것이다. 그들은 게임의 룰을 완벽히 이해하고 자신이 가진 통찰과 노력을 투입하여 결국 부자라는 타이틀을 얻게 되었다.

경제적자유를 찾는 여행자를 위한 안내서

물론 전략의 선택은 플레이어의 자유이며, 모든 사람이 부자가 되고 싶어 하는 것도 아니다. 그렇기에 개인의 선택에 대해 시비를 가릴 수는 없다. 하지만 부자가 되거나 경제적 여유를 얻고 싶은 사람이 '월급만 있으면 돼' 전략을 사용하고 있다면 그것은 영리하지 못한 선택이라고 말할 수 있다.

　결국, 부자가 되고 싶은 우리는 '월급쟁이의 한계'를 깨닫고 이를 극복하기 위한 전략을 짜야만 한다. 돈이 없으면 살아갈 수 없는 현대사회의 지구인들에게 어쩌면 투자는 필연적일지도 모른다.

"혹시 열심히 월급받아서

계속 남의 땅만 밟고 있지는 않나요?"

혼자보다는 둘,
둘보다는 셋

이 세상에 무엇이든 파는 세일즈맨이 있다고 가정해 보자. 세일즈맨이
다가와 당신에게 어떤 로봇을 이렇게 소개한다.

경제적자유를 찾는 여행자를 위한 안내서

"이 로봇은 무슨 일이든 가능한,
돈을 벌어다 주는 로봇입니다!"
"24시간 365일, 쉬지도 먹지도 자지도 않고 일을 하죠!"
"종류는 세 가지입니다!
버젼1은 한달에 40만원,
버젼2는 80만원, 버젼3은 120만원을 벌어옵니다!
가격은 각각 1억, 2억, 3억원!"
"AS는 걱정하지 마세요,
제조사에서 평생 책임지고 무료로 관리해 드립니다!"
"단, 제조사의 공급량과 소비자들의 수요에 따라
로봇의 가격은 수시로 바뀔 수 있는 점 참고해 주세요!"

이 설명이 사기가 아니라 검증된 사실이라면, 여러분은 이 로봇을 사겠는가? 나는 최소 하나 이상은 구매할 의사가 있다. 아니, 정확히 말하면 바로 그 자리에서 살 것이다. 그런 로봇이 있다면 분명히 수요가 급증하지 않겠는가? 가격이 더 올라버려 사기 어렵게 될지도 모르기 때문이다. 만약 세 종류의 로봇을 모두 구매한 사람이 있다면, 그는 숨만 쉬고 있어도 매월 240만원을 받게 될 것이다.

사실 이 로봇들은 1979년 대한민국 강남, 1986년 미국에서 판매되고 있었다. 그리고 지금은 대치동 은마 아파트, 마이크로소프트라는 이름으로 각각 120배, 3700배의 가격에 거래되고 있다. 이 두 가지 외에도 역사 속 곳곳에서 또 다른 다양한 로봇들이 판매되고 있었을 것이다. 여기서 말하고 있는 로봇은 바로 '자산'이다.

자산은 마치 로봇과 같다. 부동산, 주식과 같은 자산들은 절대 쉬는 법이 없다. 내가 자고 있을 때도, 휴가를 갔을 때도, 늙거나 아파서 일하지 못하게 되어도 돈을 벌어다 준다. 먹을 필요도 없고, 벌어 온 돈을 다시 쓰지도 않으며, 늙지도 않는다. 부동산의 월세, 주식의 배당 등이 이에 해당한다. 열심히 일하고 있는 '나'라는 존재 외에도 돈을 만들어주는 유용한 수단이 생기는 것이다.

썰매를 개 한 마리가 끌 때보다 여러 마리가 끄는 것이 유리한 것과 같은 이치다. 반드시 돈을 나 혼자서 벌어야 할 필요는 없지 않은가? 내 자산과 같이 둘, 셋이 함께 벌면 더 편하고 빠르게 목표를 이룰 수 있지 않을까? 과거에 그랬듯, 지금도 우리 주변에는 어마어마하게 많은 숫자의 자산들이 시장에서 거래되고 있다. 혼자보다는 둘, 둘보다는 셋이 낫다. 경제적 편리함을 위해 돈 벌어다 주는 로봇 한 대 장만해보는 것은 어떨까? 백지장도 맞들면 낫다고 하지 않는가.

정년까지 일해야 하는
이유가 있나요?

직장생활을 하다 보면, 가끔 정년퇴직을 하는 선배들을 만나게 된다. 올해에도 수십 번씩 퇴직 욕구를 느끼던 나로서는 약 40년간 근속하며 버텨온 선배들이 참 대단하고 존경스럽다는 생각이 든다. 주변 사람들은 이들에게 경의를 표하는 마음으로 꽃다발이나 선물을 건네며 이렇게 말한다.

"정년을 축하드립니다! 정말 수고 많으셨습니다!"

참으로 훈훈한 장면이다. 직업이라는 것은 사람들에게 필요한 서비스나 재화를 제공하기 위하여 만들어진다. 수십 년간 다른 사람들이 필요로 하는 존재였다는 것은 그만큼 가치가 있는 사람이었다는 반증이다. 이를 어찌 존경하지 않을 수 있겠는가.

그러나 한편으로는 이런 상황을 바라보며 조금씩 다른 생각이 들기도 한다. 은퇴의 시기는 누가 정하는 것인가? 왜 필요한 것일까? 정년퇴직은 정말 축하받을 일이 맞는 걸까?

정년퇴직이라는 개념이 생기게 된 배경을 생각해 보자. 국가나 기업은 가치 또는 이익 창출을 위해 노동자를 고용하고 그에 맞는 임금을 지불한다. 그 과정에서 일정한 연령이 되면 노동자 및 사용자의 의사와 관계없이 근로를 종료해야 하는 제도가 정년제도이다. 사람의 근로 능력은 유한하다는 것이 그 이유다. 불편한 진실이지만, 정년제도는 근로자를 위해 존재한다고 보기 어렵다. 고임금, 고연령 인력을 배제하고 노동력과 효율성을 유지하는 데 그 목적이 있기 때문이다.

위와 같은 이유로 나는 정년퇴직이 존경받아 마땅한 일이나, 경우에 따라 축하받을 일은 아닐 수도 있다는 생각을 하게 되었다. 하지만 이에 대해 서운해할 필요는 없다. 우리 노동자들도 월급을 위해서 일하지 기업 회장의 이득이나 국가의 안녕을 위해서 일하지는 않으니 말이다. 노동자가 직장이 싫으면 언제든지 그만둘 수 있는 것처럼, 사용자도 필요 여부에 따라 고용을 중단할 수 있는 것이다.

사람들이 보통 일을 하는 이유는 '먹고 살기 위해서'이다. 직장에서 행복을 느끼는 사람들보다는 스트레스를 받는 사람들이 압도적으로 많다. 다들 한 번쯤은 아침에 일어나 출근하기 싫다는 생각을 해본 적이 있지 않은가? 모든 사람이 하고 싶은 일을 하며 살아간다면 정말 행복한 세상이 되겠지만 현실은 슬프기만 하다. 여러분은 현재 일하는 것이 행복한가?

여러분이 만약 생계유지를 위해 일을 하고 있다면, 정년이 오기 전에 은퇴를 하는 것도 좋은 선택이 될 수 있다. 정년은 누군가에 의해 그 시기가

경제적자유를 찾는 여행자를 위한 안내서

정해져 있지만, 반드시 그때까지 일을 해야 한다는 뜻은 아니다. 생계유지라는 문제가 해결된다면, 은퇴에 대한 선택권은 내게 있다. 나는 문제를 해결하기 위한 좋은 방법 중 하나가 투자를 통한 자산 증식이라고 생각한다.

　매슬로는 인간의 욕구를 5단계로 구분하였는데, 그중 자아실현의 욕구를 최상위 단계로 규정하였다. 우리가 살아가는 목적은 행복하기 위함이지, 그저 살아남기 위함이 아니다. 만약 현재 몸담고 있는 직장이 나를 행복하게 만들어주는 곳이 아니라면, 살기 위해서 어쩔 수 없이 일하지 말고 자산으로 일찍 은퇴하여 남은 인생을 온전히 내 것으로 만드는 것은 어떨까?

**"로또만 당첨되면 직장부터 그만두겠다고
생각해 보신 적 없나요?"**

STEP 1.

그래서, 얼마나 벌고 싶으신가요?

목적지 없이 배를 띄우면
곤란합니다

목적지 없이 바다에 배를 띄우면 어떻게 될까? 아마도 어디로 가야 할지 모르는 배는 이리저리 망망대해를 표류하게 될 것이다. 도중에 연료가 떨어지고 식량이 떨어지게 된다면, 최악의 상황에 직면하게 된다. 조급함에 더 빠르게 항해한다면? 더 빠르게 좋지 않은 상황을 만나게 될 뿐이다.

사람들에게 왜 투자를 하는지 물어보면 가장 많이 듣는 대답은 다음과 같다.

"당연히 돈 벌기 위해서죠! 돈 많으면 좋잖아요!"

여러분은 이 대답에 대해서 어떻게 생각하는가? 얼핏 보면 당연한 대답일 수도 있겠지만, 나는 참으로 막연한 대답이라고 생각한다. 마치 사회적 성공이나 자아실현 같은 목적 없이, 그저 성적을 잘 받기 위해서 공부를 한다고 말하는 것처럼 들린다. 이런 말을 들으면 곧잘 이렇게 되묻는다.

"왜 돈을 많이 벌고 싶으세요?"

이 질문에 대한 상대방의 대답은 크게 두 가지로 나뉜다. 막연하게 돈이 있으면 좋은 이유를 열거하는 사람이 있는가 하면, 구체적으로 돈이 필요한 이유를 말하는 사람도 있다. 표면적으로는 비슷해 보이지만, 둘 사이에는 확연한 차이가 있다. 둘 중 후자에 속하는 경우는 분명한 투자의 목적이 있는 사람이다.

목적이 가지고 있는 힘은 강력하다. 분명하고 구체적인 목표는 투자자의 강력한 동기가 된다. 사람들이 어떤 행동을 하는 데에는 목적과 의도가 담겨있다. 역으로 생각해 보면, 확고한 목적을 가진 사람은 스스로 행동하게 된다는 말이다. 확실한 목표가 있는 사람은 속도의 차이가 있을 뿐 언젠가 그 목표에 도달한다.

투자에 있어 목적은 내비게이션과 같다. 좋은 내비게이션은 내가 나아가야 할 방향을 제시해 주며, 길을 잘못 들어도 목적지에 도착할 수 있도록 길을 수정해 준다. 하지만 그런 목표가 없는 사람은 요행을 바라다 실패하기가 쉽다. 우리는 주변에서 전문가의 말만 듣고 주관이 없는 투자를 하거나 고급 투자정보를 얻어 손쉽게 투자를 하려는 사람을 어렵지 않게 만날 수 있다.

경제적자유를 찾는 여행자를 위한 안내서

따라서 명확한 목적 없이 부자가 되겠다는 이야기는 설득력이 많이 떨어진다. 자신만의 분명한 목표 없이 돈이 많았으면 좋겠다는 생각이라면, 그것을 좀 더 구체화해 볼 필요가 있다. 가지고 싶은 것, 하고 싶은 것, 내가 바라는 미래의 내 모습 등 무엇이라도 좋다. 막연히 부자가 되고 싶다는 생각이 아니라 내가 왜 부자가 되어야 하는지 생각해 보며, 눈에 보이듯 명확한 목표를 설정해야 한다.

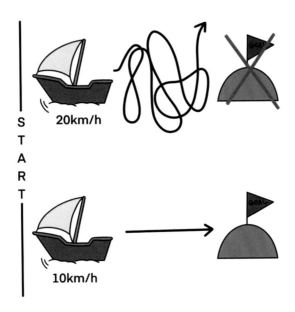

그저 열심히 달린다고 해서 반드시 목적지에 도달하는 것이 아니다. 나만의 선명한 목표를 설정하고, 투자의 여정에서 어디까지 어떻게 가야 하는지 알려주는 도구로 활용하도록 하자.

나의 현실적인
목표 금액은 얼마일까

　시장에는 무수히 많은 투자자가 존재하고, 저마다 각기 다른 목표를 가지고 있다. 가난을 극복하고 싶은 사람, 경제적 여유나 자유를 얻고 싶은 사람, 누구나 부러워하는 부자가 되고 싶은 사람 등 자신이 처한 상황과 개인의 가치관에 따라 '부'라는 것을 바라보는 기준의 차이가 있기 때문이다.

　나에게 맞는 경제적 목표는 어떻게 세울 수 있을까? 우선 내가 돈으로 하고 싶은 것이 무엇인지 생각해 보면 된다. 내가 바라는 미래의 내 모습을 구체적으로 상상해 보자. 그것을 위한 현실적인 금액은 얼마인가? 예를 들면 나의 경우는 다음과 같았다.

내가 원하는 나의 20년 후 모습		

1. 내 고향(지방) 적당한 입지에 있는 단독주택
2. 생계유지 가능한 현금 흐름(노동은 하고 싶을 때만)
3. 일상적인 수준의 여가활동(여행, 운동, 취미활동 등)
4. 지속적으로 성장 가능한 자산 구조(현금 흐름만으로 소비)

필요자산	현재 기준	2044년 기준(1.7배)
단독주택	4억	6.8억
현금 흐름 (250만원/월)	12억 연 배당 수익률 2.5% 기준, 시세차익은 현금 흐름에 포함하지 않음 (12억 X 0.025 = 연 3000만원)	20.4억
합계	16억	27.2억

※0I-20년 연평균 물가상승률 약2.5%
(10년 뒤 약1.3배, 20년 뒤 약1.7배로 계산)
※만약 무주택자이고 내 집 마련을 희망한다면
주택 부분을 10년 뒤 1.8배, 20년 뒤 3.5배로 계산

위 내용을 보면 필자가 경제적으로 만족할 수 있는 금액은 현재 기준으로 약 16억이라는 것을 알 수 있다. 여기에서 현재 보유하고 있는 자산을 제외하면, 현실적으로 나에게 필요한 금액을 알 수 있다. 만약 현재 보유 자산이 3억이라면, 13억이 더 있어야 한다. 20년 후 목표를 달성할 계획이라면 물가상승률을 고려하여 목표금액은 27억이 된다. 정확한 금액이라면 더 좋을지도 모르겠지만, 대략적인 금액을 아는 것만으로도 충분하다. 여러분도 자신만의 현실적인 금액을 나름대로 설정해 보길 바란다.

이렇게 목표 금액을 설정하는 것은 두 가지 장점이 있다. 첫째는 시기별로 어떻게 투자를 할 것인지 단기적인 계획을 세울 수 있다는 점이다. 장거리 달리기에서 페이스를 조절하는 것과 같다. 20년 동안 어디까지 가야

하는지를 알고 있으므로 그것을 4년씩 5개의 구간으로 나누어 시기별 단기 목표 금액을 설정하고, 어떤 방법으로 그것을 이룰 것인지 수월하게 계획할 수 있다.

둘째는 욕심을 다스릴 수 있게 된다는 것이다. 명확한 경제적 목표가 있는 사람은 자신에게 얼마가 필요한 것인지 객관적인 수치를 이미 알고 있으므로 그 이상을 버는 것이 크게 의미가 없음을 깨닫게 된다. 목표 금액은 욕심에 무리한 투자를 하거나 성급한 결정을 내리지 않도록 돕는 판단의 기준이 된다. 투자에서 욕심을 다스린다는 것은 곧 성공 확률의 상승을 의미한다.

직접 목표 금액을 정하고 그것이 얼마인지 확인해 보자. 여러분이 설정한 목표 금액이 어떻게 보이는가? 만일 그 금액이 다소 멀리 있는 것처럼 보이더라도, 목표를 수정하기보다는 방법을 수정하길 바란다. 100억 이상의 부자들은 매우 드물지만, 10억 이상의 자산을 가진 사람들은 주변에 한두 명쯤 분명히 있다. 그런 이들을 잘 살펴보면, 엄청난 비범함이나 남다른 재주가 있어서 그 목적을 이룬 것은 아니라는 것을 알 수 있다. 그들은 그저 남들보다 조금 더 부지런하고 조금 더 유연하게 생각하며 행동했을 뿐이다. 여러분의 목표가 그렇게 비현실적인 것은 아니라는 것을 말해주고 싶다. 원래 산에 오르기 전에는 정상이 높아 보이는 법이다.

| | 내가 원하는 나의　　　년 후 모습 | | |

1.
2.
3.
4.
5.

필요자산	현재 기준	20　년 기준(　　배)
현금 흐름 (　　만원/월)	(연 배당 수익률 2.5% 기준)	
합계		

※01-20년 연평균 물가상승률 약2.5%
　(현재 기준의 자산 가격을 10년 뒤 약1.3배, 20년 뒤 약1.7배로 곱하여 계산)

※만약 무주택자이고 내 집 마련을 희망한다면
　주택 부분을 10년 뒤 1.8배, 20년 뒤 3.5배로 계산

※시세차익형 자산이 아닌 월세 수익형 부동산, 배당주 등
　현금흐름에 집중하여 투자하고자 하는 경우 배당 수익률을 4%로 계산 가능

메이플 소년의
레벨 투자 이야기

　지금의 30대 청년들이 초등학생이었을 시절, 하교 후 집에 돌아와 책가
방 던져놓고 시간 가는 줄 모르고 즐겼던 추억의 온라인 게임이 하나 있었
다. 바로 '메이플 스토리'라는 이름의 국산 RPG게임이다.

　RPG는 [Role Playing Game]의 약자로, 게임 속 나의 캐릭터를 육성
하여 강한 영웅을 만드는 데 목적이 있는 게임의 한 장르다. 이런 종류의
게임에서 캐릭터의 강함은 주로 '레벨(Level)'로 표현된다. 강한 캐릭터
를 원하는 플레이어들은 레벨을 올리기 위하여 게임에 많은 시간을 투자
해야 한다.

주로 레벨업을 하는 방법은 몬스터를 사냥하는 것이다. 사냥하려는 몬스터가 강할수록 경험치를 더 많이 얻을 수 있어 빠른 레벨업이 가능하다. 그렇지만 저 레벨 초보자가 곧바로 보스를 잡으러 가면 공격을 하기도 전에 죽어버리고 만다. 효율적으로 빠르게 레벨을 올리려면 현재 내 레벨에 맞는 몬스터를 공략해야 한다. 너무 강하지도, 너무 약하지도 않은 몬스터를 잘 선택하는 것이 중요하다. 초보자는 달팽이를, 고레벨 랭커는 최종 보스를 잡아야 한다.

필자는 투자에도 게임처럼 레벨이 존재한다고 생각한다. 다음은 필자가 임의대로 보유자산별 레벨을 정리한 표이다.

레벨	보유자산
0Lv	100만
1Lv	200만
2Lv	400만
3Lv	800만
4Lv	1,600만
5Lv	3,200만
6Lv	6,400만
7Lv	1억 2,800만
8Lv	2억 5,600만
9Lv	5억 1,200만
10Lv	10억 2,400만

만약 이제 막 취직한 사회초년생이 통장에 100만원을 보유하고 있다면 그는 0레벨이라고 할 수 있다. 표에서 확인할 수 있듯, 다음 레벨로 올라가고 싶다면 보유 자산을 2배로 만들면 된다. 위 상황에서 1레벨이 되려면, 100만원을 더 만들어 200만원을 보유하면 된다. 0레벨이 1레벨이 되기 위한 가장 쉬운 방법은 무엇일까? 대부분 저축이라는 정답을 쉽게 떠올릴 것이다.

5레벨까지는 저축만으로도 어렵지 않게 달성할 수 있다. 여기까지는 별다른 투자 없이도 충분히 빠른 속도로 레벨을 올리는 것이 가능하다. 하지만 이렇게 저축만으로 레벨을 올리다 보면, 투자자는 어느 순간부터 자연스럽게 **다음 레벨로 가는 속도가 점점 느려지고 있다는 것을 깨닫게 된다.** 이제 저축만으로는 원하는 기간에 자산을 두 배로 불리는 것이 어려워진 것이다. 바로 이때가 사냥터를 옮겨 좀 더 강한 몬스터를 사냥해야 할 시기이다.

레벨	보유자산
5Lv	3,200만
6Lv	6,400만
7Lv	1억 2,800만
8Lv	2억 5,600만
9Lv	5억 1,200만
10Lv	10억 2,400만

경제적자유를 찾는 여행자를 위한 안내서

만약 5레벨 투자자라면, 다음 레벨로 가기 위해 3,200만원이 필요하다. 물론 저축으로도 레벨업은 가능하지만, 소요될 시간을 생각하면 그것이 가장 좋은 방법인지는 의문이 생긴다. 이때 투자자는 저축과 병행하여 어떤 자산에 투자해야 할지 고민해야 한다. 여러분이 생각하는 이 시기의 현명한 투자처는 어디인가?

3천만원으로 할 수 있는 투자가 무엇이 있는지 생각해 보자. 아마 부동산 투자는 어렵다고 느끼게 될 것이다. 소액으로 접근할 수 있는 부동산이 많지도 않을뿐더러, 매수가 가능한 물건이라고 해도 적지 않은 대출이 필요할 것이므로 마음 편하게 투자하기가 어려울 확률이 높다. 소위 말하는 대장아파트와 같은 우량한 자산을 매수하기에는 턱없이 부족한 금액이다. 아직은 부동산이 레벨에 맞지 않는 사냥감인 것은 아닌지 고민해 보아야 한다는 말이다.

만약 부동산 투자가 어렵다는 의견에 동의한다면, 편하게 접근할 수 있는 다른 자산에 관심을 가져보자. 주식일 수도 있고, 금, 달러, 특판 예금일 수도 있다. 내가 가진 자본과 현재 자산시장의 흐름을 고려하여, 돈 모으는 속도를 높여줄 수 있는 적당한 자산을 선택해야 한다.

이런 식으로 내 투자 레벨에 맞추어 2배씩 자산을 불려 나가는 것을 반복하다 보면, 어느새 10레벨에 도달하여 10억을 들고 있는 자신을 발견하게 될 것이다. 조급할 필요도, 욕심낼 필요도, 너무 멀리 볼 필요도 없다. 그저 현재의 2배만 생각하면 된다.

투자는 기간으로 목표를 설정하는 것보다 일정한 수준에 의해 목표를 설정하는 것이 유용하다. 보유 자산이 성장하는 속도는 개인별로 차이가 있기 때문이다. 당장 남을 따라 10억, 20억을 만들겠다는 생각은 나를 막막하게 만들지만, 현재의 2배를 바라보면 그것은 꽤나 현실적인 금액으로 느껴질 것이다. 나만의 목표 금액을 정하고, 그 과정을 금액별 레벨로 나누어 투자해 보자. 선택의 순간에 현명한 판단의 기준이 되어줄 것이다.

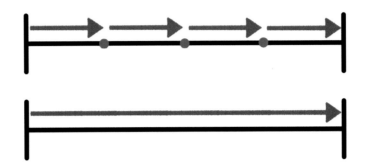

"마라톤을 뛸 때,
보이지 않는 결승 지점을 생각하며 달리는 것보다
멀리 눈에 보이는 가로등이나 나무를 단기적 목표로 삼아
작은 성공을 반복하는 것이 완주에 더 도움이 됩니다"

STEP 2.

시드머니를 모으자

유의미한 시드머니는
얼마일까?(feat. 복리효과)

투자를 하기 위해 제일 먼저 해야 할 일은 시드머니, 즉 종잣돈을 모으는 일이다. 100만원으로는 100% 수익을 내더라도 100만원밖에 벌지 못한다. 반면 1억을 들고 있다면 10%의 수익만으로도 1,000만원을 벌 수 있다. 인간의 수명이 무한하다면, 그 시기가 조금 늦을 뿐 단돈 100만원으로도 엄청난 부자가 될 수 있을 것이다. 하지만 안타깝게도 우리들의 수명은 유한하다. 나에게 주어진 한정된 시간 안에 부자가 되려면 최대한 빠르게 투자금을 키워야 한다. 그것이 시드머니를 모아야 하는 이유이다.

필자가 생각하는 시드머니의 개념은 장기적, 단기적 의미 두 가지로 분류된다. **장기적 의미의 시드머니는 전체 투자 기간에 걸쳐 최종 목표를 이룰 수 있는 금액이고, 단기적 의미의 시드머니는 투자를 시작할 수 있는 최소 금액이다.** 전자가 보스를 때려잡는 강력한 무기라면, 후자의 경우는 사냥을 시작할 수 있는 최소 장비라 할 수 있겠다.

이 두 가지 관점을 기준으로 시드머니에 관해 생각해 보자.

1. 장기적 관점에서 바라본 시드머니

[72]

72의 법칙. 아인슈타인이 여덟 번째 불가사의라 말하던 복리의 마술을 설명할 때 흔히 사용하는 공식이다. 복리는 원금에 이자가 붙었을 때, 이를 재투자하면 이자에 이자가 붙어 돈이 불어나는 속도가 점점 빨라지는 현상을 말한다. 이 공식을 사용하면 복리 상황에서 원금이 두 배가 되는 기간을 알 수 있다.

방법은 아주 간단하다. 72에 수익률을 나누기만 하면 된다. 세금을 제외하고 연 2%의 수익률로 투자를 하고 있다면 원금이 두 배가 되는 기간은 36년이다. 연 10%의 수익률이라면 7년 만에 두 배를 만들 수 있다. 원하는 경제적 목표를 이루기 위해서는 이와 같은 복리에 대한 개념을 바탕으로 시드머니에 대한 계획을 세워야 한다.

다음은 1,000만원을 연 복리 평균 10%의 수익률로 20년간 투자할 경우의 결과를 나타내는 그래프이다.

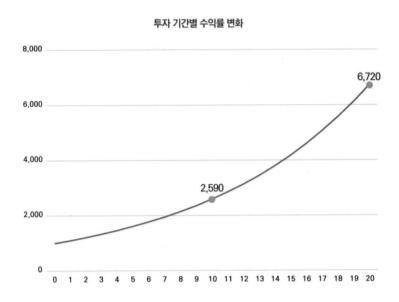

보다시피 시간이 흐름에 따라 원금에 대한 수익률이 점점 높아지는 것을 알 수 있다. 10년 뒤 평가금액은 약 2.6배가 되고, 20년 뒤엔 약 6.7배가 된다.

하지만 이는 추가 투입 금액을 고려하지 않았을 경우다. 투자자 대부분은 갑자기 실직하거나 전업투자자가 되지 않는 한, 투자를 시작한 이후에도 노동소득을 계속 투자금으로 투입할 수 있다.

매년 1,000만원을 투입하며 20년간 투자할 경우, 그 결과는 다음과 같다.

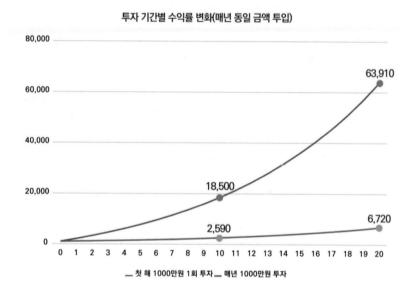

총 평가금액 면에서 두 그래프를 비교해 보면 그 결과는 매우 차이가 난다는 것을 알 수 있다. 매년 동일 금액을 추가로 투입한 경우, 10년 뒤 투자자의 보유 자금은 첫해 투자금의 약 18배인 1억 8,500만원이 되고 20년 뒤엔 약 64배인 6억 3,910만원이 된다. 매년 추가 투자 금액을 늘린다면 차이는 더욱 벌어지게 될 것이다.

투자를 시작하고 추가 금액을 투입하지 않는 경우가 아니라면, 우리는 두 가지 경우를 모두 고려하여 시드머니를 결정해야 한다.

경제적자유를 찾는 여행자를 위한 안내서

앞의 두 가지 그래프를 사용하면 나의 유의미한 시드머니는 얼마인지, 매년 얼마씩 투자해야 하는지 유추해 볼 수 있다. 우선 첫 번째 그래프는 내게 필요한 시드머니가 얼마인지 알려주는 기준이 된다. 방법은 다음과 같다.

1	**희망 투자 기간 및 목표 금액 정하기**
	20년간 20억을 달성하자!
2	**희망 투자 기간별 수익률 확인** (5년: 1.6배, 10년: 2.6배, 15년: 4.2배, 20년: 6.7배)
	20년간 연평균 10%의 복리 수익률은 6.7배구나.
3	**목표금액 ÷ 투자 기간 수익률 = 필요 시드머니**
	20억 ÷ 6.7 = 3억
4-1	이미 필요 금액만큼 시드머니를 보유한 경우 (이대로 잘 굴리기만 하면 되겠군!)
4-2	필요 금액보다 보유 금액이 적은 경우 (아직 부족하네.. 추가로 투자 금액을 투입하면서 굴려야겠다!)

만약 이미 필요한 시드머니를 보유하고 있다면 추가 금액을 투입하지 않아도 목표에 도달할 가능성이 크다. 반대로 아직 보유 금액이 부족하다면 추가 금액을 투입하면서 투자해야 한다.

그리고 두 번째 그래프를 활용하여 매년 투자해야 할 금액을 유추하는 방법은 다음과 같다.

1	**희망 투자 기간 및 목표 금액 정하기**
	20년간 20억을 달성하자!
2	**희망 투자 기간별 첫 투자금액 대비 수익률 확인** **(5년: 7.7배, 10년: 18배, 15년: 36배, 20년: 64배)**
	20년간 연평균 10%의 첫 투자금액 대비 복리 수익률은 64배구나.
3	**목표금액 ÷ 투자 기간 수익률 = 필요 시드머니**
	20억 ÷ 64 = 3,100만원
4-1	**필요 금액만큼 매년 투자가 가능한 경우** (이대로 매년 꾸준히 투자하자!)
4-2	**필요 금액만큼 매년 투자가 불가능한 경우** (더 절약하거나 소득을 늘려서 해마다 투자금액을 늘리자!)

계산 결과 필요 액수만큼 매년 투자가 가능하다면, 매년 꾸준히 같은 금액을 투자하면 된다. 반대로 필요 액수만큼 매년 투자하는 것이 불가능한 경우, 절약이나 소득액 증가를 통해 투자 금액을 늘리거나 가능한 금액부터 시작해서 매년 투자 금액을 늘려나가면 된다.

경제적자유를 찾는 여행자를 위한 안내서

물론 수익률의 변화, 경제 상황, 세금 등 다른 변수는 많겠으나, 기간 안에 현실적으로 목표 금액을 달성할 수 있는지 판단하는 기준으로 삼기엔 충분하다. 저마다 목표가 제각각이므로 유의미한 시드머니는 사람마다 차이가 있다. 나의 경제적 목표 달성에 적합한 시드머니는 얼마인지 직접 생각해 보자.

2. 단기적 관점에서 바라본 시드머니

이제 단기적 관점에서 생각해 볼 차례다. 앞서 말했듯 단기적 관점의 시드머니는 투자를 시작할 수 있는 최소금액을 말한다. 이 역시 투자자가 처한 상황, 보유한 자본규모, 투자 성향 등에 따라 필요하다고 생각하는 금액이 천차만별이다. 어떤 이에게는 3천만원이 적합한 금액일 수도 있고 어떤 이는 1억도 부족하다고 느낄 수 있다. 여러분은 첫 투자금액으로 얼마가 적절하다고 생각하는가?

숫자로 표시되는 금액이지만 매우 주관적이다. 주관적이라는 말은 곧 내가 아닌 누군가가 얼마를 모아 투자를 시작하면 되는지 정해줄 수 없다는 뜻이다. 그러므로 우리는 각자 시장에 참여할 적절한 투자 밑천이 얼마인지 계산할 줄 알아야 한다. 이를 위해 스스로에게 맞는 첫 투자 금액을 정하는 데 도움이 되는 기준 한 가지를 제시하고자 한다.

'3년 저축 가능 금액'

필자가 추천하고 싶은 기준은 3년 저축 가능 금액이다. 연간 2천만원을 모을 수 있는 사람이라면, 6천만원으로 투자를 시작하면 된다. 이미 4천만원을 보유하고 있다면, 1년 더 저축하여 6천을 만들어 투자를 시작할 수 있다.

3년을 기준으로 삼은 이유는 시간이 지남에 따라 3년을 기점으로 저축의 효과가 급격하게 떨어지기 시작하기 때문이다.

저축 기간	1년차	2년차	3년차	4년차	5년차	6년차
보유금액	2,000	4,000	6,000	8,000	10,000	12,000
전년대비 증가율	100%	100%	50%	33%	25%	20%

저축 1년 차의 경우 보유 금액이 0원에서 2,000만원으로, 2년 차의 경우 2,000만원에서 4,000만원으로 전년 대비 100%의 자산 증가율을 보인다. 하지만 당장 1년이 더 지난 3년 차부터는 증가율이 반감되며 50%, 33%, 25%, 20%로 줄어버린다. 이처럼 자산 증가율이 떨어지는 시기를 늦출 수 있도록 3년 저축 가능 금액을 보유하는 시점부터 투자를 시작하는 것이다.

경제적자유를 찾는 여행자를 위한 안내서

3년 저축 가능 금액으로 투자를 한다면, 10%의 수익으로 3달 저축금액 이상을 벌 수 있다. 반대로 10% 손실을 입더라도 3개월이면 회복이 가능하다. 저축만 하는 것보다 더 의미가 있으며, 손실이 기분 나쁘긴 하나 치명적이지 않다. 나의 투자 방향이 맞는지 점검해 보고, 점차 투자금을 쌓아가며 불리기에도 적합한 규모이다. 크게 잃는 것이 두렵고 차근차근 성장하는 것에 재미를 느끼는 이들에게 추천하고 싶은 기준이다.

물론 이 또한 지극히 주관적인 기준으로, 원한다면 금액과 상관없이 당장이라도 투자를 시작할 수 있다. 1년 저축금액으로 시작하던, 당장 백만 원으로 투자를 하던 투자자가 선택하기 나름이니 말이다. 그러나 투자를 하는 데 상당히 많은 시간과 노력의 투입이 필요하다는 것을 감안하면, 최소한 투자로 인한 수익의 크기가 자신에게 의미가 있을 수 있는 수준에서 단기 시드머니를 설정하여 투자를 시작하는 편이 좋다.

시드머니를
만드는 방법

나에게 필요한 시드머니가 얼마인지 생각해 보았다면, 가능한 빠르고 효율적인 방법으로 시드머니를 모아야 한다. 일반적으로 직장인이 시드머니를 만드는 흔한 방법은 크게 네 가지가 있다.

1. 저축

가장 단순한 방법이다. 그저 월마다 나의 소득에서 고정지출 비용을 제외한 금액을 모으면 된다. 확실한 방법이지만 필요 금액을 모으는 데 시간이 오래 걸린다는 점이 단점이다. 저축 기간을 단축하려면, 저축률을 높이거나 소득을 높여야 한다. 하지만 월급을 받는 일반 직장인이 소득을 높이는 데에는 한계가 있으므로 불필요한 지출을 막아 저축률을 높이는 편이 훨씬 쉽다.

저축을 통해 시드머니를 모을 때에는 분기 또는 반기 단위로 목표 금액을 설정해 두면 도움이 된다. 충동적인 소비를 막고 계획한 목표를 달성하

경제적자유를 찾는 여행자를 위한 안내서

기 위해 생활 패턴을 스스로 조절하게 되기 때문이다. 추천하는 저축률은 월 소득의 50% 이상, 70% 이하이다. (필자는 90%까지 모아본 적이 있는데 이는 일상생활에 지장이 오는 수준으로, 추천하고 싶지는 않다.)

저축하는 과정이 힘들거나 그 기간이 지루할 수 있으나, 평소 쉽게 써버렸던 돈에 대한 소중함을 느끼고 투자를 시작하기 전 공부하는 시간으로 활용한다면 훗날 분명 의미 있는 시간이 될 것이다.

2. 부모님 찬스

나의 부모님, 혹은 가족으로부터 도움을 받을 수 있다면 그 또한 좋은 방법이다. 쉽고 간편한 방법이기 때문이기도 하지만, 가장 빠르고 안전하게 종잣돈을 마련할 수 있다는 것이 더 큰 장점이다. 만약 부모님이 독립자금, 결혼자금 등으로 자녀에게 목돈을 증여할 계획이 있다면 부모님의 부담을 줄일 수 있는 방법이기도 하다. 일시에 큰 액수를 증여하는 것보다 미리 증여받은 시드머니를 안전하게 꾸준히 굴리는 것이 금액이나 세금 측면에서 유리하기 때문이다.

물론 가족에게 무턱대고 손을 벌리라는 말은 아니다. 반대로 부모님께서 주시는 도움을 너무 부담스러워할 필요는 없다는 이야기이다. 주는 이가 충분히 경제적으로 여유가 있어 무리가 되지 않는 선에서 도움을 받도록 하자.

3. 투자로 저축하기

투자로 저축하기란 자산을 적립식으로 매수하며 시드를 모으는 방법을 말한다. 현금 대신 자산을 모아나가면, 종잣돈을 모으는 속도를 높일 수 있다. 또한 자산으로 자금을 축적하는 방법이기 때문에 현금을 모으다가 꽤 금액이 모인 것을 보고 여행이나 쇼핑 등에 충동적으로 소비하는 실수를 방지하는 효과도 있다.

이때 활용할 수 있는 자산은 여러 가지가 있는데 달러, 금, 주식 등과 같이 소액으로도 자유롭게 사거나 팔 수 있는 자산을 선택하는 것이 좋다. 유의할 점은 역으로 마이너스가 날 수도 있다는 것을 알고 시작해야 한다는 것이다. 사전에 투자 공부가 전혀 되어있지 않은 경우라면 변동성이 작은 안전한 자산부터 모으다가 감당이 가능한 자산으로 눈을 돌리는 것이 좋다.

또한, 이 방법은 소액부터 투자를 경험해 볼 수 있다는 점이 큰 장점이다. 투자라는 것은 지식의 공부도 필요하지만, 욕심이나 공포를 컨트롤할 수 있는 마음의 공부도 필요하다. 적은 금액부터 차근차근 규모를 키워나간다면, 심리를 컨트롤할 수 있는 연습의 기회를 만들 수 있다. 투자 손실을 감당할 수 있으며, 손실이 나더라도 투자를 배우기 위한 수업료라고 생각할 수 있다면 가장 추천하고 싶은 방법이기도 하다.

경제적자유를 찾는 여행자를 위한 안내서

4. 대출

부모님 찬스가 불가능하거나 저축으로 원하는 종잣돈을 모으는 데 시간이 너무 오래 걸리는 경우, 대출도 투자를 위한 종잣돈을 만드는 방법이 될 수 있다. 이 역시 마찬가지로 빠르게 시드를 만들어 투자를 시작할 수 있기 때문이다.

단, 대출을 활용하는 경우에는 신중할 필요가 있다. 스스로 감당할 수 있는 대출인지, 예상되는 수익률과 이자를 비교했을 때 득이 되는 선택인지, 투자 공부가 부족한 상태에서 성급한 나머지 섣불리 투자를 시작하려고 하는 것은 아닌지 생각해 보아야 한다. 이 중 하나라도 걸리는 점이 있다면 이 방법은 추천하고 싶지 않다. 가장 나쁜 예는 상승장에서 돈을 번 주변 사람들을 보고 조급한 마음에 무작정 대출을 끌어다 코인이나 테마주에 올인하는 경우라고 할 수 있겠다. 대출을 활용한 투자에서 손실이 발생하게 되면, 경제적으로나 심리적으로나 감당하기가 매우 어렵기 때문이다. 만약 스스로 초보 투자자라고 생각한다면 최소한 저축 1-2년은 하면서 나에게 맞는 투자처와 그에 관한 공부를 하도록 한 뒤, 부족한 금액에 대한 보완의 개념으로 대출을 활용하는 것을 추천한다.

시간은 금보다 귀하다. 성급해질 필요는 없으나 일 년이라도 빠르게 투자를 경험하고 자산을 증식시키는 것이 유리한 것도 사실이다. 자신의 상황과 형편을 고려하여 적합한 방법과 계획으로 빠르게 종잣돈을 모아 투자를 시작할 수 있도록 하자.

그거, 사시려구요?

과거와 비교해서 요즘 주변을 보면 소비에 대하여 관대한 사람들이 많아졌다는 생각이 든다. 예를 들면 다음과 같다.

꽤 흔한 직장인 A의 하루

A는 어제 퇴근 후 새벽까지 유튜브를 보다가 늦게 자서인지 아침에 알람을 듣지 못하고 늦잠을 자버렸다. 지각하지 않기 위해 어쩔 수 없이 **택시**를 탄다. 겨우 회사에 도착해 숨 돌릴 틈 없이 오전 일과를 마치고 점심을 먹는다. 오늘은 좀 맛있는 걸 먹고 싶어 동료와 **밖으로 나가 식사**를 했다. 돌아오는 길에 **편의점**에서 담배 한 갑을 사고 **카페**에 들러 커피 한잔을 산다. 옥상에 올라가 커피를 한 모금 마시며 담배를 입에 문다. 이거 없었으면 어떻게 직장생활을 했을까 싶다. 새해 목표가 금연이었지만 어쩔 수 없다. 나는 잘못이 없다. 이게 다 꼰대 김부장 때문이다.

오후가 지나 퇴근 후 회사를 나왔다. 야근은 안 했는데 어째 오늘따라 더 피곤한 것 같다. 집에 도착하니 아무것도 하기가 싫다. 오늘 저녁은 **배달음식**이나 시켜 먹어야겠다. 그동안 샤워나 하지 뭐. 씻고 나와 배달온 치킨을 뜯으며 **넷플릭스**를 보고 있는 자신을 보니 조금 한심하다는 생각이 든다. **헬스장**은 등록해 두고 몇 번이나 갔었나 싶다. 내일부턴 정말 열심히 살아야겠다고 다짐한다.

저녁을 먹고 누워있는데 친구에게서 연락이 온다. 뭐 하냐 묻기에 그냥 집에 있다고 답하니 근처에 있다며 술 한잔하자고 나오란다. 귀찮아서 망설이다가 '오늘까지 딱 마시고 내일부턴 새사람이 되어야겠다.'라고 생각하며 친구를 만나러 간다. 친구와 이런저런 대화를 하다가 올겨울에 대학 동기들끼리, 안되면 둘이서라도 **해외로 여행** 한 번 가자는 이야기가 나온다. '그래, 젊을 때 한 번이라도 더 놀아야 후회가 없지.'라고 생각한 A는 흔쾌히 수락한다. 내일 당장 친구들에게 이야기해 보고 호텔, 비행기부터 우선 예약해야겠다고 생각하며 기대감에 부푼다. 조만간 여행 갈 때 입을 **옷**이나 몇 벌 질러야겠다고 생각한다. 조금 비싸긴 하지만 괜찮다. 이건 '나를 위한 선물'이다.

기분이 좋아진 A는 오늘은 내가 쏜다며 **술값**을 계산했다. 친구와 헤어지고 터덜터덜 집으로 돌아오는 길, 오늘도 참 열심히 살았구나 하는 생각이 든다. 그래도 행복한 하루였다고 느끼며 잠이 든다.

누구에게나 있을법한 평범한 하루다. 여러분은 이야기 속 인물이 낭비가 심한 사람으로 보이는가? 아마 그렇지 않을 것이다. A는 남에게 과시하거나 사치를 목적으로 소비를 하지 않았다. 그저 소비에 조금 관대한 편일 뿐이다. 필자도 그런 사람 중 한 명이었다. 편의점, 배달음식, 택시비, 외식비, 술값, 쇼핑 등 그렇게 크지 않은 소소한 금액임에도 불구하고 카드값이 생각보다 많이 나오는 것을 보고 어디다 그렇게 쓴 것인지 확인해 본 적이 많았다. 최근 우연히 TV 프로그램 중 의뢰인의 지출 내역을 함께 돌아보고 반성하는 내용의 방송을 본 적이 있는데, 참으로 공감되는 내용이 많았다.

[저축과 달리 카드값은 확실히 티끌 모아 태산이 되는 것이 맞는 것 같다]

경제적자유를 찾는 여행자를 위한 안내서

개인의 소비에 대하여 감히 옳고 그름을 판단할 수는 없다고 생각한다. 하지만 투자에 관심을 가지고 있는 사람이 A처럼 생활하는 것을 보고 있으면, 충분히 이해도 공감도 되지만 안타깝다는 생각이 더 크게 든다.

현명한 투자자가 되려면 자금이 충분하지 않은 상황에서 불필요한 소비가 손해라는 것을 알고 이를 절제할 줄 알아야 한다. **모든 선택에는 언제나 기회비용이 따라온다. 매번 소소한 행복을 위해 소비라는 선택을 한다면, 그때마다 시드머니를 더 빠르게 모을 기회를 버리게 되는 것일 수 있음을 생각해야 한다.** 매월 30만원을 절약하는 것은 현금 1억을 보유하고 있는 것과 같은 효과를 갖는다.

절약이 가장 의미 있는 순간은 투자를 시작할 때이다. 언젠가 나의 투자금을 열심히 굴려서 점점 그 규모가 커지게 된다면 절약의 의미가 희미해지는 순간이 온다. 소비를 늘려도 나에게 큰 영향을 주지 못하는 순간이 온다는 뜻이다. 그런 순간이 올 때까지 절약을 통해 부를 이루는 속도를 높이는 것을 즐겨보는 것은 어떨까? 어쩌면 순간순간의 금세 잊혀지는 소소한 행복보다 더 큰 즐거움을 가져다줄지도 모른다.

종잣돈을 더 빠르게 모으게 해줄 절약을 돕는 습관들

1. 엥겔지수 낮추기

절약할 수 있는 부분들은 여러 가지가 있지만 그중 제일 쉽게 절약할 수 있는 것은 먹는 것이다. 말라서 고민하는 사람보다 살이 쪄서 고민하는 사람들이 더 많은 것이 그 증거라고 할 수 있겠다. 간식, 커피 등 습관적으로 먹지만 딱히 필요하지 않은 것들부터 시작해서 스트레스나 허전함을 과식으로 달래고 있지는 않은지 체크해보자. 시간의 효율이 아닌 귀찮음을 이유로 배달로 식사를 때우거나 습관적으로 외식을 하는 것도 생각해 보아야 한다. 만약 다이어트가 필요하다면 좋은 기회라고 생각하며 엥겔지수를 낮춰보길 권하고 싶다. 건강과 미용도 챙기고 절약도 할 수 있는 좋은 방법이다.

경제적자유를 찾는 여행자를 위한 안내서

2. 전략적 캥거루족 되기

생활비에서 가장 큰 비중을 차지하는 것 중 하나가 주거비용이다. 이 주거비용을 줄이기가 참 쉽지 않다. 퇴근 후 길바닥에서 잘 수는 없으니 말이다. 사람들은 보통 월세, 전세보증금이나 주택구입용 대출 이자 등으로 적지 않은 주거비용을 지출하고 있다.

부모님의 집에서 함께 사는 것은 주거비용을 0으로 만들 수 있는 좋은 방법이다. 주거비용과 함께 공과금, 인터넷 통신비, 관리비 등도 사라진다. 게다가 가사 노동을 분담할 수 있으므로 시간적으로도 이득이다. 직장 출퇴근이 가능한 거리라면, 강력하게 추천하고 싶은 방법이다.

부모님과 함께 사는 것이 크게 불편하지 않은 사람이라면 한 번쯤 시도해 보길 바란다. 만약 얹혀사는 기분이 든다면 매월 20만 원쯤 생활비를 보태는 것도 좋다. 독립해서 혼자 생활하는 데 쓰이는 것보다는 훨씬 적은 비용이다.

3. 대중교통 이용하기

갓 취직한 사회초년생이 무척이나 원하는 것 중 하나가 차를 구입하는 것이다. 대학생 시기에 면허는 있으나 안정된 수입이 없어 뚜벅이 생활을 하는 게 싫증이 나서, 사회인으로서 차 한 대쯤은 있어야 한다는 막연한 생각에, 남들에게 보여주고 싶은 마음에서 등 다양한 이유로 자동차를 원한다. 필자도 그랬던 것 같다.

하지만 여러분이 대중교통 인프라가 잘 구축된 지역에 사는 독신이라면 자동차 구매를 말리고 싶다. 자동차는 편리함을 가져다주는 존재임과 동시에 돈을 잡아먹는 괴물이다. 보험비, 연료비, 세금, 소모품, 정비 비용 등 각종 유지비가 들어가게 되는 것은 물론, 차는 구입하는 순간부터 끊임없이 그 가치가 떨어지게 되기 때문이다. 게다가 차를 사면 어디든 가기가 쉬워진다. 자연스레 지출은 늘게 되어있다. 차가 필요하지만 자주 타는 것은 아니라면 차라리 택시를 타는 편이 더 저렴하다.

육아, 교통이 불편한 지방 생활 등 어쩔 수 없이 차를 구매해야 하는 경우가 아니라면 자동차 구입은 잠시 미루고 대중교통을 이용하도록 하자. 요즘은 안내 시스템이나 노선이 잘 마련되어 있어 생각보다 불편하지 않다. 특히 먼 거리를 이동할 때는 대중교통만 한 것이 없다. 운전대를 잡을 필요 없이 편하게 자리에 앉아 음악을 듣거나 드라마 한 편 감상하다 보면 어느새 목적지에 도착하게 된다. 이동하는 내내 운전하며 받는 스트레스를 줄일 수도 있고 보다 생산적으로 시간을 활용할 수 있다.

4. 사회적 거리 두기

'나가면 다 돈이다.'라는 말이 있다. 실제로 그렇다. 각종 모임, 친구와의 만남, 데이트 비용 등을 생각해 보면 하루 만에도 만만찮은 지출을 할때가 많다. 여러분들이 지난 한 달간 사람들을 만나기 위해 사용한 지출은얼마인가? 만약 생각보다 많은 지출이 있었다면 사회적 거리 두기가 필요한 것은 아닌지 생각해 보고 그 횟수를 조절하는 것이 좋다. 평소 쇼핑을즐기거나 사치를 하지 않는 편인데 통장에 돈이 별로 남아 있지 않은 경우,많은 지출을 막을 수 있을 것이다.

징말 친한 사람들이라면 오랜만에 만나도 전혀 어색하지 않다. 역으로자주 만나지 않는다고 해서 사이가 멀어지지도 않는다는 말이다. 때로는나를 찾는 사람들이 정말 내 시간과 비용을 써가며 만날 가치가 있는 사람들인지 냉정하게 생각해 볼 필요가 있다. 그저 술 한잔할 사람이 필요해서 나를 부르는 직장 상사나, 심심해서 같이 시간 보낼 사람을 찾는 친구라면 유연하게 거절할 줄도 알아야 한다. 여러분의 시간과 돈은 그보다는더 소중할 테니 말이다.

보고 싶은 사람들이 있다면 다 같이 모여 한 번에 만나기, 심심해서 나가는 경우라면 공부나 운동 등 자신만의 취미 생활을 만들어 자기 계발 하기, 식사-커피-영화와 같은 뻔한 코스에서 벗어나 공유 가능한 취미를 즐기며 데이트하기 등의 방법을 병행하는 것도 좋다. 사람들을 아예 만나지않을 수는 없지만, 필요 이상으로 집 밖에 나가는 것은 경계하도록 하자.

5. 미니멀리스트 되어보기

그리 오래되지 않은 유행어 중 플렉스(Flex)라는 단어가 있다. 힙합 문화에서 래퍼들이 자신의 부를 과시하는 것에서 비롯된 말로, 젊은이들 사이에서 자주 쓰이는 것을 볼 수 있다. 힙합 관련 경연 프로에서 10대 20대 래퍼들이 아직 갖지도 않은 부를 과시하는 가사들을 외치는 모습들은 참 많은 생각을 하게 만든다. 문화의 영향력은 가히 파괴적이다. 인플루언서들로부터 자극을 받은 사람들은 자신의 명품, 외제 차 등을 SNS에 자랑하기 바쁘고 관련된 게시물에는 수많은 댓글과 하트가 달린다.

비싼 것을 소비하는 행위 자체는 전혀 나쁜 것이 아니다. 경제적으로 여유가 있는 사람이 더 좋은 것을 필요로 하는 것은 당연한 이치다. 하지만 형편이 허락하지 않는 상황에서 미래의 일을 생각하지 않고 소비를 추구하는 것은 스스로를 잠식하는 행위일지도 모른다는 점을 생각해 보아야 한다.

그에 대한 해답으로 제시할 만한 것이 미니멀 라이프(Mimimal life)다. 미니멀 라이프란 소유에 대한 욕망에서 벗어나 불필요한 것을 덜어내고 자신이 가지고 있는 것에 만족할 줄 아는 자세를 추구하는 방식으로 플렉스와는 대조적인 개념이라고 할 수 있다. 가끔 이것을 무턱대고 소비를 하지 않는 것으로 생각하는 사람들이 있는데, 소비를 억지로 참는 것이 아니라 필요 이상의 것을 자발적으로 덜어내고자 하는 욕망이라는 점에서 차이가 있다.

경제적자유를 찾는 여행자를 위한 안내서

어린아이에게 비싼 장난감을 사주면 재미있게 가지고 놀다가도 일주일이 채 안 되어 싫증이 나서 한쪽 구석에 방치해두고 관심조차 주지 않는 것을 볼 수 있다. 그저 정리해야 하는 장난감이 하나 늘었을 뿐이다. 필요한 금액이 더 커졌을 뿐 어른들의 소비도 마찬가지다. 옷, 자동차, 낚싯대, 인테리어 소품, 게임기 등이 좋은 예다. 원하는 것을 가지는 순간에는 잠시 기뻤으나 이내 그것은 익숙해져 버리고 만다.

소비는 내 시간과 노동을 재화로 바꾸는 행위다. 소비가 주는 즐거움과 만족감이 그보다 더 큰 가치를 만들어내지 못한다면 현명한 선택이라고 말하기는 어렵지 않겠는가?

한 달에 100만 원을 쓰던 사람이 200만 원을 쓴다고 해서 인생이 2배로 행복해지지는 않는다. 나에게 적합한 소비 기준을 정하고 무엇이 스스로를 위한 현명한 선택인지 고려해 보자. 집에 정리할 물건이 점차 줄어들게 될 것이다.

이 외에도 나의 일상을 가만히 들여다보면 생각보다 쉽게 절약할 수 있는 비용들이 많이 있을 것이다. 생활 속에서 쉽게 줄일 수 있는 비용들은 대개 소비의 원인이 귀찮음이나 욕심에 있는 경우가 많다. 지금 절약하는 돈이 하나둘 모여 미래에 얼마가 될지 생각해 보며 가능한 것부터 하나씩 소비를 줄여보길 바란다. 생각보다 빠르게 시드머니가 모이는 것을 느끼게 해줄 것이다.

"행복의 비결은
더 많은 것을 소유하는 것이 아니라
더 적은 것으로 즐길 수 있는
능력을 키우는 데 있다."

- 소크라테스 -

경제적자유를 찾는 여행자를 위한 안내서

공부도 같이하면서
모읍시다

필자의 아버지는 낚시를 좋아한다. 현재 아버지는 바다가 없는 내륙 지방에 거주하고 있고, 나는 집에서도 바다가 훤히 보이는 지역에 살고 있다. 아버지는 일이 없을 때면 가끔 낚시를 하기 위해 우리 집에 머물다 가시곤 한다. 덕분에 집에는 아버지의 낚싯대가 7대나 보관되어 있다.

그러나 필자는 낚시를 전혀 할 줄 모른다. 시기별로 어떤 물고기가 잡히는지, 어떤 채비를 해야 하는지, 바늘은 어떻게 매는지조차 알지 못한다. 그래도 낚시를 싫어하지는 않아서 아버지를 따라 낚시를 하러 가긴 하는데, 그때마다 아버지께서 세팅을 전부 완료해서 낚싯대를 내게 건네주신다. 나는 그저 미끼를 끼워 바다에 던지고 물고기를 잡을 뿐이다. 이런 이유로 우리 집의 비싼 낚싯대들은 안타깝게도 연중 대부분의 시간을 방 한 구석에 기대어 보내고 있다. 내 손 안에서 낚싯대는 기다란 고철덩어리에 불과하다.

제아무리 좋은 장비가 있어도 그것을 사용하는 방법을 모르면 쓸모가 없다. 필자가 생각하기엔 시드머니도 마찬가지다. 여러분들이 투자를 해야겠다고 굳게 마음을 먹었다면, 많은 노력과 시간을 들여 시드머니를 모으게 될 것이다. 만약 그 과정에서 투자에 관한 공부를 전혀 하지 않았다면 목표로 하던 시드머니를 만든 후 이런 고민을 하게 될 것이다.

'이 돈을 어디에 투자해야 할까…?'

사용할 줄 모르는 낚싯대처럼, 시드머니를 모았으나 투자를 할 줄 모르면 얼마를 가지고 있던 쓸모가 없다. 힘들게 모은 돈을 아무 데나 투자할 수는 없는 노릇 아닌가. 이런 상황에서 뒤늦게라도 공부를 시작하면 다행이다. 현금이 놀고 있는 것을 보면 투자자는 조바심이 나기 시작한다. 어느 정도 투자에 대한 계획과 기준이 생기기도 전에 남의 말을 듣고 덜컥 자산을 매수하거나 합리적인 근거도 없이 묻지 마 식 투자를 하는 모습은 혼자서 쓸 줄도 모르는 낚싯대를 메고 바다에 나가는 필자의 그것과 다를 것이 없다.

투자할 자산에 따라 다르겠지만 보통 종잣돈을 모으는 데 1년에서 3년 사이의 시간이 걸린다. 어떤 분야를 공부하기에는 충분한 시간이다. 시드머니를 모으는 기간 동안 투자에 관한 공부도 함께 해야 한다. 책을 보는 것도, 관련 강의를 듣는 것도, 적은 금액으로 투자를 경험해 보는 것도 좋다. 기껏 돈을 모아놓고 투자를 시작하지 못하거나 손실을 보고 시드머니를 다시 모으는 일은 없도록 하자.

"할 줄 모르는 게임기에
동전을 넣으면
순식간에 게임오버가 됩니다"

STEP 3.

투자를

시작하기 전에
(자산시장을 대하는 자세)

자산시장에서 마주치는
네 마리의 동물들

　자산시장에서는 흔히 장세나 투자자들의 심리를 표현할 때 동물에 비유하고는 한다. 그중 우리가 가장 흔하게 만나는 동물이 네 마리 있다. **황소, 곰, 돼지, 양이다.**

만약 여러분이 투자를 결심하고 자산시장에 입장한다면, 우선 두 마리의 동물을 만나게 될 것이다. 한 마리는 황소, 다른 한 마리는 곰이다.

황소는 상승장을 뜻한다. 황소는 공격 시 머리에 솟은 뿔을 아래에서 위로 쳐올리는 성질이 있기 때문이라고 한다. 이런 상승장에서는 정말 운이 좋지 않은 사람들을 제외하고는 대부분이 투자로 돈을 번다. 주변에서는 투자로 돈 벌었다는 이야기가 계속 들려오고, 투자에 별 관심이 없던 사람들도 고민하기 시작한다. 코로나로 자산시장에 충격이 온 이후의 대세 상승장이 이에 해당한다.

반면 곰은 큰 손을 아래로 내리치며 공격한다. 이런 특성을 가진 곰은 하락장을 의미한다. 자산시장에 곰이 찾아오면 사람들의 주식계좌는 파랗게 물들기 시작하고, 투자자들은 투자에 부담을 느끼게 되어 소극적인 모습을 보인다. 우리나라의 IMF 시기나 글로벌 금융위기처럼 대세 하락장이 올 때에는 여기저기서 곡소리가 나기도 한다.

경제적자유를 찾는 여행자를 위한 안내서

이렇게 상승과 하락을 반복하는 시장에서 투자자들에게는 어김없이 두 마리의 동물이 찾아온다. 바로 돼지와 양이다.

돼지는 욕심을 상징한다. 어떤 개인 투자자가 1,000만원을 투자하고 운 좋게 100퍼센트의 수익률을 냈다고 가정해 보자. 이때 돼지가 찾아와 투자자에게 이런 이야기를 할 것이다.

'1,000만원이 아니라 1억을 투자했었으면 1억을 벌었을 텐데!'

이 말을 들은 투자자는 1000만원의 수익을 냈음에도 불구하고 만족이 아니라 후회를 하게 된다. 사람의 본성이 그렇다. 서 있으면 앉고 싶고, 앉으면 눕고 싶은 법이다.

양은 공포를 의미한다. 하락장이 찾아와 투자한 자산들이 녹아내리고, 투자하면 망한다는 소리가 들려오면 양이 다가와 이렇게 속삭인다.

'더 떨어지기 전에 지금이라도 팔아야 하는 거 아냐?'

양의 목소리를 들은 투자자는 공포에 견디지 못하고 자산을 팔아버리고 만다.

보통 돼지는 황소를, 양은 곰을 따라다닌다. 대개 투자로 실패하는 흔한 케이스는 이 돼지와 양을 이기지 못하고 판단력이 흐려져 발생한다. 상승장에서 욕심을 부려 무리한 투자를 하거나, 하락장에서 투자에 대한 확신이 없어 의지와 상관없이 매도해 버리기 때문이다. '내가 사면 떨어지고 팔면 오른다.'라는 말을 들어본 적이 있을 것이다. 이런 말을 하는 사람들은 욕심과 공포를 멀리하지 못한 사람들이다.

투자에서 자산의 상승과 하락은 필연적으로 찾아온다. 황소와 곰은 피할 수가 없다. 그럴 때마다 찾아오는 돼지와 양을 멀리하도록 하자. 급하게 많이 먹으면 체하기가 쉽다. 확신이 있는 곳에 투자하고, 적당한 수익에도 만족하는 자세로 공포와 욕심을 다스려야 한다.

경제적자유를 찾는 여행자를 위한 안내서

단기적 예측보다는 대응

앞에서 성공적인 투자를 위해서는 돼지와 양을 멀리해야 한다는 이야기를 했다. 욕심과 공포는 어디에서 오는 걸까? 그것은 투자자의 섣부른 단기적 예측에서 온다. 투자자의 상승에 대한 예측은 욕심으로 무리한 투자를 하게 만들고, 하락에 대한 예측은 공포를 만들어 의도치 않은 매도를 야기한다. 만일 여러분에게 미래를 볼 수 있는 능력이 있다면, 욕심과 공포가 찾아올까? 절대 그렇지 않을 것이다.

우리가 신과 같은 예지능력을 가지고 있다면 좋겠지만, 아쉽게도 지구상에 그런 능력이 있는 존재는 아무도 없다. 당장 경제 관련 매체에서 스스로 전문가라고 말하는 이들을 보면 알 수 있다. 다양한 근거를 토대로 1, 2년 후의 앞날을 예단하는 모습이 그럴듯해 보이나, 시간이 지나 보면 틀리는 경우가 아주 많은 것을 발견할 수 있다. 가끔 자신의 예상이 맞을 때까지 주장을 지속하며 사람들에게 비난을 받는 모습을 보면 안타깝기까지 하다.

그들의 공부나 연구가 부족해서가 아니다. 미래의 일을 정확하게 예측하는 것 자체가 불가능에 가까운 일이기 때문이다. 우리가 전문가라고 부르는 이들은 경제와 관련된 일을 업으로 삼는 자들이다. 그들은 일반인과 비교하면 예측에 대한 힌트를 얻을 기회가 압도적으로 많다. 그럼에도 예측에 실패할 가능성은 항상 존재한다. 경제 관련 컨텐츠에서 습관적으로 사용하는 문구가 있지 않은가?

'투자판단에 대한 모든 책임은
투자자 본인에게 있습니다.'

예측이 틀리지 않을 자신이 있다면 이런 말을 할 필요도 없다. 이렇게 전문가도 확신하지 못하는 가운데, 힌트마저 없는 우리에게 예측은 더더욱 어려운 일이다. 전문가들의 예측은 내가 미처 생각하지 못한 판단의 기준을 제시하는 데 그 의미가 있는 것이다. 적어도 필자는 스스로 가진 능력과 수준에서 생각해 보았을 때, 예측이 불가능하다는 것을 인정하기로 했다.

한 치 앞을 모르는 시장에서 실패를 줄일 수 있는 방법이 하나 있다. 예측을 포기하고 상황에 맞추어 대응하는 것이다. 대응은 결과에 따라 선택하는 방법이다. 마치 가위, 바위, 보 게임에서 상대방보다 몇 초 늦게 무엇을 낼지 선택하는 것과 같다. 예측보다 훨씬 쉽게 행동할 수 있으며, 마음 졸일 필요도 없다. 자산이 비싸지면 팔고, 저렴해지면 사면 된다.

경제적자유를 찾는 여행자를 위한 안내서

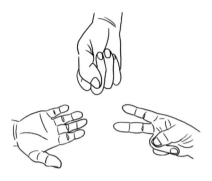

투자는 자산 가격이 상승해야 돈을 벌 수 있다. 때문에 어디에 투자할지 판단하려면 장기적인 관점에서의 예측은 물론 필요하다. 하지만 단기적인 관점의 예측은 변수가 너무 많아 그 위험도가 매우 크다. 결과를 확인하고 대응하는 방법은 초보 투자자가 위험도를 낮출 수 있는 좋은 방법이다.

당장 친구와 다음 주에 만나기로 한 약속도 갑작스러운 일로 틀어지는 경우가 있지 않은가? 이렇게 확실해 보이는 사소한 일조차도 예측할 수 없는 것이 우리가 사는 세상이다. 수많은 변수가 작용하는 시장에서 우리가 예측한 것이 정말 믿을만한 것인지 생각해 보아야 한다. 만약 그것에 대한 확신이 없는 초보 투자자라면 단기적인 예측을 버리고 상황에 따라 대응하는 전략부터 사용해 보도록 하자.

투자자가
리스크를 바라보는 관점

　투자를 하게 되면 투자자는 반드시 리스크를 만나게 되어있다. 정도의 차이가 있을 뿐 어떤 투자든 항상 리스크는 존재하기 때문이다. 사람들은 보통 이것을 두려워한다. 내 자산가격이 떨어지길 바라는 투자자는 없다. 모두들 집값이 떨어지거나 주식 창에 파란불이 들어오지 않길 기도한다.

　투자자가 리스크를 두려워하는 이유는 무엇일까? 그것은 감당하기 어려운 리스크를 끌어안았기 때문이다. 큰 이익을 바라면 리스크는 더 커지기도 한다. 보통 투자에서 리스크가 커지는 요인은 다음과 같다.

1. 높은 수익률을 바라고 고변동성 자산에 투자하는 경우

2. 수익을 높이기 위해 투자금액을 무리하게 투입하는 경우

3. 과도한 레버리지를 사용하는 경우

투자에 실패한 케이스들을 들여다보면, 위 세 가지 요인 중 하나에 속하는 경우가 많다. 그런데 아이러니하게도, 이 요인들 앞에 조건이 하나 붙으면 빠르게 큰 부자가 되는 방법이 되기도 한다. 그 조건은 '**그것이 감당할 수 있는 범위 내에 있는가?**'이다.

투자자	투자금	레버리지 활용	총 투자금	투자자산	수익률	수익금	투자 수익률
A	투자금 1억 보유	대출 1억 활용	2억	비트코인	-40%	-8천만	-80%
B	투자금 1억 보유	-	5천만	우량주	-20%	-1천만	-10%

가령 현금을 1억 보유한 A가 변동성이 높은 비트코인을 대출까지 끌어다 2억원 매수를 하는 경우, 그 가격이 하락하면 타격이 매우 클 것이다. 반면 같은 시기에 똑같이 1억을 보유하고 있는 B가 우량한 기업의 주식을 5,000만원어치 매수했다면, 그 가격이 하락하더라도 타격은 그리 크지 않다. A는 리스크를 감당하지 못할 정도로 키운 것이고, B는 안정적으로 리스크를 관리한 것이라고 볼 수 있다.

물론 리스크를 크게 안고 투자를 하면 빠르게 더 많이 벌 수 있다. 문제는 자신이 감내해야 할 리스크가 어느 정도인지 파악도 하지 않은 채 투자에 뛰어든다는 것이다. 빠르게 가는 것도 중요하지만 안전하게 가는 것이 더 중요하다. 우리 인생은 컴퓨터 게임처럼 세이브·로드가 불가능하다.

반대로 투자를 하지 않는다고 해서 리스크가 없는 것도 아니다. 열심히 절약하고 저축하던 사람이 자산 가격이 갑자기 상승하여 벼락 거지가 되었다는 소식을 들은 적이 있을 것이다. 어떤 선택을 하든 우리는 리스크로부터 자유로울 수 없다. **중요한 것은 감당할 수 있게끔 리스크를 관리할 줄 아는 것이다. 투자는 본래 리스크를 안는 행위이다. 나에게 큰 피해를 주지 못하는 리스크는 두려워할 대상이 아니다.**

사실 생각해 보면, 리스크는 어디에나 존재한다. 원래 이불 밖은 위험한 법이다. 출근길 운전을 할 때도, 운동할 때도, 해외로 여행을 가도 사고나 부상의 위험이 있다. 지금도 세계 곳곳에서 여러 가지 이유로 사람들이 다치거나 죽고 있다. 확률이 더 낮을 뿐 투자보다 더 치명적이다. 하지만 사람들은 그것이 두려워서 할 일을 포기하지는 않는다. 자신이 감당할 수 있는 리스크라고 생각하기 때문이다.

투자에 관한 선택의 순간이 찾아왔을 때, 먼저 어떤 리스크가 있는지 파악하자. 그리고 그것이 가진 위험을 내 컨트롤 범위 안에 가두어 두렵지 않은 존재로 만들면 된다. 그럼 투자로 인해 속이 쓰리거나 밤에 잠 못 이루는 일은 없을 것이다. 구더기 무서워 장 못 담그는 일은 없도록 하자.

경제적자유를 찾는 여행자를 위한 안내서

금액 말고 수익률을 보세요

$$[+ - \div \times]$$

사칙 연산은 산수의 기본이 되는 덧셈, 뺄셈, 곱셈, 나눗셈을 말한다. 투자를 모르는 사람들은 덧셈·뺄셈의 세계에서 산다. 일해서 돈을 더하고, 소비하며 돈을 빼는 식이다. 이에 속하는 사람들은 대개 저축에 집중하는 경향이 있다.

반면 투자의 영역은 곱셈, 나눗셈을 포함하는 영역이다. 곱셈은 덧셈보다, 나눗셈은 뺄셈보다 빠르다. 이것이 투자가 저축보다 더 빨리 벌기도, 더 위험하기도 한 이유다.

더하기 빼기가 익숙한 사람은 가격에 집중하는 경향이 있다. 이런 사람들은 자신이 현재 얼마를 벌고 있는가와 관계없이 월급이 10만원이라도 오르면 좋아한다. 하지만 이것은 사람마다 좋아할 일일 수도, 그렇지 않을 수도 있는 일이다. 200을 벌던 사람이 210만원을 벌면 월급이 5% 증가한 것이고, 400을 벌던 사람이 10만원이 오르면 2.5% 증가한 것이기 때문이다.

소비자물가지수

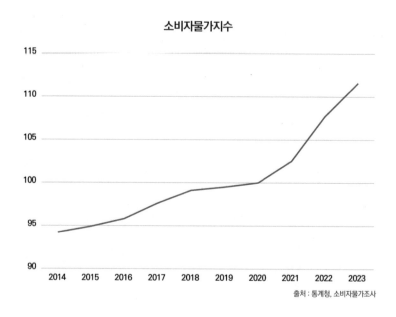

출처 : 통계청, 소비자물가조사

만약 물가가 그 해에 2.5% 증가했다면? 전자는 2.5% 앞으로 전진한 것이고, 후자는 제자리걸음만 한 꼴이 된다. 올해 나의 월급은 실제로 몇 퍼센트 증가한 것인지 생각해 보길 바란다. 월급은 분명히 올랐는데 왜 만족스럽지는 않은지 알 수 있게 된다.

경제적자유를 찾는 여행자를 위한 안내서

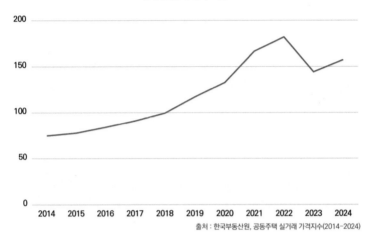

아파트 실거래가 지수

출처 : 한국부동산원, 공동주택 실거래 가격지수(2014~2024)

　투자도 마찬가지다. 예를 들어 서울에 3억에 산 아파트가 10년 뒤 5억이 되었다면 분명히 2억의 시세차익이 생긴 것이다. 그러나 이것이 의미 있는 자산 증식인지는 아파트가 평균적으로 얼마나 올랐는지 비교해 보아야 알 수 있다. 서울의 지난 10년간 아파트 가격 상승률은 약 110%였다. 3억에 산 아파트는 6억 3천이 되어있어야 평균을 달성한 것이다. 예시의 경우에는 금액 기준으로 2억 이익이지만, 평균 상승률을 기준으로 본다면 1억 3천만원의 손실로 해석될 수도 있다.

　'견월망지(見月忘指)'라는 말이 있다. 달을 봤으면 그것을 가리키는 손가락은 잊으라는 말이다. 중요한 것은 가격이 아닌 수익률이다. 물가상승률과 임금인상률을, 시장의 평균과 나의 투자 수익률을 비교하여 그것이 의미 있는 결과인지 판단할 수 있어야 한다. **가격만 보고 있는 투자는 어쩌면 본질을 잊은 채 손가락만 보고 있는 것일지도 모른다.**

높은 수익률보다
더 중요한 것

어떤 대기업 회장이 80세를 넘겨 인생의 마지막을 앞두고 있을 무렵, 신이 다가와 '현재 가지고 있는 모든 재산을 포기하면 평범한 가정의 15세 소년으로 만들어주겠다.'라는 제안을 하였다. 회장은 과연 어떤 선택을 할까? 여러분들이라면 어떻게 하겠는가?

경제적자유를 찾는 여행자를 위한 안내서

나라면 주저 없이 제안을 받아들일 것이다. 다시 어린 시절로 돌아가는 것은 전 재산을 포기할 만한 가치가 있기 때문이다.

매우 가치 있는 '이것'은 볼 수도 없고 만질 수도 없으며, 돈으로 살 수도 없다. 그것은 소년이 되어 얻게 될 엄청난 양의 '**시간**'이다. 만약 여러분이 신의 제안을 수락했다면, 시간이 가진 특성과 그 가치를 이해하고 있기 때문일 것이다. 시간은 무엇으로도 되돌릴 수 없으며, 단 1초도 멈추는 것을 허락하지 않는다.

투자를 하는 사람들의 머릿속에는 다음과 같은 식이 존재할 것이다.

투자금 × 수익률 = 총수익금
100만원 × 25% = 25만원
200만원 × 25% = 50만원
100만원 × 50% = 50만원

투자금과 수익률은 수익금에 영향을 주는 변수이다. 두 변수 중 하나가 커진다면 수익금도 커지게 된다. 따라서 투자금을 늘리는 데 한계가 있는 투자자들은 높은 수익률을 안겨줄 투자에 매력을 느낀다. 초창기 비트코인 같은 것들 말이다.

하지만 위 공식에는 시간이라는 변수가 빠져있다. 시간을 추가한 공식은 다음과 같다.

투자금 × 수익률 × 시간 = 총수익금
100만원 × 25% × 1년 = 25만원
100만원 × 25% × 2년 = 56만원
100만원 × 25% × 10년 = 831만원
100만원 × 831% × 1년 = 831만원

위 표의 내용을 보면, 연 25%의 수익률로 10년간 투자한 총수익금을 1년 안에 만들기 위해서는 연 831%의 수익률이 필요하다. 여러분들이 보기에는 수익률과 투자기간 중 어느 것을 키우는 것이 더 쉬워 보이는가?

경제적자유를 찾는 여행자를 위한 안내서

아무거나 사도 오른다던 2020년, 코스피 1700여 개 종목 중 연간 수익률이 800% 이상을 기록한 종목은 단 4종목이었다. 코스피 전체 종목 중 우리가 그 종목을 고를 확률은 0.2%라는 이야기다. 반면 같은 기간 중 수익률 25% 이상을 기록한 종목은 682종목이다. 이는 전체 종목 중 40%를 차지한다. 연 수익률 800%의 상상 속의 동물 같은 종목을 찾는 것보다는 연 25%의 종목을 찾아 10년간 보유하는 것이 훨씬 쉽다는 것을 알 수 있다.

시간이라는 것은 볼 수도 만질 수도 없지만, 이렇게 투자자에게 매우 커다란 영향을 준다. 그런데 사람들은 이런 시간의 중요성을 간과하는 경우가 많다.

지금도 많은 투자자들이 어디에 있는지도 모르는 화수분을 찾으려 하고 있다. 빠르게 부를 이루고 싶은 마음이 간절하기 때문이다. 하지만 단기간 내에 높은 수익률을 만들어줄 자산을 찾는 것은 매우 어렵고 위험한 일이다. 단순히 높은 수익률을 추구하는 것보다는 시간을 내 편으로 만들어 적당한 수익률로 꾸준하게 수익을 만들어간다면, 어느새 여러분은 부자가 되어있는 자신을 발견하게 될 것이다. 전력 질주하는 토끼보다는 안 쉬고 계속 가는 거북이가 승률이 높다.

경제적자유를 찾는 여행자를 위한 안내서

양날의 검, 레버리지

영끌(영혼까지 끌어모아 투자), 빚투(빚내서 투자). 이런 말이 요즘 많이 들려온다. 투자에 대출을 적극적으로 사용하는 사람들을 지칭하는 표현이다. 이처럼 대출을 활용한 투자를 아르키메데스의 지렛대 원리에 비유하여 레버리지 투자라고 말한다. 사람들은 왜 레버리지를 활용하는 것일까?

아르키메데스가 지구도 들 수 있다고 말한 것처럼 투자에서도 레버리지의 효과는 엄청나다. 투자에서 레버리지를 활용한다는 것은 곧 남의 돈으로 투자를 하는 것을 말한다. 내가 가진 돈에 남의 돈까지 끌어 쓴다면 투자금은 더욱 커지게 된다. 투자금을 늘리는 것은 총 수익금을 늘려주는 효과를 가져온다. 다음 표의 내용을 한 번 살펴보자.

투자자	투자금	레버리지 활용	총 투자금	수익률	수익금	실질적 수익률
A양	투자금 1억 보유	대출 1억 활용	2억	+20%	4천만	+40%
B군	투자금 1억 보유	-	1억	+20%	2천만	+20%

A와 B는 같은 시기, 같은 자산에 투자를 하더라도 대출의 유무에 따라 보유 자금에 대한 실질적 수익률이 두 배나 차이가 나게 된다. A는 레버리지를 활용하여 투자금을 2배로 늘렸기 때문이다. 레버리지를 더 사용했다면 이보다 더 큰 수익을 누릴 수도 있다.

하지만 레버리지 투자가 긍정적인 결과만을 가져오는 것은 아니다. 만약 하락장에서 똑같은 방법으로 투자를 한다면 어떻게 될까?

투자자	투자금	레버리지 활용	총 투자금	수익률	수익금	실질적 수익률
A양	투자금 1억 보유	대출 1억 활용	2억	-20%	-4천만	-40%
B군	투자금 1억 보유	-	1억	-20%	-2천만	-20%

상승 시 레버리지가 수익률을 두 배로 키워줬던 것처럼, 하락 시에도 똑같은 효과가 발생한다. 순식간에 줄어든 소중한 투자금을 생각하면 절로 한숨이 나오는 상황이다. 이처럼 남의 돈을 사용한다는 것은 긍정적인 방향이든, 부정적인 방향이든 결과에 대한 책임이 커짐을 의미한다. 때문에 투자에 레버리지를 활용할 때에는 신중함이 필요한 것이다.

경제적자유를 찾는 여행자를 위한 안내서

내가 생각하는 올바른 레버리지의 활용 방법은 다음과 같다.

올바른 레버리지 활용 방법

1. 상환하기 어려운 무리한 레버리지를 사용하지 않는다.
2. 투자의 마무리 단계까지 충분히 계획을 세운다.
3. 투자한 자산의 성격을 생각하며 레버리지가 꼭 필요한 것인지 생각해본다.
4. 수익을 키우려는 과한 욕심으로 레버리지를 사용하려고 하는 것은 아닌지 생각해본다.

만약 위 조건 중 하나라도 어긋나는 부분이 있다면, 다시 한번 나의 선택이 맞는 것인지 이성적으로 생각해 볼 필요가 있다. 반대로 조건을 모두 충족한다면 레버리지를 사용하는 것에 대해 필요 이상으로 두려움을 느낄 필요는 없다.

긍정적 성질과 부정적 성질을 동시에 가지고 있는 개념을 설명할 때 흔히 '양날의 검'이라는 표현을 사용한다. 투자자에게 레버리지는 양날의 검이다. 투자를 하며 레버리지에 대한 고민이 찾아왔을 때, 우리는 냉정하게 선택에 대한 결과를 따져보고 합리적인 결정을 내릴 수 있어야 한다.

"같은 사시미라도 요리사가 들고 있는 것과
강도가 들고 있는 것은 큰 차이가 있습니다."

돈을 사랑하지 말자

살다 보면 한 번쯤 연애 감정이라는 것을 느끼는 날이 온다. 시기의 차이가 있을 뿐 몰래 짝사랑으로 끝나기도, 서로 첫눈에 반해 뜨겁게 사랑하기도 한다. 이 연애 감정이라는 것은 참으로 신비한 힘이 있다. 때로는 이성을 마비시키기도 하고 사람을 망가뜨리기도 한다. 때문에 많은 사람들이 울고 웃는다. 여러분들은 그런 경험이 있는가?

가끔 주변 사람들과 이야기를 하다 보면, 이런 연애 감정을 돈에게 소모하는 사람들이 보인다. 멀어지면 힘들어하고, 마음처럼 안된다며 괴로워한다. 갑을관계의 연애를 하는 사람처럼 말이다. 그들은 마치 '돈'이라는 이름의 연인이 있는 듯 보인다.

경제적자유를 찾는 여행자를 위한 안내서

허나 돈은 아무런 감정이 없다. 나를 좋아하거나 싫어해서 이득이나 손해를 안겨주는 것이 아니다. 사용자가 그것의 성질을 이해하고 제대로 활용하였는가의 여부에 따라 그 결과가 정해지는 것 뿐이다.

우리가 사는 목적은 행복하기 위함이다. 자본은 그것을 이루어줄 도구에 불과하다. 그런 도구에 감정을 뺏겨 휘둘리고 괴로워하는 것은 결코 현명한 행동이 아니다.

돈과 연애를 할 생각이라면, 내가 갑이 되어 그것을 철저히 이용해야 한다. 돈에게는 그래도 된다. 인격도 감정도 없는 도구일 뿐이기 때문이다. 돈의 성질을 이해하고 나를 편리하게 해주는 수단으로 이용하도록 하자.

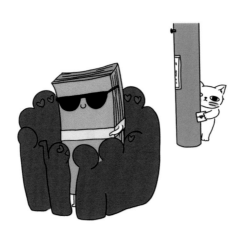

"돈에게 갑질 당하지 마세요."

STEP 4.

어디에

투자할까?

나를 부자로 만들어줄 자산은 어디에 있을까

　시드머니를 모으고 본격적으로 투자를 시작하려고 하면, 어디에 투자해야 할지 고민하게 된다. 하루가 다르게 세상이 발전하고 사람들에게 가치 있는 것이 새롭게 등장하게 되면서 자산은 그 종류가 점차 다양화, 세분화되고 있기 때문이다. 메타버스가 주목을 받게 되면서 가상 세계의 부동산을 사고팔거나, 블록체인의 등장과 함께 비트코인·NFT 시장이 활성화되기도 하는 것이 그런 예라고 할 수 있겠다. 인간사회가 지속적해서 발전하고 우리가 살아가는 모습이 변화할수록, 자산은 계속해서 새롭게 등장하고 투자할 수 있는 대상도 더 많아질 것이다. 그렇다면 수많은 자산이 존재하는 시장 속에서 우리는 무엇부터 투자하는 것이 좋을까?

만약 당신이 이제 막 시장에 발을 들여 자산 공부를 하려는 투자자라면 부동산과 주식, 그중에서도 우량한 종목부터 시작하는 것을 추천한다. 부동산과 주식은 오랜 기간동안 투자의 대상으로 여겨져 온 자산으로, 다른 자산에 비해 접근이 쉽고 정보를 얻기가 쉬우며 그 흐름이 안정적이기 때문이다. 사람들은 투자를 시작하면 얻게 될 수익에만 집중하는 경향이 있는데, 사실은 잃지 않는 것이 훨씬 더 중요하다. 투자에서 안정성은 아무리 강조해도 지나치지 않다. 인생은 잘못되면 리셋할 수 있는 프로그램이나 게임이 아니기 때문이다.

변동성이 큰 다른 자산에 대한 투자는 그 이후에 시작해도 늦지 않다. 코인 투자로 조기 은퇴하는 사람들이 눈에 들어오고, 테마를 타고 급등하는 주식의 차트를 보며 고위험 자산의 높은 수익률이 욕심나는가? 투자를 시작하기도 전에 성격 급한 돼지가 나에게 달려오고 있는 것은 아닌지 생각해 보길 바란다.

여러분이 각자 어느 정도의 부를 이루고 싶은지 알 수는 없으나, 아마 대부분은 꾸준히 안전하게 자본을 굴리는 것만으로도 충분히 원하는 목표를 성취할 수 있을 것이다. 전혀 조급해질 필요가 없다. 우량한 자산부터 차근차근 경험해 보며 자산 시장에 대한 이해와 감을 쌓도록 하자.

이를 위해 필자는 비교적 우량한 자산으로 취급되는 부동산과 주식, 안전자산을 위주로 그에 대한 생각을 공유하며 실제 투자에 대한 이해를 돕고, 이를 이용한 포트폴리오를 완성할 수 있도록 안내하고자 한다.

경제적자유를 찾는 여행자를 위한 안내서

1. 부동산

부동산은 피할 수가 없다

  투자에 관심이 전혀 없는 사람들과 대화할 때, 주식이나 코인 투자로 돈을 번 사람의 이야기가 나오면 듣는 이들은 보통 '아 그래?'하며 잠깐 놀라거나 부러워할 뿐 이내 시큰둥한 태도를 보인다. 그런데 이야기의 소재가 부동산, 특히 주택으로 바뀌면 그 반응이 매우 다르다. 동료들과의 잡담 시간, 명절에 가족을 만났을 때 등 대화에서 심심찮게 부동산 이야기는 등장한다. 사람들은 부동산 투자를 하는 사람들을 언급하며 이렇게 말한다.

"그런 투기 마인드로 집을 사니까
일반인들이 피해를 보는 거야."
"지금 집값이 정상이냐? 전부 다 거품이야!"
"집값 반 토막 나서 크게 데어 봐야 정신 차리지."

실제로 부동산 투자에 대한 부정적인 태도를 가지고 있던 사람들에게서 많이 들었던 내용이다. 주식 투자에는 딱히 관심 없던 사람들이 부동산 이야기가 나오면 갑자기 왜 이렇게 화가 나 있는 것일까?

집 없이 우리는 살아갈 수가 없다. 임차를 하던 매수를 하던 반드시 선택해야 한다. 그렇기에 사람들은 부동산 이야기에 냉정해지기가 어렵다. 전세금을 올려달라는 집주인의 연락에 우울해지고, 집을 사서 단기간에 큰돈을 벌었다는 지인들의 이야기를 듣고 있으면 속이 쓰리다. 꼭 나만 뒤처지고 있는 것 같아 기분이 상하기도 하며 내 집 마련은 점점 멀게만 느껴진다. 부동산이 자신에게 직접 영향을 주는 것을 피부로 느끼고 있는 것이다.

주식과 같은 부동산 외 다른 투자는 싫으면 안 하면 그만이다. 그것이 오르건 말건 나에게 직접 영향을 주지 않기 때문이다. 반면 부동산이라는 것은 투자 여부와 관계없이 피할 수가 없는 영역이다. 그것이 우리가 부동산을 알아야 하는 이유다. 부동산 투자는 깊게 파고들지 않더라도 최소한의 매커니즘은 알고 있어야 벼락 거지가 되는 상황을 면할 수 있다.

다른 투자도 마찬가지지만 특히 부동산은 '**하느냐 마느냐의 문제가 아니라, 어떻게 하느냐의 문제**'라는 것을 당부해두고 싶다. 우리가 부동산에 투자에 관심을 가져야 하는 가장 큰 이유는 돈을 버는 것이 아닌 '주거 안정성'의 획득이라는 것을 알아두자. 지인들과의 부동산 이야기에 더 이상 열을 내지 않을 수 있도록 말이다.

경제적자유를 찾는 여행자를 위한 안내서

부동산의 특성

1. 변동성이 작다

변동성이란 자산의 가격이 변하는 정도를 말한다. 부동산은 그중에서도 변동성이 아주 작은 편이다. 따라서 변동성이 큰 다른 자산보다 투자 난이도가 낮아 접근이 쉽다. 가격의 변화가 빠르지 않고 그 변동 폭이 제한적이기 때문에 투자자가 심리적으로도 경제적으로도 크게 흔들리지 않기 때문이다.

2. 환금성이 떨어진다

부동산은 자산의 이동이 자유롭지 못하고 거래 가격이 높은 편이기 때문에 환금성이 매우 떨어진다. 부동산을 사고팔 때 아무리 빨라도 부동산에 매물을 내놓고, 매수자에게 물건을 소개하고, 계약, 대출, 잔금, 입주의 과정을 모두 완료하는 데 시간이 매우 오래 걸린다. 환금성이 떨어진다는 것은 급하게 자산을 처분해야 하는 순간에 매우 불리하게 작용할 수 있다. 상황이 여의치 않으면 시세보다 매우 낮게 매도해야 할 수도 있기 때문이다.

3. 소액으로 접근하기가 어렵다

만약 어떤 20대 청년이 1억을 들고 있다고 생각해 보자. 그에게는 결코 적은 금액이 아닐 것이다. 그렇지만 1억으로는 서울에서 평범한 아파트 한 채를 사는 것도 어렵다. 지방 소도시에 있는 구축아파트라고 해도 최소 1~2억 정도인데 이것마저도 대출 없이는 살 수가 없다. 1억이 있으니 아파트를 절반만 달라고 할 수는 없지 않은가? 이렇게 부동산은 소액으로 접근하기가 어려운 자산이다.

가끔 부동산을 500만원, 1000만원만 있어도 살 수 있다고 하는 사람들이 보이는데 필자는 이 말에 선뜻 동의할 수는 없을 것 같다. 물론 소액갭투자 등으로 매수는 가능하나 희소가치가 있는 좋은 물건을 살 수 없으며, 접근 가능한 물건 중 가격이 오를 물건을 찾는 것은 매우 어려운 일이다. 게다가 소액으로 매수하는 경우 레버리지가 많이 필요하다 보니 투자의 위험도도 높아진다. 이는 부동산 시장에서 중·장년층에 비해 자금력이 약한 청년세대에게 불리하게 작용하기도 한다.

4. 각종 규제에서 자유롭지 못하다

사회초년생부터 노년층에 이르기까지 정말 많은 사람이 부동산에 대한 걱정을 안고 살아간다. 앞서 말했듯 부동산은 피할 수가 없기 때문이다. 본인 또는 자녀의 결혼, 독립, 이혼 등 사람들은 다양한 이유로 집이 필요하다. 이렇다 보니 국가에서는 부동산 관련 정책을 끊임없이 쏟아내는데, 특히 부동산 가격이 급등하거나 급락하는 시기에는 다른 자산과 비교할

경제적자유를 찾는 여행자를 위한 안내서

수 없을 정도로 대출, 세금 등의 정책 변화가 심해진다. 내 집 마련을 원하는 무주택자들과 유주택자들의 표를 모두 신경 써야 하기 때문이다. 부동산 투자에서 정책은 투자자에게 결코 무시할 수 없는 영향을 주는 요소다.

5. 분산투자가 어렵다

부동산은 소액으로 접근하는 것이 어렵다 보니 분산투자가 불가능에 가깝다. 물론 부자라면 모두가 원하는 좋은 물건들로 나눠서 투자할 수 있겠지만, 대출 없이 내가 원하는 집 한 채 사기도 어려운 일반인들에겐 자금을 여기저기 나누기보다는 대체로 한 곳에 집중투자를 하게 되는 경우가 많다. 분산투자를 하지 못한다는 것은 곧 리스크가 높아짐을 의미한다. 때문에 부동산을 매수할 때에는 안정적으로 우상향해 줄 좋은 물건을 찾기 위해 신중하게 고민해 보아야 한다.

6. 레버리지 활용이 용이하다

주변에서 집을 샀다고 이야기하는 사람들에게 대출을 받았는지 물어보면 대부분 그렇다고 말할 것이다. 빚내서 투자하면 큰일 난다고 말하는 사람들마저도 정작 부동산에서는 대출에 한없이 관대해진다. 왜 그런 것일까? 그 이유는 낮은 변동성에 있다.

레버리지 투자를 하게 되면 변동성이 높아지는 효과가 있다. 남의 돈을 빌려서 투자금을 더 키우는 것이기 때문이다. 따라서 변동성이 높은 자산에 레버리지를 끌어다 쓰면 굉장히 위험하다. 안 그래도 큰 변동성이 더 커져 버리기 때문이다. 반면에 부동산은 변동성이 상당히 낮으므로, 레버리지 투자로 인해 변동성이 높아지더라도 감당 가능한 범위 내에 있다. 이 때문에 부동산 앞에서는 대출에 대한 허들이 한없이 낮아지는 것이다. 오히려 대출이 더 많이 나오지 않아서 불만인 사람들도 많이 볼 수 있다.

7. 비교적 쉬운 투자다

당신이 거주를 위해 매수한 부동산의 시세가 급격히 하락하게 되면 어떻게 해야 할까? 정답은 '그냥 내버려둔다.' 이다. 어차피 실거주용으로 산 집이라면, 그 집을 팔기 전까지 가격이 떨어지든 오르든 인생에 크게 영향을 주지 못한다. 대출 상환에 문제만 없다면 가격이 반 토막이 나더라도 상관없다. 가격은 하락했을지 모르지만, 건물은 그대로 남아있기 때문이다. 기분은 조금 나쁠지 모르나 아무것도 달라진 것이 없다. 다시 올라갈 때까지 평소처럼 잘 살면 그만이다.

부동산이 다른 자산에 비해 쉬운 투자인 이유는 가격이 하락해도 그것의 실물 가치를 사용할 수 있다는 안전장치가 있다는 것이다.

내 집을 마련하는
다섯 가지 방법

월급쟁이가 내 집 마련을 위해 부동산을 소유하는 방법은 여러 가지가 있다. 그중 5가지를 간단하게 소개하고자 한다.

1. 청약

청약은 새롭게 아파트가 지어질 때 청약 순위 또는 추첨을 통해 집을 구입할 사람을 정해서 계약하는 것으로, 부동산 상승기에 향후 시세가 올라갈 새집을 일반 매매보다 저렴하게 마련하는 방법이다. 분양받고 싶은 아파트의 신청 자격을 확인하고 입주자 모집공고 일정에 맞추어 청약 신청을 하여 당첨이 되면 집을 구입할 권리를 얻게 된다.

청약은 실거주할 집을 마련하는 가장 좋은 방법인 데 반해 그만큼 경쟁률이 매우 높은 것이 단점이다. 당첨되지 않으면 의미가 없기 때문이다. 참고로 현시점 서울 기준 뉴스 기사 제목이 '올해 첫 서울 청약 경쟁률 ′뚝′…서울○○아파트 34대 1'이다. 뚝 떨어진 경쟁률이라고는 하나 34:1은 당첨 확률이 약 3%라는 것이고, 이전에는 그 확률이 더 낮았다는 의미다. 오죽하면 '로또 청약'이라는 신조어가 생길 정도다. 따라서 경쟁률이 높아지는 부동산 상승기라면 무조건 청약만 믿고 기다리는 것보다는 다른 방법과 함께 고려할 수 있는 선택지 중 하나로 생각하는 편이 좋다.

한국부동산원 '청약홈' 홈페이지를 이용하면 청약 일정, 청약 자격 확인, 청약가점 계산 등의 정보가 잘 정리되어 있어 유용하다. 청약 연습도 가능하니 청약에 관심이 있는 사람은 꼭 이용해 보길 바란다.

2. 매매

매매는 가장 쉬우면서도 사람들이 주택을 구입하는 일반적인 방법이다. 매도인이 부동산에 내놓은 집을 매수하는 것으로, 정보지나 인터넷 부동산 매물을 찾아보고 임장을 한 뒤 물건이 마음에 들면 부동산을 통해 계약하면 된다.

주의할 점은 해당 주택의 가격이 저렴한지 비싼지를 볼 줄 알아야 한다는 것이다. 좋은 집도 비싸게 사면 속이 쓰리고 허름한 집도 저렴하게 사면 기분이 좋아지는 법이다. 적절한 시세를 파악하기 위해선 발품을 많이 팔아야 한다. 실거래가 확인, 최근 실제로 해당 부동산을 거래한 적이 있는 지인의 의견 참고, 전세 및 매매가 동향 파악, 여러 부동산을 돌며 조사해 보는 등의 노력이 필요하다. 적정 시세를 파악해 두는 것은 부동산 중개인 과 상담 및 매도자와의 협상에서도 좋은 기준이 되어 준다.

시세와 더불어 어떤 집을 사야 할 것인지도 중요한데, 이것은 그 내용이 적지 않으므로 뒤에서 구체적으로 이야기하도록 하겠다.

3. 경매, 공매

경매와 공매는 채무 관계 및 세금 등의 문제가 발생하였을 때, 이를 해 결하기 위해 법원 또는 국가기관이 실시하는 제도이다. 단어만 놓고 보 면 서로 비슷해 보이지만 진행 주체와 관련법, 진행 방식에서 차이를 보 인다. 이 둘의 공통점은 물건의 가격을 결정하는 주체가 소유자가 아니라 는 점이다. 문제해결을 위해 강제적으로 집행하는 제도이기 때문이다. 따 라서 일반적인 거래와는 달리 매도 가격을 소유자가 정할 수 없고, 입찰자 가 원하는 가격을 정해 낙찰받을 수 있다. 또한, 입찰을 원하는 사람이 없 어 유찰되는 경우에는 최저 매각 가격을 낮춰서 다시 진행하기 때문에 시 세보다 훨씬 저렴하게 매수할 수 있다는 장점이 있다. 매수와 동시에 *안 전마진이 확보된다는 것은 경매와 공매가 가진 큰 매력이라고 할 수 있다.

이처럼 저렴하게 살 수 있다는 매력에 이끌려 경매에 관심을 갖는 사람들이 많지만, 권리분석 하는 방법을 꼼꼼히 공부하지 않으면 오히려 큰 손해를 입을 수 있으며 낙찰 후 *명도 과정에서 크게 스트레스를 받을 수 있다는 점이 단점이다. 게다가 경매시장도 경쟁자가 적은 것은 아니기 때문에 접근이 쉬운 물건들은 낙찰가와 시세가 크게 차이가 나지 않는 경우도 많다. 실거주보다는 투자 목적으로 매수할 때 적합한 방법이다.

아울러 경매는 일반 매매 시장보다 한발 앞서 움직이는 경향이 있어 앞으로의 부동산 매매 동향을 미리 파악하는 데에도 도움이 된다. 경매나 공매에 직접 도전하지 않더라도 낙찰가율의 변화 정도는 살펴보도록 하는 것이 좋다. 각종 경매 사이트를 이용하면 시세의 흐름 파악에 도움이 된다.

4. 재개발, 재건축

재개발과 재건축은 새롭게 개발이 될 노후된 지역의 부동산을 보유하여 조합원 자격을 얻어 주택을 분양하는 방법으로, 주택 공급 문제 또는 안전 위험도가 높은 건축물의 문제를 해결하는 데 목적이 있다. 재개발, 재건축 투자를 통한 조합원 분양은 일반 분양보다 더 저렴하므로 상대적으로 수익률과 안전마진 측면에서 큰 장점이 있다.

다만 청약을 통한 일반 분양보다 그 과정이 복잡하고 기간이 오래 걸린다는 점이 단점이다. 사업에 문제가 생기는 경우 사업 기간이 지연되거나

경제적자유를 찾는 여행자를 위한 안내서

중단되는 등의 리스크가 있어 보다 장기적인 관점에서 접근해야 한다. 게다가 해당 지역 내 보유한 부동산의 감정가와 분양가의 차이가 큰 경우 추가 분담금이 예상보다 크게 발생할 수 있으므로 예상감정가를 잘 파악하는 것이 중요하다.

5. 지역주택조합

지역주택조합은 언뜻 재개발 투자와 비슷해 보이지만 전혀 다른 투자이다. 지역주택조합은 조합원을 모아 개발하고자 하는 지역의 땅을 매수하여 건축하는 방법을 말하는데, 일찌감치 관심을 꺼두길 바란다. 하지 않는 편이 좋은 게 아니라 하면 안 된다. 부동산에 일가견이 있는 사람들도 건드리지 않는 분야로, 원수에게 권해주면 좋다고 말할 정도로 위험하다. 개인적으로 단순히 알아보려는 노력조차 하지 말아야 한다는 것이 필자의 생각이다. 여러분도 어차피 공부하며 알아볼수록 안 해야겠다는 생각이 들게 될 것이다.

그럼에도 굳이 지주택을 언급하는 이유는 초보자가 어설프게 알아보고 집을 저렴하게 마련할 수 있다는 내용에 혹해서 피해를 볼까 걱정이 되기 때문이다. 참고로 20~21년 기준 국토교통부 통계에 따르면 전국적으로 설립된 730개의 조합 중 입주까지 완료된 조합은 단 126곳이었다. 83%의 확률로 집을 사기 위해 평생 모은 돈을 모두 날릴 수 있다는 뜻이다. 제발 여러분은 하지 않길 바란다.

부동산을 매입하는 방법들을 간단하게 알아보았다. 위 다섯 가지 방법 중에서 청약, 경매·공매, 재개발·재건축은 주제 하나만으로도 책 한 권이 나올 정도로 내용이 방대하며 초보자가 곧바로 접근하기에는 다소 어려움이 있다. 만약 관심이 있거나 궁금하다면 해당 분야의 전문가들이 만든 강의나 책을 찾아보는 것이 필자의 설명보다 훨씬 유용할 것이다. 이 책에서는 초보 투자자를 위해 일반 매매에 관한 이야기를 중심으로 다루고자 한다. 이후에는 부동산을 바라보는 시각, 매물을 선택하는 방법, 시기별로 적용 가능한 투자 방법에 대하여 자세하게 설명하겠다.

*안전마진: 시세보다 저렴하게 매수하여 자산 가격 하락 시 손실 가능성을 줄여주는 장치.

*명도: 낙찰받은 물건을 이용하기 위해 점유 중인 사람을 내보내는 과정.

대출, 알고 사용합시다

여러분이 주택을 매수하기 전에 반드시 알아야 하는 것이 있다. 바로 대출이다. 요즘처럼 주택가격이 비싼 시점에 소득을 모아 집을 사려면 짧게는 몇 년, 길게는 평생이 걸릴 수도 있다. 소득에 맞게 전세로 시작해서 착실히 돈을 모아 집을 샀던 과거 세대와는 달리, 현재는 대출 없이 집을 사는 것이 불가능에 가까운 시대가 되어버렸다. 대출에 대해 이해하는 것은 이제 내 집 마련의 필수 관문이다. 대출 관련 용어 및 개념을 알아보고 어떤 방식으로 대출을 이용하면 좋을지 이야기해 보자.

LTV? DTI? DSR? 먹는 건가요?

우리가 은행에 주택담보대출을 받기 위해 심사를 요청하면 직장, 소득 수준, 매수하려는 부동산의 담보 가치를 참고하여 은행이 대출을 진행해도 될 것인지를 결정한다. 이때 LTV, DTI, DSR이라는 개념을 기준으로 활용하는 데, 별로 어려운 용어는 아니지만 대출을 활용해 본 경험이 없다면 매우 생소하게 느껴질 것이다. 각각의 의미를 알아보도록 하자.

1. LTV(Loan To Value ratio)

주택담보대출비율. 주택의 담보 가치에 대하여 대출금이 차지하는 비율을 말한다. 주택 담보 가치가 5억이고 LTV가 70%라면, 5억의 70%인 3.5억이 대출 가능 금액이다.

2. DTI(Debt To Income)

총부채상환비율. 채무자의 소득 대비 주택담보대출 원리금 및 기타 대출 이자의 연간 상환금액이 차지하는 비율이다. 연 소득이 5천만원이고 DTI가 60%라면, 연간 원리금 상환액은 5천만원의 60%인 3천만원을 넘지 않도록 대출 한도가 제한된다.

3. DSR(Debt Service Ratio)

총부채원리금상환비율. 채무자의 소득 대비 모든 대출의 연간 원리금 상환액이 차지하는 비율이다. DTI와 비슷해 보이지만 주택담보대출 외 자동차 할부, 신용대출, 마이너스 통장 등 기타 대출 금액의 원금까지 포함한다는 점에서 차이가 있다. 연 소득이 5천만원이고 DSR이 80%라면, 기타 대출을 포함한 연간 원리금 상환액은 5천만원의 80%인 4천만원을 넘지 않아야 한다.

경제적자유를 찾는 여행자를 위한 안내서

LTV	주택 담보 가치 × LTV 비율
	= 대출 가능 금액
DTI	연간 소득 금액 × DTI 비율
	= 연간 주택 담보 대출 원리금 상환액 + 연간 기타 대출 이자 상환액
DSR	연간 소득 금액 × DSR 비율
	= 연간 주택 담보 대출 원리금 상환액 + 연간 기타 대출 원리금 상환액

[LTV·DTI·DSR 계산법]

이런 대출규제는 개인의 재무건전성을 높여준다는 측면에서는 긍정적인 효과가 있지만, 보유 현금이 부족하거나 소득이 낮은 사람들은 대출을 이용하기가 어려워진다는 문제가 있다. 투기과열지구, 조정대상지역 여부나 주택가격에 따라 규제 비율이 다르므로, 매수하고자 하는 주택이 있다면 미리 확인해 두는 것이 좋다.

알고 보면 은행만큼
친절한 존재도 없다

필자가 생각하기에 은행은 참 친절하다. 처음 보는 사람에게도 조건만 맞추면 거액을 빌려주고, 원리금만 꼬박꼬박 상환하면 빨리 갚으라고 재촉하지도 않으며, 빌린 돈을 이용해서 수익이 크게 나더라도 돈을 더 갚으라는 말도 하지 않는다. 그저 약속만 잘 지키면 이자 외에는 나에게 아무런 요구가 없다. 친한 친구나 가족일지라도 그렇게 하긴 어려울 것이다.

가끔 드라마에서 채권자에게 돈을 갚지 못해 주인공의 집에 압류 딱지가 붙는 장면을 볼 수 있다. 보통 극적인 긴장감을 위해 채권자는 피도 눈물도 없는 듯 냉정하고 채무자의 가족은 울상을 짓는 모습을 연출하는데, 사실 잘 생각해 보면 이상한 장면이다. 누군가가 나에게 거액을 빌린 뒤에 갚지 않는다고 생각해 보자. 빌린 사람의 집에서 가보로 내려오는 골동품이나 결혼반지라도 챙겨오려고 할 것이다. 잘못한 쪽은 약속을 지키라고 재촉하는 사람이 아니라 약속을 어긴 사람이다.

경제적자유를 찾는 여행자를 위한 안내서

여기서 말하고자 하는 요지는 원리금을 상환한다는 약속만 잘 지킬 수 있으면 부동산 투자에서 은행은 여러분에게 누구보다도 큰 도움이 되어 준다는 것이다. 약속을 지키지 못할 상황을 만들지만 않으면 된다. 약속을 못 지키는 상황은 어떤 경우에 발생하는가? 그것은 나중을 생각하지 않고 무리한 약속을 했을 때이다. 자신의 상황을 고려하지 않은 무리한 대출은 곧 지키지 못할 약속을 하는 것과 같다.

현명한 대출 이용을 위한 3가지 원칙

1. 무리가 되지 않는 금액 안에서 빌린다.
2. 매월 상환해야 할 원리금을 고려한다.
3. 상황이 예상과 다르게 흘러갈 경우를 생각해보고 결정한다.

이 3가지 원칙만 잘 지켜도 대출로 인해 곤란한 상황은 연출되지 않을 것이다. 이를 지키기 위해 나름의 기준을 세우는 것도 좋다. 연봉의 3~5배 이하에서 대출 금액 정하기, 월 소득에서 고정지출을 뺀 금액의 50~60%의 수준에서 원리금 상환액 세팅하기 등 구체적으로 기준을 만들어두면 스스로 무리한 대출은 아닌지 점검해 볼 수 있다. 이자 상승 가능성이나 부동산 하락으로 인한 담보 가치 변화처럼 예상치 못한 상황이 연출될 수 있다는 것도 꼭 변수에 넣어 대출을 자신의 컨트롤 범위 내에 둘 수 있도록 하자.

요즘 같은 세상에서는 보유 재산뿐만 아니라 대출도 능력이라고 말한다. 그만큼 대출이 이용 가치가 있으며 꼭 필요한 수단이 되었다는 뜻이다. 그러나 덮어놓고 받다 보면 거지꼴을 못 면하는 것이 대출이다. 건전한 대출 계획을 세우는 것은 행복한 내 집 마련의 첫걸음이다.

무주택자, 1주택을 해야 할까?

얼마 전 친척과 함께 펜션에서 열심히 고기를 구워 먹던 중 고모가 투자 공부를 한다는 필자에게 이런 말을 했다.

"김 선생, 그럼 지금 집을 사야 해?"

필자는 대번에 대답했다.

"당연하죠! 무조건 사야 합니다."

어째서 나는 이렇게 자신 있게 집을 사야 한다고 말을 했을까? 사실 나는 주변 사람들에게 절대 투자에 관해 권유하지 않는다. 투자의 책임은 순전히 본인에게 있지만, 누구 말을 듣고 투자한 사람은 상황이 안 좋게 흘러가는 경우 투자를 추천했던 이를 원망하는 경우가 많기 때문이다. 반대로 투자로 큰 이득을 얻게 되더라도 나에게 돌아오는 건 '고맙다' 말 한마디 또는 거하게 밥 한 번 얻어먹는 게 전부다. (물론 이것마저도 감사하게 생각은 한다.)

그런 내가 무조건 집을 사야 한다며 단언한 이유는 무주택이 1주택보다 '훨씬' 위험하기 때문이다. 생각해 보면 간단한 이치다. 예를 들어, 무주택자 A가 자산이라고 부를 만한 것이 아무것도 없다면 그는 전 재산을 현금으로 들고 있는 것과 같다. 이런 경우 A는 크게 2가지 상황을 맞게 될 것이다.

상황 1. 부동산이 상승하는 경우
상황 2. 부동산이 하락하는 경우

1번 상황의 경우 무주택자 A는 소위 요즘 말하는 '벼락 거지'가 된다. 매매가 상승에 힘입어 전셋값마저 상승하는 경우 여차하면 전세 연장을 하지 못하고 눈을 낮추어 이사 가거나 현재 거주하는 지역에서 나와야 하는 상황이 연출될 수 있다. A는 이 상황이 오지 않길 기도해야 할 것이다.

2번 상황의 경우 A는 상투를 잡는 것을 피하고 어깨나 무릎에서 살 수 있는 기회를 얻게 된다. 상대적으로 저렴하게 내 집 마련을 할 기회가 생긴 것이다. 결과적으로 A는 각각 50%의 확률로 실패하거나 성공하게 된다.

그럼, 이와 반대로 1주택을 소유하고 있는 B의 경우를 생각해 보자. 마찬가지로 부동산 상승·하락의 1, 2번 상황이 찾아올 것이다.

1번 상황의 경우 B는 A와 달리 주택을 소유하고 있으므로 벼락 거지를 면하게 된다. 집을 이미 소유하고 있으니 시세차익도 적당히 가져갈 수 있고, 부동산 가격이 미쳐 날뛰는 것을 보며 정상이 아니라고 남들과 같이 욕은 할지언정 한편으론 다행이라고 생각할 수 있다.

2번 상황의 경우 B는 평소 가고 싶었던 상급지 아파트와 내 집 가격의 갭이 줄어든 것을 발견하게 된다. '어? 모아둔 돈을 보태면 이참에 더 좋은 집으로 이사 갈 수 있겠는데?'라는 생각을 하며 소위 말하는 갈아타기 전략을 사용할 수 있다. 설령 보유한 자금이 부족해 갈아타기를 하지 못하더라도 그냥 현재 살고 있는 집에서 계속 살면 된다. 결과적으로 B는 상승과 하락 중 어떤 상황이 오든 문제가 발생하지 않는다.

투자자	부동산 상승	부동산 하락
무주택 A	상대적 손실, 벼락거지	저렴한 내 집 마련
1주택 B	시세차익	갈아타기 가능

위 두 인물이 소득수준도 비슷하고 사는 지역도 같다면, 누가 더 불안한 방향으로 가는 것처럼 보이는가?

경제적자유를 찾는 여행자를 위한 안내서

투자 경험이 적은 사람들은 투자에 대한 막연한 두려움을 가지고 있는 경우가 많다. 투자에 따르는 리스크가 걱정되기 때문이다. 그런 두려움을 느끼는 이들은 내 집 마련에 대한 선택을 미루거나 아예 하지 않으려는 모습을 보인다.

하지만 아무것도 사지 않았으므로 아무런 베팅도 하지 않았다는 생각은 매우 큰 착각이다. A는 자신도 모르는 사이에 하락에 크게 베팅을 하고 있는 것이다. 우리는 이를 **숏 포지션**이라 부른다.

반면, B가 취하고 있는 포지션은 **중립 포지션**이라 부를 수 있겠다. 상승, 하락 중 어느 쪽의 상황을 맞게 되더라도 안전할 수 있기 때문이다.

아울러 A와 반대로 2주택 이상을 보유하고 있는 사람들은 상승에 베팅을 하는 **롱 포지션**이다. 이 경우 A와는 반대로 부동산 하락이 오는 경우 큰 손실을 본다.

주택을 사든 가격이 떨어지길 기다리든 선택은 자유다. 하지만 스스로가 내린 선택에 따른 결과가 어떨지는 숙고해보는 것이 좋을 것 같다. 여러분은 현재 어떤 포지션인가?

하락기를 맞이한
무주택자의 사고 과정

글을 읽고 이런 생각이 들 수 있다.

'어쨌든 떨어질 때까지 기다리고 있다가
저렴하게 집을 매수하는 게 제일 좋은 선택 아닌가?'

분명 주택의 가격이 떨어질 때까지 기다린 후 남들보다 저렴한 가격에 집을 사는 것이 가장 좋은 결과를 가져온다. 하지만 이는 두 가지 전제조건이 필요하다. 첫 번째는 부동산 가격이 떨어져야 한다는 것이고, 두 번째는 자신 있게 바닥을 찾아서 살 수 있어야 한다는 것이다. 이 두 가지 조건에 대해 생각해 보자.

경제적자유를 찾는 여행자를 위한 안내서

조건 1 - 부동산 가격이 떨어져야 한다.

영원히 상승하는 자산은 없다. 우리나라 부동산도 몇 차례 하락기를 맞으며 상승했다. 1기 신도시 공급, IMF 외환 위기, 08년 글로벌 금융위기가 그 사례이다. 언제가 될지 알 수 없으나 분명히 부동산에 침체기, 하락기는 찾아올 것이다.

그런데 문제는 그것이 언제인지 알기가 참 어렵다는 것이다. 게다가 부동산의 가격변동은 다른 자산에 비해 굉장히 천천히 나타난다. 매수를 기다리는 입장에서 느린 가격 변화는 조급함과 두려움을 안겨준다. 한 집에서 영원히 사는 사람은 거의 없다. 결혼, 출산, 육아, 학군, 직장 등의 문제로 집을 옮겨야 하는 타이밍이 오는 가운데 기약 없이 언제 올 지 모르는 조정을 기다리는 것이 과연 쉬운 일일까? 그 기다림은 1년이 될지 10년이 될지 모르는 일이다.

조건 2. 자신있게 바닥을 찾아서 살 수 있어야 한다.

상승장을 지나 침체기, 하락기로 진행되는 시점에서 무주택자는 다음과 같은 사고 과정을 거칠 확률이 높다.

A. 부동산 대세 상승장

이렇게 비싼데 집을 사라고?

그렇게는 못하지. 지금 집값은 정상이 아니야.

B. 상승 후반기, 횡보장을 거쳐 하락장 시작

거봐, 내가 떨어진댔지? 더 떨어져야 돼!

C. 대세 하락장

오.. 진짜 무섭게 떨어지네..

그러고 보니 기다리던 가격이네. 지금 사야하나?

근데 더 떨이지면 어떻게 하지?

주변 사람들도 이런 시기에 집 사는 거 아니라고 말리는데..

안그래도 저출산 때문에 인구절벽 왔다고 난리던데,

우리나라도 일본처럼 잃어버린 20년 오는거 아냐..?

이렇게 갈팡질팡하다 보면 결국 원래 생각했던 타이밍에 매수하지 못하고 회복기가 왔다는 것을 실감할 때쯤 적극적으로 부동산을 찾을 확률이 높다. 막상 등기를 쳐 놓고 보면 하락 이전과 그렇게 많은 차이가 나지도 않는 것을 보며 그동안 조급함, 두려움과 싸우던 자신을 되돌아보게 될 수 있다.

이성적으로 생각해 보자. 하락기가 언제 올 지 미리 알고 가장 저렴할 때를 알 수 있었다면, 무주택인 상황에서 상대적 박탈감을 느끼거나 불안해할 필요가 있었을까?

부동산 가격에 대해 확신할 수 없다면, 자신의 형편에 맞는 수준의 집을 찾아 매수하는 편이 무작정 하락장을 기다리는 것보다는 훨씬 합리적인 선택일 것이다.

경제적자유를 찾는 여행자를 위한 안내서

"인디언들은 비가 올 때까지
기우제를 지낸다.

그게 언제일지는 아무도 모르지만."

사실은 집값이 오른 게
아닐 수도 있다

    최근 몇 년간 눈에 띄었던 부동산 관련 키워드는 무엇이 있었을까? 영끌족, 패닉바잉, 이생집망(이번 생에 집 사기는 망했다) 정도가 떠오른다. 부동산 상승장이 두려워 무리해서 집을 마련하는 상황이나 내 집 마련의 희망이 멀어진 사람들의 우울한 상황을 빗댄 표현이다.

    이런 상황이 오면 우리는 어디서든 부동산과 관련된 이야기들을 듣게 된다. 명절날 가족들, 친구들 모임, 직장동료 등 너나 할 것 없이 부동산에 관한 이야기를 쏟아내기 때문이다.

        경제적자유를 찾는 여행자를 위한 안내서

"큰아버지, 이번에 이사 가신 지역 많이 올랐다면서요?"
"나 이번에 청약 당첨됐는데 벌써 돈 벌었잖어!"
"나는 이번에 집주인이 들어와서 산다 그래서
집을 사야 되나 고민중이야.."
"하.. 진짜 아끼고 열심히 모으면서 살았는데
집값이 너무 많이 올라버려서.."

사실 없어선 안 되는 의식주 중 하나이니 대화의 공통 분모가 되기에 매우 좋은 주제이긴 한 것 같다. 보통 이런 류의 대화는 '집값이 말도 안 되게 올랐다, 정상이 아니다'와 같은 말로 마무리되는 경우가 많다. 그런데 사실 필자는 이런 이야기를 들을 때마다 항상, '정상일 수도 있는 거 아닌가?' 라는 생각을 한다.

짜장면을 먹으러 가면 아재들의 단골 멘트가 있다.

'나 때는 짜장면이 2,000원이었어.'

그 만만하던 짜장면은 현재 8,000원이 되었다. 상승률로 보면 400%의 폭등이라고 할 수 있다. 하지만 손님 중

**'에라이, 짜장면값이 저게 말이 되냐?
가격이 떨어지면 사 먹어야겠다!'**

라고 말하며 다른 가게로 가는 사람은 한 번도 본 적이 없다. 우리 모두 짜장면 가격이 마음에 들지는 않지만, 그것을 겸허히 받아들이고 있는 것이다.

생산자가 판매가격을 올릴 때는 명분이 필요하다. '원재료 가격 상승과 인건비 상승으로 인하여...'와 같은 말을 메뉴판에 써놓은 식당을 본 적이 있을 것이다. 이런 명분으로 인해 가격 인상은 정당화되는 것이다.

그렇다면 아파트만 예외로 두어야 하는 이유가 있는가? 원자재 가격 상승, 인건비 상승, 공급 부족 등 아파트 가격 상승에도 명분은 충분하다. 다만 6,000원 올라간 짜장면과 달리 억 단위로 올라버리는 부동산이 부담스러워 우리가 그것을 부자연스럽게 여기고 있는 것인지도 모른다.

어쩌면 부동산은 가만히 있는데 인플레로 인해 우리가 들고 있는 현금의 가치가 비정상적으로 떨어져 버린 것일 수도 있다. 단순히 높은 가격에 동요하지 말고 이성적으로 가격을 판단해 볼 수 있는 눈과 생각을 키우도록 해야 한다.

전세는
내 집이 아니라는 뜻입니다

여러분은 현재 무주택자인가 유주택자인가? 이번에 다룰 내용은 어떤 이에게는 당연한 이야기일 수도 있고 어떤 이에게는 조금 불편한 내용일 수도 있음을 염두에 두길 부탁한다.

몇 년 전, 지인의 집들이에 초대받아 놀러 갔던 적이 있다. 그곳은 지인이 결혼하면서 얻게 된 신혼집이었는데, 위치상 도시 중심가이면서 고층에서 시내가 내려다보이는 전망도 좋은 멋진 아파트였다. 손님으로 방문한 사람들은 최신 인테리어와 예쁜 홈 스타일링의 집을 보고 감탄하며 이런저런 이야기를 하기 바빴다. 그중 모두가 입을 모아 했던 말은 '나도 이런 집에 살고 싶다. 부럽다.'는 말이었다. 아마도 새로운 시작에 대한 축하의 의미, 쾌적한 주거 환경에 대한 동경을 담은 상대방을 위한 덕담이었을 것이다. 필자도 그 마음에 충분히 동의하며 주인공의 행복한 결혼생활을 진심으로 응원하고 있었다.

하지만 집들이가 끝나고 집으로 돌아가는 길, 한편으로는 그 말이 조금 이상하다는 생각이 들었다. 그곳은 자가가 아닌 전셋집이었기 때문이다. 빌려서 살고 있는 집을 부러워한다는 말이 새삼 이질적으로 느껴졌다.

전세는 세계적으로 찾아보기 힘든 대한민국의 주거 임차 방식이다. 임차인은 2년간 집주인에게 큰 액수의 보증금을 맡기고 계약 기간 동안 실거주할 수 있는 권리를 갖게 된다. 마치 내 집처럼 말이다. 전세를 사는 사람들은 이렇게 생각하기가 쉽다.

"임대 기간이 끝나면 보증금은 원금 그대로 돌아오잖아."
"매달 내야 하는 월세는 꼭 버리는 돈처럼 느껴져."
"월세보다는 전세가 낫지."

만약 전세보증금 대출을 받았다면 저축한다는 생각으로 대출금을 갚으면 된다는 이야기를 하기도 한다. 언뜻 생각하기엔 주거 문제도 해결하고 지출도 줄일 수 있는 좋은 방법 같기도 하겠지만 이는 좀 더 생각해 봐야 할 문제다.

주택 임대 시장에는 임대인(집주인)과 임차인(세입자)이라는 두 종류의 주체가 존재한다. 전세 수요는 임차인이 월세가 아깝다고 생각하거나 집을 매수하기에 좋은 시기가 아니라고 판단하였을 때 발생하고, 전세 공급은 임대인이 주택을 사면서 얻은 대출 이자가 비싸게 느껴지거나 소유는 하고 있지만 당장 실거주할 계획이 없는 경우에 발생한다. 이들은 서로 '

경제적자유를 찾는 여행자를 위한 안내서

주거비용에 대한 부담'과 '주택 구매비용에 대한 부담'이라는 이해관계가 맞아떨어져 계약이 성립되는 것이다. **전세는 거주에 대한 대가로 임차인이 임대인에게 보증금을 빌려주는 일종의 무이자 대출인 셈이다.**

예를 들어 임차인 A가 매매가 3.5억의 집에 전세보증금 2.5억을 주고 살고 있다고 가정해 보자. 이때 집주인은 1억으로 집을 소유하게 되는 효과가 있다. A가 자신의 의도와는 무관하게 집주인을 위해 무이자로 2억 5천을 빌려주었기 때문이다.

여기서 시간이 지나 집값이 5억이 되면 어떻게 될까? 집주인에게는 1.5억이라는 시세차익이 생기게 되지만 A에게는 아무런 소득이 없다. 집주인보다 2.5배나 많은 돈을 냈는데도 말이다. 집값이 올랐다고 A에게 고맙다며 사례금을 지급하는 집주인은 이 세상에 없다. 역으로 집주인은 계약 종료 시점이 되면 A에게 이런 말을 할 것이다.

"죄송하지만 전세 시세가 많이 올라서요. 보증금을 더 올려주셔야 할 것 같습니다."

이런 상황이 연출될 때쯤, A는 '집 없는 사람 서러워서 살겠나.'라는 생각을 하게 될지도 모른다. 그러나 집주인이 나쁜 것이 아니다. 집주인은 주택가격이 하락할 수도 있는 위험을 감수한 것에 대한 이득을 얻은 것이기 때문이다. A는 원금을 보장받으며 주거 문제를 해결한 것이니 아무런 리스크가 없지 않는가. 집값이 떨어졌다고 보증금을 깎아서 돌려받을 것이 아니라면 집주인을 원망할 수는 없다. 그것이 집주인과 세입자의 차이다.

	임차인	임대인
계약 시점 (3.5억)	보증금 2.5억	자기 자본 1억 투자
매매가 하락 (3억)	보증금 2.5억 (손실 0%)	시세차익 -5천만원 (투자금 대비 -50%)
매매가 상승 (5억)	보증금 2.5억 (이익 0%)	시세차익 +1.5억 (투자금 대비 +150%)

[주택가격 변화에 따른 임차인과 임대인의 보유 자금 변화]

전세제도의 가장 큰 문제점은 임차한 집이 꼭 내 것처럼 느껴진다는 것이다. 이것은 곧 세입자가 스스로 주거 안정성을 획득하였다는 착각을 불러일으키게 하고, 내 집 마련을 위한 노력을 미루거나 외면하도록 만들어 버린다. 세입자가 임대인의 집에 살 수 있는 권리는 보증금에 대한 이자에 상응하는 대가일 뿐이다.

계약 기간이 끝나면 나와야 하는 전셋집은 내 집이 아니다. 임차인과 임대인이 계약을 통해 어떤 이득을 얻는 것인지 생각해 보고, 이를 바탕으로 자신에게 이득이 되는 결정을 내리려는 태도를 가져야 한다.

경제적자유를 찾는 여행자를 위한 안내서

어떤 아파트를 사야 할까?

세상에는 수많은 집이 있다. 그중 투자를 목적으로 사람들이 가장 많이 접근하는 부동산은 아파트다. 주택 중에서도 수요층이 두터워 비교적 환금성이 좋고, 많은 세대가 모여 살기 때문에 각종 교통·편의시설과 같은 인프라 구축이 잘 되어 있기 때문이다. 그리고 무엇보다 우리나라에서 아파트는 시간이 지날수록 가격이 오르는 자산으로 취급되고 있다. 내가 사용하면서 꾸준히 우상향하는 자산이라는 점은 아파트 투자의 큰 메리트다. 그렇다면 우리는 어떤 아파트를 매수해야 할까?

부동산 투자는 사실 어렵지 않다

좋은 아파트의 조건은 간단하다. 가장 많은 사람이 살기 좋다고 생각하는 아파트를 고르면 된다. 입지가 좋은 지역에 깔끔하게 새로 지은 집은 누구나 원하기 마련이다. 신축 여부, 아파트 브랜드, 교통, 주민 생활 수준, 학군, 직주 근접 등은 그것을 판단하는 기준이 된다. 정말 쉽지 않은가? 투자는 좋은 것을 사서 기다리는 과정이다. 여러분이 살고 있는 지역에서도 이름만 말하면 누구나 알고 있는 아파트가 있을 것이다. 그런 아파트가 좋은 아파트, 소위 말하는 대장 아파트다.

하지만 문제는 그런 아파트가 저렴하지 않다는 사실이다. 일반인들에게 부동산 투자가 어려운 이유는 이 때문이다. 자금력이 충분하다면 가장 좋은 입지의 대장 아파트를 사면 되겠지만 그렇지 않은 입장에서는 차선책을 알아봐야 하기 때문이다. 부동산 투자가 어려운 것이 아니라 자금력이 따라주지 않는 사람들에게 어렵게 느껴지는 것이라고 보는 것이 타당하다. 연인과의 데이트에서 30만원으로 근사한 저녁 식사를 하는 것은 그리 어렵지 않지만, 5만원으로 분위기를 내려면 고민이 조금 필요한 것과 같은 이치다.

차선책을 활용해 보자

그렇지만 주눅이 들 필요는 없다. 어차피 우리 주변에서 쉬운 부동산 투자가 가능한 사람보다는 어려운 부동산 투자를 해야 하는 사람이 훨씬 많다. 만약 스스로 생각하기에 자신이 어려운 부동산 투자를 해야 하는 입장이라면 차선책을 이용해야 한다. 여기서 말하는 차선책이란 가성비가 좋은 아파트를 찾는 것이다. 최고의 물건이 아닌 적당히 괜찮은 물건이라도 저렴하게 사면 비싸게 팔 수 있다.

이를 좀 더 쉽게 판단하기 위해 '**아파트 이상형 월드컵**'을 활용하면 편리하다. 다양한 후보를 찾아두고 소거법을 활용해 보유 자금 내에서 가장 가성비가 있는 투자를 할 수 있도록 도와주는 방법이다. 막연하게 머릿속에서 비교하는 방법에 비해 더 체계적이고 이성적으로 나에게 어떤 아파트가 적합한 투자처인지 고민해 볼 수 있다. 아파트 이상형 월드컵에서 적용해 볼 만한 기준들에 대하여 알아보도록 하자.

경제적자유를 찾는 여행자를 위한 안내서

기준 1. 보유 자금 및 대출 상환을 고려했을 때 무리가 없는가?

개인적으로 다른 조건들에 앞서 가장 중요하다고 생각하는 부분이다. 자신의 자금 사정에 비해 지나치게 비싼 부동산을 매수하면 무리한 대출을 받아야 하거나 현금 흐름이 막히는 상황이 연출될 수 있다. 그런 상황에서 갑자기 큰돈이 필요한 일이 생기거나 수입이 불안정해진다면 투자자는 자신의 의사와 관계없이 보유한 부동산을 정리해야 한다.

또한, 순전히 실거주 목적으로 부동산을 매수하는 것이 아니라 투자를 생각하는 것이라면, 부동산 가격이 하락할 가능성도 있음을 염두에 두어야 한다. 힘들게 대출금을 상환하는 가운데 집값이 하락하는 것을 보면서 스트레스를 받지 않을 자신이 없다면, 보유 자금에 비해 너무 비싼 물건은 내려놓도록 하자.

기준 2. 최근 너무 급격하게 상승한 물건인가?

사람들에게 인기가 있는 좋은 아파트라 하더라도 최근 들어 급격하게 상승한 물건을 매수하는 것은 좋지 않은 선택일 수도 있다. 상승 여력이 없거나 얼마 남지 않은 물건일 수 있기 때문이다. 좋은 아파트라고 해도 더 높은 가격에 매수해 줄 사람이 있어야 돈을 번다. 특히 시장 분위기가 이미 상승기에 들어서고 시간이 꽤 지난 상황이라면 자칫 크게 물릴 수도 있다. 산이 높으면 골도 깊은 법이다.

기준 3. 전세가율이 너무 낮지는 않은가?
(그럴만한 이유가 있는가?)

전세는 100% 실거주가 목적이고, 매매는 실거주+투자가 목적이다. 전세가는 해당 부동산의 실거주 가치가 어느 정도인지 가늠하는 도구이며, 하락 시에 매매가를 받쳐주는 역할을 하기도 한다. 다른 아파트에 비해 전세가와 매매가의 차이가 큰 경우 실거주 수요 대비 투자 수요가 더 많이 들어와 있는 물건일 수 있다. 이런 상황에서 투자자가 매력 있는 다른 물건을 찾아 빠져나간다면 하방 압력은 더 커지게 된다. 투자자보다 더 빠른 타이밍에 팔고 나올 수 있을지 고민해 보고, 그럴 수 없겠다는 생각이 든다면 전세가율이 많이 낮아진 물건은 피하도록 하자.

기준 4. 교통, 입지, 주변 환경은 어떠한가?

아파트는 사람들의 주거를 위한 물건이다. 때문에 교통, 입지, 주변 환경과 같은 조건은 아파트의 핵심 분석 요소로 여겨진다. 비슷한 수준의 아파트라면, 당연히 살기 좋은 곳이 더 좋은 부동산으로 취급되는 것이다.

부동산을 매수하고 단기간에 가격이 급등하는 경우도 있지만, 보통 부동산 투자는 시세가 오르는 데 충분한 시간이 필요하다. 실거주와 투자를 동시에 고려하고 있다면 그 시간 동안 해당 부동산에서 생활하며 지내야 한다는 것을 생각하도록 하자. 실거주를 하지 않더라도 생활이 편리한 곳이 더 임대하기도 수월하다.

경제적자유를 찾는 여행자를 위한 안내서

기준 5. 특별히 고려할 만한 사항(장단점)이 있는가?

이성 관계에서 상대방의 매력을 판단할 때 다른 건 다 완벽한데 단점 하나가 굉장히 맘에 걸리는 경우가 있다. 부동산에서도 이런 경우가 존재한다. 상권이 좋게 발달되어 있는데 유흥 점포가 혼재되어 있거나, 입지는 좋지만 주변에 기피 시설이 형성되어 있거나, 배정 학군이 좋지 않은 경우 등이 이에 해당한다. 이런 특이 사항들은 보통 직접 임장을 다니며 발품을 팔아야 정확하게 확인할 수 있는 내용이다. 내가 자세하게 잘 알고 있는 곳이 아니라면, 꼭 시간을 내서 부동산 중개인들을 만나 이야기를 자세히 들어보고 주민들의 생활하는 모습, 동네의 분위기 등을 조사해 보아야 한다. 해당 지역을 잘 알고 있거나 실제로 생활해 본 지인이 있다면 밥 한 끼같이 먹으면서 궁금증을 해결하는 것도 좋다.

이 외에도 브랜드·대장아파트·대단지 여부, 연식, 주민 생활 수준, 개발 호재와 같은 조건을 기준으로 활용할 수도 있다. 사람마다 처한 상황이 다르므로 자신의 처지를 생각하며 나름의 기준을 마련해 보길 바란다. 다음 페이지에 필자의 고향을 기준으로 이해를 돕기 위한 예시를 적어두었다.

부동산을 포함한 모든 투자에서 중요하게 고려할 요소 중 하나는 투자하려는 자산이 저렴한지 비싼지 알아보고 판단하는 것이다. 남들이 보기에도 좋은 물건이 이유 없이 저렴할 리는 없다. 인생에서 가장 큰돈을 써야 하는 순간에 막연하게 자신의 직관만 믿고 결정하는 실수는 하지 말자. 무리하지 않는 선에서, 가성비가 좋은 투자처를 찾을 수 있는 눈을 키워야 한다.

○○지역 아파트 이상형 월드컵(예시)

	A아파트	B아파트
매매가	3.1억	4.3억
전세가율	2.8억(90%)	3.5억(81%)
상권	지역중심상권 1km 대형마트 500m	지역중심상권(단지 앞) 대형마트 500m
교통	대중교통 편리	대중교통 편리 대로변
학군	초등학교, 중학교 도보 3분	초등학교, 중학교 도보 10분
주변환경	천변, 근린공원 도보 5분	천변 도보 5분
특이사항	나홀로 아파트, 빌라 단지 내	도청 인접, 동네 대장아파트
시세변동 (3년)	+7%	+17%

	C아파트	D아파트
매매가	8.5억	2.1억
전세가율	5.5억(65%)	1.5억(72%)
상권	동네상권, 대형마트 900m	동네상권
교통	산업 단지 3km 이내 대중교통 불편	기차역 2.5km 대중교통 편리
학군	초등학교 도보 2분 중학교 도보 10분	초중고 도보 1분
주변환경	호수 공원(단지 앞)	체육공원 도보 5분, 호수 카페 거리 인접
특이사항	신도시(주변 개발 중) 지역 내 최고가, 초품아	학품아(초중고) 구 신도시(연식 오래됨), 복도식
시세변동 (3년)	+140% (분양가 대비 상승률)	+30%

1. 보유 자금 및 대출 활용에 무리가 없는가? (C 탈락)

2. 최근 급격하게 상승한 물건인가? (C, D 탈락)

3. 가격 대비 입지가 좋은 편인가? (A 탈락)

경제적자유를 찾는 여행자를 위한 안내서

호재가 호재가
아닐 수도 있는 이유

흔히 부동산 투자자들이 호재라고 생각하는 요소는 교통 인프라, 일자리 증가, 주거 환경 개선(재개발·재건축), 학군 설립, 편의시설 증대(영화관, 백화점, 병원, 대형마트) 등이 있다. 최근 뉴스나 부동산 관련 매체에서 자주 등장했던 GTX가 대표적인 호재라고 할 수 있다.

사람들은 호재를 좋아한다. 주택의 여건이 좋아지면서 살기 편해지고, 매수 수요를 증가시키기도 하면서 가격상승에 긍정적인 영향을 주기 때문이다. 따라서 부동산 매수를 고려하는 투자자가 해당 물건에 호재가 있다는 것을 알게 되면 상당히 긍정적으로 평가하는 경향이 있다.

호재는 분명 주거 여건상 해당 지역에 긍정적인 영향을 가져오는 효과가 있다. 하지만 필자는 부동산 투자에서 호재가 주는 영향이 그렇게 크지 않다고 생각한다. 투자하려는 부동산의 시장 분위기나 시점에 따라 호재는 호재일 수도, 호재가 아닐 수도 있기 때문이다.

호재는 입지나 시장 흐름보다 우선될 수 없다

여러분이 부동산에 아파트를 보러 가면 중개업자가 물건에 관해 설명할 때 빠뜨리지 않고 언급하는 것이 호재다. 나보다 부동산을 훨씬 잘 알고 있는 중개인의 유창한 설명을 듣다 보면, 앞으로 가격이 오를 것만 같은 느낌이 들어 혹하기가 쉽다. 중개인이 호재를 나에게 설명해 주는 이유가 무엇일까? 순수하게 매수자의 선택을 돕기 위해 정보를 알려주는 것일 수도 있지만, 중개를 성사시켜 얻게 될 경제적 이득이 주된 이유일 가능성이 크다.

부동산 투자에서 가장 눈여겨보아야 하는 부분은 입지와 수요·공급에 따른 시장의 분위기와 흐름이다. 호재는 이보다 우선된 가격상승의 이유가 될 수 없다. 매수하려는 부동산에 호재가 있다는 이야기를 들으면 그것을 판단의 중심 근거로 받아들이는 경우가 있는데, 다시 한번 이성적으로 잘 생각해 보길 바란다. 부동산 수요가 떨어지는 침체기에도 호재가 흐름을 이기고 가격 상승을 견인할 힘이 있다고 생각하는가?

부동산 호재가 가격에 반영되는 3단계 시점	
인식	사람들이 해당 물건의 호재를 알게 됨
진행	관련 절차가 진행중인 상태
완료	호재가 실생활에 직접 영향을 줌

호재가 가격에 반영되는 시점은 크게 인식, 진행, 완료의 3단계로 나누어진다. 이것을 기준으로 사례를 보며 호재와 시세 흐름의 연관성을 살펴보자.

출처: 네이버지도

위의 두 아파트는 각각 정자역, 미금역의 역세권 아파트로, 신분당선이 개통되는 호재가 있는 단지였다. 정자역과 미금역의 개발 과정을 3단계의 시점으로 나누어보면 다음과 같다.

구분	정자역	미금역
인식	2003년 8월 사업 결정	2011년 10월 설치계획 확정
진행	2005년 6월 착공	2012년 12월 착공
완료	2011년 10월 개통	2018년 4월 개통

표에서 알 수 있듯, 정자역과 미금역의 신분당선 관련 개발 사업 시기는 약 7년 정도 차이를 보인다. 그렇다면 두 아파트의 시세 변화 그래프는 어떤 흐름을 보였을까?

공무원 3단지, 성원 7단지 시세 변화

출처 : KB부동산

그래프에 표시한 부분은 두 아파트의 호재가 인식, 진행, 완료되는 시점을 순서대로 표시한 것이다. 어떤 부분에서는 가격이 상승하기도 하고, 어떤 부분에서는 하락하기도 한다. 아울러 두 아파트의 시세 변화를 살펴보면, 호재가 적용되는 시점의 차이가 있음에도 불구하고 상당히 유사한 흐름을 보여주고 있다. 교통 호재가 아파트 시세에 눈에 띄는 긍정적인 영향을 주었다고 말하기는 어려워 보인다.

경제적자유를 찾는 여행자를 위한 안내서

내가 알고 있으면 남들도 다 알고 있다

만약 어떤 아파트의 의미 있는 가격상승을 가져올 대형 호재가 발생했다고 생각해 보자. 이 부동산을 어느 시점에 매수하는 것이 가장 좋을까?

정답은 호재 발생 이전이다. 호재가 가격에 전혀 반영되어 있지 않은 시점이기 때문이다. 이 경우에는 호재로 인한 가격상승을 모두 취할 수 있고, 설령 상황이 잘못되어 상승분을 반납한다고 해도 손해는 없다. 해당 아파트에서 실제로 생활하고 있는 거주자들이나, 호재 발생 이전에 아파트를 매수한 투자자들이 여기에 속한다.

하지만 우리가 미래의 일을 미리 알 수는 없으므로 이 타이밍에 호재를 고려하며 매수하기는 어렵다. 호재를 보고 매수를 결심한 투자자라면 인식, 진행, 완료의 시점 중 어딘가에서 사야 한다. 수익을 얻기 위해선 가격이 상승하기 시작하는 인식 단계의 초기에 매수해야 할 텐데, 수요가 갑자기 늘어나는 그 짧은 시점에 매수하기는 쉽지 않다.

내가 알고 있으면 남들도 다 알고 있다. 이미 호재는 사람들에게 알려지는 순간부터 시세에 먼저 반영된 상태일 가능성이 크다, 같은 지역의 다른 아파트 시세 변화와 비교하며 이미 선반영이 된 가격인 것은 아닌지 확인할 필요가 있다. 뒤늦게 이미 올라버린 가격에 매수한 사람은 오히려 호재가 없는 부동산을 사느니만 못한 결과를 만나게 될지도 모르기 때문이다.

호재도 결국은 불확실성

　사람들이 부동산 매수를 고려할 정도로 좋아할 만한 호재는 무엇일까? 생활의 여건이 눈에 띄게 좋아지는 주거·교통 환경 개선과 같은 대형 개발일 것이다. 버스 노선이 몇 개 추가되거나 주변에 병원 하나가 들어온다고 해서 부동산을 사지는 않는다. 수요를 끌어올리기 위해서는 그만큼 영향력이 큰 호재가 필요하다.

　주택 가격이 오르게 해줄 만한 대형 호재는 그 규모가 크기 때문에 굉장히 많은 비용과 시간이 필요하다. 개발에서 비용이나 시간이 많이 소모된다는 것은 불확실성이 커짐을 의미한다. 큰 규모의 개발은 재원마련, 개발이익 검토 등에서 이해관계가 복잡하게 얽혀있기 때문에 갑자기 착공 전 사업의 방향이 틀어지거나 예상치 못한 상황 등으로 취소되기도 하며, 준공 시점도 예상부터 10년 이상을 바라보는 데다 예정보다 개발이 연기되는 경우도 많다. 결국 호재가 확실한 상승 요인이 될 수는 없는 것이다.

　물론 매수하려는 부동산에 호재가 없는 것보다는 있는 편이 좋다. 하지만 투자의 관점에서 봤을 때, 호재는 공식이 아닌 가격상승을 위한 하나의 재료나 촉매로서 받아들여져야 한다. '호재가 있으니 오를 것이다.' 라는 생각은 상당히 단순한 사고 과정의 결과일 수 있다. 호재가 정말 가격에 영향을 줄 것인지, 이미 호재가 반영된 가격은 아닌지 생각해 보고, 재료의 영향이 미미하거나 이미 사라진 것은 아닌지 고민해 보아야 한다.

　　　　　　　　　　경제적자유를 찾는 여행자를 위한 안내서

"3억 낮춰도 안 팔려요"…**GTX 타고 올랐던** 집값 '돌변'

수도권 광역급행철도(**GTX**) 호재에 집값 고공행진을 거듭하던 수도권에서 집값 하락 조짐이 보이고 있다. 부동산 시장에서 매수 심리가 식으면서 **G**

인천 **검단**2지구 택지개발사업 '백지화'

검단 2지구에 대한 지구 지정 **취소**로 **검단신도시**는 1지구(1118만㎡)만의 반쪽 개발로 전락하게 됐다. 1·2지구를 통합해 수립한 광역교통대책과 필수기반시설 연…

조선 왕릉 옆 **검단** 무허가 아파트 2곳 내일부터 공사 중지

조선 왕릉 인근 문화재 보존지역에서 문화재청의 허가를 받지 않고 건립 중인 3개 아파트단지 가운데 2개 단지의 공사가 내일부터 **중단**될 전망입니다. 문화재청 등…

출처: 한국경제(2021.12.08.), 한국경제(2013.03.08.), MBC(2021.09.29.)

가격을 움직이는 가장 큰 힘, 수요와 공급

투자에 관심이 없는 사람들은 부동산의 시세를 판단할 때, 가격에만 집중하는 경향이 있다. 나름대로 적절한 아파트의 가격을 마음속에 정해 두고, 그 가격보다 비싸면 부동산 시장이 이상한 것이고 비정상적으로 오른 가격이 정상으로 돌아와야 한다는 식이다. 하지만 이런 감정적인 사고방식은 돈을 버는 데에는 크게 도움이 되지 않는다. 지난 과거를 돌이켜보면, 부동산은 사람들에게 언제나 비싼 가격이었으며 정상이 아니라고 여겨졌다. 그렇게 생각하던 사람 중 이득보다 손해를 본 사람들이 더 많았다는 것은 부정하기 어려운 사실일 것이다.

부동산의 가격을 가장 크게 움직이는 요소는 우리의 감정이 아닌 수요와 공급이다. 공급보다 수요가 많은 희소가치가 있는 자산은 가격이 상승하고, 공급이 더 많으면 가격은 내려간다. 예를 들어 필자는 개인적으로 천만 원을 훌쩍 넘는 명품 가방에 대해 감정적으로는 비정상적인 가격이라고 느끼지만, 이성적으로는 정상이라고 생각하고 있다. 수요와 공급이 만나는 지점이 그 가격이기 때문이다.

경제적자유를 찾는 여행자를 위한 안내서

부동산도 마찬가지다. 한낱 몇십 평짜리 콘크리트 덩이의 가격이 정상이라고 느낄 수 있을 만큼 내려와 모든 사람이 만족하며 내 집 마련을 할 수 있으면 좋겠다고 감정적으로 생각하지만, 이성적으로 판단하며 수요와 공급을 바라보기 위해 노력한다. 감정적 사고가 합리적인 판단에 별 도움이 되지 않는다는 것을 알고 있기 때문이다.

그렇다면 수요와 공급은 어떻게 읽고 판단할 수 있을까? 수요공급을 통해 부동산 시장의 흐름을 예측해 볼 수 있는 힌트는 **청약경쟁률, 인구증감, 공급량, 전세가, 거래량**의 5가지가 있다.

1. 청약경쟁률

청약은 새집을 정해진 가격(분양가)에 분양받을 수 있는 방법이다. 시세보다 분양가가 저렴하다면 청약경쟁률은 높아지고, 시세와 비슷하거나 그보다 비싼 가격이라고 여겨질 때 경쟁률은 줄어든다.

청약경쟁률과 수요는 비례하는 경향이 있다. 청약경쟁률이 높아지고 있다면 부동산의 수요가 증가하고 있음을, 그렇지 않으면 수요와 함께 희소가치가 줄고 있음을 의미한다. 미분양이 증가하는 지역이 있다면 그 지역의 수요가 빠르게 줄어들고 있다는 의미이므로, 부동산 가격은 상승을 멈추거나 하락할 가능성이 커진다.

2. 인구증감

   사람이 10명, 집이 10채라면 수요와 공급이 균형을 이루고 있으므로 가격은 크게 움직이지 않을 것이다. 여기서 사람 수가 15명으로 늘어나면 집의 가격은 상승할 확률이 높아진다. 수요가 더 많아져 희소가치가 상승하기 때문이다. 부동산 투자에서 인구의 변화는 수요의 변화를 파악할 수 있는 좋은 지표다. 지역 내 인구가 늘어 수요가 증가한다면 가격이 상승할 확률은 높아진다.

   인구 변화의 원인은 두 가지가 있는데, 하나는 출산과 사망의 비율이고 다른 하나는 지역 간 가구의 이동이다. 이 중에서 단기적으로 부동산의 가격을 움직이는 것은 지역 간 이동이다. 부동산은 개인이 아닌 가구를 단위로 거래가 이루어지기 때문이다. 저출산이 문제인 오늘날에는 전체적으로 인구가 줄어들고 있으므로 부동산도 하락할 것이라는 의견이 있는데, 20년 이상의 장기적인 관점에서는 어느 정도 동의하지만 당장 일어날 문제는 아니라는 것이 필자의 생각이다. 지금 태어나는 아이가 곧바로 부동산 수요로 연결되지는 않기 때문이다. 덧붙이자면 이혼을 해도 집은 하나 더 필요해진다. 출산율보다는 가구 수의 변화에 집중하도록 하자.

3. 공급량

   이번엔 사람 수의 변화 없이 집만 15채로 늘어났다고 생각해 보자. 이번엔 공급이 늘어나 희소성이 낮아졌으므로 가격이 하락할 확률이 높아질 것이다. 이처럼 공급은 가격에 반비례한다.

수요와 달리 공급은 파악이 어렵지 않다. 집은 당장 하루 이틀 만에 찍어낼 수가 없는 물건이기 때문에 필요하다고 해서 갑자기 공급을 늘릴 수가 없기 때문이다. 지역 내 입주 예정인 아파트의 수를 파악하면 가까운 미래의 공급량 변화를 예측할 수 있다. 이 공급량을 수요와 비교하여 가격의 방향이 어디로 갈 것인지 생각해 보면 된다.

다른 요소에 비해 공급량이 더 많은 상황이라고 생각된다면 보다 신중하게 접근해야 한다. 만일 수요가 공급을 소화해 내기 어려울 것 같은 상황이라면 청약을 통해 상대적으로 더 매력 있는 새 아파트를 매수하거나, 다른 지역으로 눈을 돌리는 것도 방법이다. 특히 지방 부동산의 경우 공급을 받아줄 수요층이 두텁지 않기 때문에 더욱 공급량 증가에 취약한 모습을 보인다. 내가 살고 있는 지역은 어떤 상황인지 생각해 보도록 하자.

4. 전세가

전세는 집을 소유하지 않고 사용하는 방법으로, 전세가의 상승은 실거주의 가치가 높아지고 있다는 것을 의미한다. 실거주 가치가 높아지는 것은 공급보다 수요가 많을 때 일어나는 현상이다.

만약 지역 내에서 전체적으로 전세가가 올라가거나 떨어지는 상황이라면, 수요와 공급의 불균형이 찾아온 것은 아닌지 체크해 보아야 한다. 상승장에서는 매매가가 전세가를 끌어올리고, 하락장에서는 전세가가 매매가를 끌어내리는 경향을 보인다.

5. 거래량

　부동산은 매수보다 매도가 더 어렵다. 매수는 내가 원하는 타이밍에 이미 나와 있는 물건을 사는 것이지만, 매도는 매수자가 나타날 때까지 기다려야 하기 때문이다. 호가는 파는 사람이 부를 수 있지만, 그것을 살지 말지 결정하는 것은 매수자다. 거래량이 많다는 것은 곧 수요와 공급이 서로 원하는 가격에서 만나 활발히 거래되고 있다는 뜻이다.

　거래량이 많은 상황에서 매도자들은 '현재 시세에서도 수요가 받쳐주는구나'라고 생각하며 점점 호가를 올려 시세를 상승시킨다.(매도자 우위) 그러다가 수요자들의 매수 심리가 돌아서면서 공급자들의 호가는 그대로인 상태로 줄다리기를 시작하게 되면 거래량이 줄어들게 되는 것이다. 즉 거래량이 줄었다는 것은 매수 수요가 줄었다는 것을 의미한다. 여기서 매도자들이 버티지 못하고 물건을 던지게 되면 부동산 가격은 하락하게 된다.(매수자 우위)

청약경쟁률 ↑	인구 ↑	공급량 ↓	전세가 ↑	거래량 ↑	수요 ↑
청약경쟁률 ↓	인구 ↓	공급량 ↑	전세가 ↓	거래량 ↓	수요 ↓

　수요와 공급을 판단해 볼 수 있는 다섯 가지 지표에 대해 알아보았다. 우리가 미래를 읽을 수는 없으므로 정확한 타이밍이나 방향은 읽기가 어렵지만, 앞으로 상승할 확률이 높은지 하락할 확률이 높은지는 생각해 볼 수 있어야 한다. 여러 지표들을 참고하여 매수하려는 지역의 시장 분위기

　　　　　　　　　경제적자유를 찾는 여행자를 위한 안내서

가 어떤지 확인해 보자. 수요와 공급은 부동산의 가격을 움직이는 가장 큰 힘이기 때문이다.

다만 대출·세금 규제나 임대 관련 정책 변화 등 시장 외 변수로 인해 일시적으로 전세가나 거래량의 흐름이 영향을 받기도 한다. 외적인 요소로 인해 시장이 제대로 기능하고 있는지 함께 체크해 보면서 다섯 가지 지표를 총체적으로 해석하는 것이 좋다. 요즘은 정보를 얻기가 쉬워 부동산 관련 사이트나 어플 등에서 여러 지표를 쉽게 파악할 수 있다.

집값 잠가놓기, 갭투자

현재 여러분이 원하는 집은 얼마인가? 현재 아파트의 평균 매매가는 서울 기준으로 10억을 훌쩍 넘기고 있으며, 지방에서도 쓸만한 아파트는 최소 4~5억 대 수준이다. 서울의 평범한 집을 연봉 5천의 근로자가 100% 현금으로 매수하려면 한 푼도 쓰지 않고 소득을 모두 저축해도 20년이 걸린다. 생각만 해도 갑갑한 기분이 들지 않는가? 그뿐만이 아니다. 우리는 집을 사기 위해 열심히 돈을 모으지만, 필요하다고 생각했던 돈을 모으고 나면 집값이 올라있는 것을 발견하게 된다. 나의 시간과 노동으로 바꾼 현금의 가치가 하락하는 순간이다.

아파트 매매 실거래 가격지수

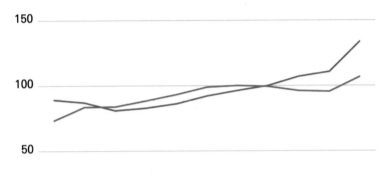

___ 수도권 ___ 지방

출처 : 한국부동산원, 공동주택 실거래 가격지수

2010년부터 10년간 수도권 및 지방의 아파트 가격은 약 1.5배 상승하였다. 사람들이 원하는 집은 평균보다 더 높게 상승하므로 체감 상승률은 이보다 더 높을 것이다. 야속하게도 집값은 우리를 기다려주지 않는다. 이에 따라 저축 기간은 0.5배가 늘어나게 되므로, 20년 동안 저축을 해야 했던 매수 희망자에게는 10년의 저축 기간이 더 필요해진다. 나의 평범한 집한 채 마련하기는 이렇게 점점 더 멀어져만 간다.

이렇게 집값은 우리를 기다려주지 않지만, 갭투자를 이용하면 이 집값을 강제로 붙잡아둘 수 있다. 갭투자는 전세를 끼고 집을 사는 방법을 말한다. 세입자일 때는 나에게 불리하게 작용했던 전세제도를 역으로 이용하는 것이다. 투자 시점에는 내 집에 내가 살지 못하니 무늬만 집주인이지만, 세입자가 있는 동안 집값이 움직이지 못하도록 붙잡아두고 필요한 금액을 확실하게 모을 수 있으며, 불필요하게 늘어날 저축 기간을 털어낼 수 있다. 집값을 고정시켜둔 가운데 나의 소득은 점차 늘어나게 되면서 주택 자금을 모으는 기간이 줄어들게 된다. 세입자에게 주거 환경을 대여하는 대가로 이자가 없는 레버리지 활용도 가능하다. 대출을 감당할 수 있는 수준으로 돈을 모으게 되면 그때는 진짜 내 집이 된다.

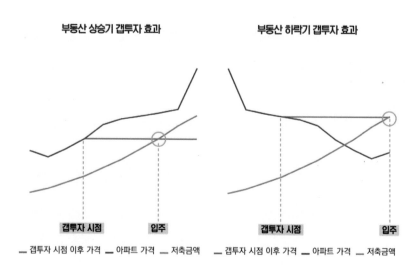

갭투자를 할 때 가장 주의할 점은 스스로 감당할 만한 수준의 전세보증금이 얼마인지 생각해 보고 투자해야 한다는 것이다. 다음 세입자를 구하지 못하거나 전세가가 하락하는 경우까지 모두 고려해 보았을 때 계약이 끝난 세입자에게 보증금을 돌려주는 데 무리가 없어야 한다. 세입자의 돈

경제적자유를 찾는 여행자를 위한 안내서

도 나의 재산만큼 소중하다는 것을 반드시 기억하자. 나의 욕심으로 남의 인생까지 위험에 빠뜨릴 행동은 애초에 하지 않는 것이 옳다.

또한, 집값을 잠가두는 것이 반드시 정답은 아닐 수도 있다. 평생 오르기만 하는 자산은 없다. 부동산도 마찬가지다. 만약 투자 시점 이후에 부동산 가격이 하락한다면 투자자는 오히려 손실을 보게 된다.

갭투자는 미래의 내가 현재의 가격으로 부동산을 살 수 있도록 해주는 방법이다. 만약 부동산 가격이 장기적으로 꾸준히 우상향할 것이라는 생각에 동의한다면, 무조건 주택 구매비용을 저축하는 것보다 갭투자를 통해 집값을 잠가두는 것은 좋은 대안이 될 수 있다. 시장의 흐름이 어디로 갈지 생각해 보고 자신에게 유리한 결정을 내려야 한다. 상승장에서 갭투자를 활용한다면 아무리 빠르게 달려도 제자리걸음만 하는 것 같던 러닝머신에서, 지상으로 내려와 천천히 걸어도 앞으로 나아가는 기분을 느끼게 될 것이다.

시기별
부동산 투자방법

앞으로 다가올 부동산 시장은 상승장일까 하락장일까? 아마 이 질문에 대해서는 사람마다 의견이 다를 것이다. 저마다 시장을 바라보는 관점과 기준이 다르기 때문이다. 투자자들은 각자 가지고 있는 지식과 경험을 바탕으로 미래를 예측하기 위한 가장 합리적인 근거들을 마련한다.

그렇게 나름대로 시장에 대한 합리적인 예측을 가지고 있다고 해도, 자신의 선택에 확신하며 자신 있게 움직이기보다는 어떻게 해야 할지 고민하거나 불안함을 느끼는 투자자가 더 많다. 미래의 일을 강하게 확신하고 예단할 수 없기 때문이다. 시장의 움직임을 정확히 예측할 수 있는 투자자는 바닥에서 사고 고점에서 파는 것이 가능하겠지만, 이 세상에 그런 투자가 가능한 사람은 없다. 누가 예측을 하든 투자에 100%란 없다.

경제적자유를 찾는 여행자를 위한 안내서

하지만 시세 흐름이나 주변 상황들을 보면, 어떤 시점의 '분위기'라는 것은 분명히 있다. 올라버린 부동산을 보며 분노하는 사람이 많을 때도 있고, 집을 산 사람을 걱정하며 안타깝게 바라보는 사람이 많을 때도 있다.

시장 분위기는 부동산 시세의 흐름을 바탕으로 만들어진 수요자 심리의 산물이다. 투자자는 이 분위기를 통해 상승이나 하락이 얼마나 진행되고 있는지 생각해 보며 미래의 가격 흐름을 확률적으로 따져보고 판단해야 한다.

부동산은 다른 자산에 비해 변동성이 작은데, 이점은 시장의 분위기를 파악하는 데 이점으로 작용한다. 주식만 보더라도 하루 만에 상·하한가를 넘나들거나 20~30%씩 가격이 변하는 것은 매우 흔한 일이다. 이렇게 변동성이 큰 자산은 당장 내일 가격도 어떻게 될지 예측하기가 어려워 분위기를 읽고 대응하기가 쉽지 않지만, 부동산은 그렇지 않다. 흐름이 천천히 바뀌기 때문이다. 변동성이 작다는 것은 투자를 길게 보고, 시장의 분위기를 읽고, 천천히 생각하며 편안하게 대응하기가 쉽다는 뜻이기도 하다.

필자가 생각하는 부동산의 사이클은 크게 **상승 초기, 대세 상승기, 하락 초기, 대세 하락기**의 4단계로 분류된다. 다음은 시기별 특징과 해당 시기에 생각해 볼 수 있는 유용한 전략을 설명한 내용이다.

상승 초기

부동산 상승 초기가 되면 계속될 것 같던 하락이 멈추고, 보합세를 유지하다가 조금씩 시세가 회복되는 모습을 보인다. 이 시기에 주변 사람들과 이야기를 나눠보면 그다지 부동산 투자에 관심이 없다. 아직 주변에 부동산으로 크게 돈을 벌었다는 이야기가 들려오지 않기도 하고, 부동산 시장이 나에게 크게 영향을 주고 있다고 느끼지 않기 때문이다. 이에 더해 사람들에게는 아직 하락장에 부동산 투자로 고생한 투자자들의 모습이 잔상으로 남아있다. 당장 오르지도 않는 집값을 신경 쓰기보다는 자신의 커리어나 자기계발, 현재의 행복에 더 집중하는 모습이다.

시장이 하락을 멈추고 아직 크게 오르지는 않은 시점이라면 지역에서 가장 좋은 물건을 고르는 것이 좋다. 상승기에는 대장 아파트가 시세의 흐름을 주도하며 크게 오르는 경향을 보이기 때문이다. 아직 청약에 사람들이 많이 몰리지 않는 상황일 경우 새롭게 지역을 대표할 신축 아파트를 매수하는 것도 방법이다. 또한, 상환에 문제가 없다면 적극적인 레버리지 활용도 고려해 볼 만하다.

대세 상승기

대세 상승기는 점차 부동산에 관심이 몰리다가 폭발하는 시기이다. 이로 인해 뉴스는 부동산 가격에 관한 이야기와 자극적인 제목들로 도배되

경제적자유를 찾는 여행자를 위한 안내서

기 시작한다. 매수 심리를 누르기 위한 각종 규제가 등장하지만, 수요를 억제하기에는 아직 역부족으로 보인다. 청약경쟁률은 눈에 띄게 올라 로또 청약이라는 말도 들려오며, '이번에 ○○아파트 청약 넣었어?'가 새로운 인사말이 된다. 한편 집을 사지 않은 사람들은 부동산 가격이 비정상적으로 올랐다고 정부, 건설사, 투기꾼들에게 욕을 하기 시작한다. 주변 지인 중에서도 부동산으로 꽤 큰 돈을 벌었다는 이야기가 들린다며 부러워하는 사람들도 보인다. 이런 시장 분위기 속에서 무주택자들은 앞으로 집을 사지 못하게 될 것이 두려워 뒤늦게 레버리지를 무리하게 일으켜 시장에 뛰어드는 경우도 많다. 이 시기에 가장 많이 들려오는 말은 '그때 샀어야 했는데!'와 같이 시장에 참여하지 않은 것에 대한 후회 섞인 표현들이다.

부동산에 대한 관심이 커지고 시장이 대세 상승으로 접어드는 시점에서는 아직 덜 오른 곳을 찾아보는 것이 좋다. 마트에서 소고기가 너무 비싸다는 생각이 들면 돼지고기 가격은 얼마인지 살펴본 적이 있지 않은가? 상승기가 되면 지역마다 가격의 상승을 견인하는 아파트가 있기 마련인데, 보통 지역 내에서 가장 인기가 많은 아파트가 그렇다. 그런 1등 아파트가 치고 올라가 버리면 사람들은 올라버린 가격에 대해 비싸다는 인식을 하게 되고, 이후에는 자연스럽게 그다음으로 인기가 많은 아파트가 관심을 끌게 된다. 이런 점을 이용하면 다음으로 오를 확률이 높은 아파트를 찾음과 동시에 리스크를 줄이는 효과도 얻을 수 있다. 풍선효과(상승기에 투자자에 대한 규제를 피할 수 있는 투자처로 수요가 몰리는 현상) 또는 웅덩이 효과(주변의 비슷한 입지의 아파트들이 오르면 나머지가 상대적으로 저렴해 보이는 현상)를 이용하는 것도 좋은 방법이다.

대신 주의할 점은 애초에 인기가 없거나 내재 가치가 떨어지는 아파트를 저평가라고 생각하며 섣불리 매수하지 않아야 한다는 것이다. 부동산은 환금성이 좋지 않은 자산으로 매수는 쉽지만, 매도는 어렵다. 가격이 오르더라도 매도가 필요한 순간에 팔리지 않거나, 팔기 위해서 원치 않는 가격에 매물을 내놓아야 하는 상황이 연출될 수 있다. 가치가 떨어지는 물건을 저평가라고 착각하고 있는 것은 아닌지 다시 한번 생각해 보자.

또한, 상승기가 가속화되면 정부에서는 부동산 수요를 누르기 위한 다양한 규제를 마련하는데, 그중 하나가 금융 관련 정책을 통해 대출을 이용하기 어렵게 만드는 것이다. 이런 시기에는 부동산 가격이 오르는 만큼 대출 규모도 커지게 되는데, 상승이 이미 꽤 진행되었다는 생각이 든다면 무리한 레버리지 사용을 경계할 필요가 있다. 대출액이 큰 만큼 매달 상환해야 하는 원리금도 증가하기 때문에 현금흐름에 문제가 생길 가능성이 커지기 때문이다. 금리 상승 후에도 상환에 무리가 없는지, 현금흐름에 문제가 생겨 원치 않는 매도를 할 가능성은 없는지 생각해 보며 신중하게 판단하도록 해야 한다.

하락 초기

계속해서 오르기만 하는 자산은 없다. 부동산도 마찬가지다. 금융위기, 대규모 공급, 금리 인상 등 다양한 원인으로 인해 무섭게 오르던 부동산이 점차 상승을 멈추기 시작하는 시기가 오기도 한다. 이렇게 상승장에서 하락 분위기로 전환되는 시기에는 점점 거래량이 줄면서, 미분양이 뜨는 지역이 보이기 시작한다. 가끔 높은 가격에 거래되는 물건이 나타나 신고가를 갱신하기도 하지만 명확하게 상승 중이라고 단정하기는 어렵다. 이런 모습들이 나타난다면 시장이 상승 탄력을 잃고 조정을 받기 시작하는 것은 아닌지 생각해 보아야 한다.

완연한 하락 분위기로 전환되기 이전에는 매도자들은 호가를 낮추지 않으려 하고, 매수자들은 부동산 매수를 주저하거나 원하는 가격이 아니면 매수하지 않으려는 태도를 보인다. 마치 매도세와 매수세가 팽팽하게 줄다리기를 하는 것 같은 모습이다. 줄다리기에서 어느 쪽이 이길지 섣불리 단정하는 것은 금물이나, 부동산이 크게 상승한 후 위와 같은 상황들이 보인다면 하락할 가능성이 높아진 것만큼은 부정할 수가 없다. 공격적으로 투자에 임하기보다는 리스크에 대한 대비의 필요성이 대두되는 시기이다.

리스크를 관리하기 위해서는 혹시 모를 하락에 대비할 전략을 생각해 보아야 한다. 1주택자 혹은 갭투자자의 경우, 매수 시점 이후 투자금을 늘리는 것을 멈추고 현금을 최대한 확보하면서 하락 시에도 대응할 수 있는 여력을 비축해 두는 것이 좋다. 2주택 이상 보유한 투자자는 옥석 가리기, 소위 말하는 '똘똘한 한 채 전략'을 고려해 볼 수 있다. 스스로 경제적 상황을 점검하고, 과도한 비중으로 투자되어 있다면 매력이 덜한 물건은 미리 정리하여 부담을 낮추는 것은 어떤지 검토할 필요가 있다. 무주택자라면 무리하지 않는 선에서 급매를 잡는 것도 좋은 선택이다.

시장의 방향이 명확하지 않아 사람들의 의견이 분분한 시점에서는 공격력보다 방어력을 키우는 데 더 비중을 두어야 한다. 버는 것도 좋지만 잃지 않는 것이 더 중요하기 때문이다.

그러나 하락의 가능성이 커졌다고 해서 반드시 부동산이 하락할 것이라고 단정해서는 안 된다. 간혹 유주택자가 하락을 확신하며 보유한 주택을 매도하고 무주택 포지션으로 전환하는 경우가 있는데, 이 또한 다른 의미로 매우 공격적인 투자일 수 있다. 예상하는 조정이 오지 않는 경우 오히려 손실을 보는 선택이기 때문이다.

대세 하락기

하락 초기의 줄다리기가 끝나고 시장이 본격적인 하락세로 접어들면, 언제 그랬었냐는 듯 부동산에 관한 회의적인 의견이 지배적으로 변하며 비관론이 넘쳐나기 시작한다. '부동산은 이제 끝났다, 아직 본격적인 하락은 시작도 안 했다, 영끌족들 큰일 났다'와 같은 말들이 들려오며 연일 뉴스에서 하락과 관련된 부정적인 내용의 자극적인 제목들이 눈에 띈다. 이때 고점에 물렸거나, 무리한 투자로 시장에 대한 공포를 느끼기 시작한 투자자들은 보유한 물건을 던지기도 하고, 전세가 하락을 맞은 갭투자자는 원치 않는 매도를 해야 하는 안타까운 상황이 발생하기도 한다. 주변에서는 집을 사는 것을 걱정하거나 무리하여 부동산을 매수한 사람을 하우스 푸어에 빗대며 안쓰러운 시선으로 바라본다. 분양 시장에서는 마이너스P 또는 할인 분양 이야기가 심심찮게 들려오기도 한다.

이렇게 침체기가 와버린 분위기 속에서 투자자는 당연히 심리적으로 위축될 수밖에 없다. 하지만 한편으로는 매수자가 우위를 점하는 시기일 수도 있다는 점을 생각해 볼 필요도 있다. 하락장이 왔다는 것은 매도자와 매수자 간 줄다리기에서 매수자가 이기는 상황이 되었음을 의미한다. 매수자 우위 시장에서는 평소 매수가 어려웠던 물건에 대한 접근이 쉬워진다는 장점이 있다.

눈에 띄게 가격이 하락한 상황에서 적극적으로 대응을 하고 싶은 투자자라면 활용해 볼 수 있는 방법이 몇 가지 있다. 좋은 입지의 분양 또는 할인 분양을 통한 새 아파트 마련, 상급지 주택과 보유 주택 간 갭이 줄었을 경우를 이용한 상급지 갈아타기, 하락장에서는 크게 반영되지 않지만 회복기에 추가 상승 요소가 될 만한 프리미엄 요소(향, 동, 층, 조망 등) 찾아보기, 상승기에 등장했던 규제 정책의 해제로 인해 매수가 쉬워진 주택 매수하기가 그런 방법들이다.

가격이 더 빠질 것 같다는 예측이 합당한 논리에 의한 것이 아닌 단순히 심리적인 이유에서 기인한 것이라면, 기다렸던 가격이 왔을 때 장기적인 관점에서 시장을 바라보고 매수를 고려해 보는 것도 괜찮은 선택이다. 다만, 이후 시장이 회복되기까지 매수 가격보다 더 하락할 수 있다는 것은 분명히 염두에 두어야 할 것이다. 추가 하락, 부채 상환, 현금 흐름 등 자신의 선택에 대한 리스크 요인은 무엇이 있는지 신중하게 생각해 보고, 그것을 감당할 수 있다는 생각이 들었을 때 비로소 성공적인 투자를 만들 수 있다.

물론 이런 대세 하락장에서 꼭 적극적인 대응만이 방법은 아니다. 자신이 하려는 선택이 합리적인 근거에서 나온 용기인지, 단순히 하락을 기회로만 보고 눈이 멀어 만들어진 욕심인지 생각해 보도록 하자. 스스로 숙고해 보았을 때 예상되는 리스크를 감당할 여유와 용기가 없다면 시장이 다시 회복세로 들어설 때까지 투자를 잠시 멈추고 관망하는 것도 좋은 방법일 수 있다.

부동산 투자를 통해 돈을 번 사람이 많은 만큼 돈을 버는 방법도 다양한데, 여기서 우리가 경계해야 하는 것은 특정 시기의 성공적인 경험을 섣불리 일반화하여 그것이 마치 진리인 양 생각하고 행동하는 것이다. 같은 방법이 언제나 통하는 것은 아니다. 시장의 분위기와 자신의 상황을 꼼꼼히 살펴보고 가장 적절한 방법이 무엇인지 스스로 생각하고 선택할 수 있어야 한다.

주거와 투자를
분리하는 것도 방법이다

　살아가면서 가장 큰 비용을 지출하는 소비는 경제적으로 여유가 넘치는 특별한 케이스를 제외하고는 아마 부동산인 경우가 대부분일 것이다. 사람들은 가끔 내 집 마련을 꿈이라고 표현하기도 하는데, 이 말에는 소유에 대한 희망과 함께 부동산을 쉽게 매수할 만한 경제적인 여유를 갖기 어렵다는 의미도 반영되어 있다. 내 차 마련의 꿈, 내 명품백 마련의 꿈과 같은 표현을 사용하는 사람은 없다. 사람들은 적당히 노력하여 얻을 수 있는 정도라면 그것을 꿈이라 부르지 않는다.

이렇게 꿈에나 그릴법한 비싼 부동산이다 보니, 평범한 직장인에게는 한 채 사는 것도 버거운 것이 현실이다. 그래서 보통 투자에 대해 잘 모르거나 관심이 없는 경우라면 '실거주를 위한 내 집 마련'에 집중하게 된다. 내가 거주할 집 외에 다른 주택을 매수할 여력이 없기 때문이다.

내가 살아야 할 집이니 그 집을 구입하는 것이 당연하다고 생각하는 것도 무리는 아니다. 그런데 실거주를 위한 부동산에 투자하려고 하다 보면 여러 문제를 만나게 된다. 어떤 문제가 생길 수 있는지 한 번 살펴보도록 하자.

1) 매력이 없는 집

우선 충분한 자금이 없는 경우 좋은 물건을 사는 것이 어려워진다. 여러분이 현재 살고 있는 지역에서 누구나 좋은 집이라고 평가할 만한 아파트의 가격은 얼마인가? 그 가격이 무리 없이 편하게 매수할 수 있는 수준이라면 좋겠지만 현실은 그렇지 않은 경우가 더 많다. 이렇게 자금 형편이 여의치 않다면 점점 좋은 집과는 거리가 먼 선택을 할 확률이 높아지게 된다. 현실과 타협을 한 매수자는 고민 끝에 보유 자금에 맞추어 집을 선택하게 되는데, 객관적으로 보았을 때에는 크게 매력이 없는 집을 고르고 마는 경우가 더 많다.

2) 원하지 않는 지역의 부동산

현대 사회에서 자신이 태어나고 자란 지역에서 평생을 보내는 사람은 그리 많지 않다. 살다 보면 취업, 결혼, 자녀의 교육, 타지역으로 발령이 나는 경우, 연로하신 부모님의 부양 등 다양한 문제로 주거를 이전해야 하는 상황이 발생한다. 이 과정에서 만약 현재 살고 있는 지역보다 상대적으로 매력이 떨어지는 지역으로 이동해야 하는 경우라면, 실거주를 위해 보유한 주택을 매도하고 원하지 않는 지역의 부동산을 사야 하는데, 이는 투자자에게 썩 달갑지 않은 상황이다.

3) 우량하지 않은 자산에 집중투자

앞서 말했듯 사람들에게 부동산은 매우 비싼 자산이다. 특히 대도시일수록 집 한 채를 사는 것도 상당히 많은 시간과 노력, 자본이 필요한데, 여기에 추가로 다른 집을 산다는 것은 결코 쉬운 일이 아니다. 이렇게 억 단위로 가격을 매기는 부동산은 분산투자가 어렵다. 단 한 채만 사더라도 내가 가진 자본의 대부분을 사용해야 하기 때문이다. 분산투자가 어렵다는 것은 곧 리스크 관리가 어려워진다는 것을 의미한다. 내가 가진 자금이 부족하여 집중투자를 해야만 하는 상황이라면, 단순히 실거주라는 기준 하나만을 고려하기보다는 자신의 상황에 맞는 다양한 기준을 두고 신중하게 결정해야 한다. 애써 노력하여 하나 가지고 있는 자산을 우량하지 않은 것으로 결정할 수는 없으니 말이다.

만약 충분한 자금이 있는 투자자라면 이런 문제에서 비교적 자유로워질 수 있다. 매력적인 입지의 가장 좋은 집들에 안전하게 나누어 투자할 수 있기 때문이다. 부동산 투자가 어려운 이유는 투자자가 충분한 자금이 없는 것이 원인이기도 하다. 이렇게 자금력과 투자의 난이도는 서로 반비례한다.

주택을 매수하고자 하는 입장에서 위와 같은 문제들을 겪고 있다면, 주거와 투자를 분리하는 방법에 대해 생각해 볼 필요가 있다. 실거주라는 조건이 하나 사라지는 것으로 보다 자유로운 선택이 가능해지기 때문이다. 예를 들면 다음과 같다.

보유자금: 현금 2억	
선택1.	6억매물(지방A급, 보유자금2억+대출4억)실거주
	= 연간 주거비용 1600(대출이자)
선택2.	6억 매물 갭투자(수도권B급, 보유자금1억+5억 전세), 1억/50 월세 거주
	= 연간 주거비용 600(월세)

(주택담보 금리 4% 기준)

위 두 가지 상황에서 실거주를 염두에 둔 수요자는 1번과 같은 선택을 하게 된다. 반면 주거와 투자를 분리한다면 2번과 같은 선택지도 고려해 볼 수 있다. 각 선택의 결과는 어떨까? 같은 자금을 가지고 주거와 투자를 분리하는 것만으로도 실거주를 하는 것보다 매년 천만원의 주거 비용을

경제적자유를 찾는 여행자를 위한 안내서

아낄 수 있다. 또한 실거주라는 조건이 사라졌기 때문에 같은 가격 안에서 상대적으로 매력이 있는 지역이나 주택을 보유할 수도 있게 된다. 똑같이 한 채를 가지고 있더라도 더 좋은 물건을 갖는 것이 가능해지는 것이다.

투자 관점에서는 좋은 자산을 매수하여 보유하는 것이 올바른 선택이다. 자신이 살 수 있는 가장 비싼 물건이 딱히 매력적인 물건이 아니라면 실거주를 이유로 그것을 반드시 고집할 필요는 없다. 좋은 주거 환경을 누리는 것보다 주거 비용을 아끼고 좋은 주택을 보유하는 것이 자신에게 더 중요한 가치라면, 주거와 투자를 분리하여 좋은 물건을 가질 수 있는 방법으로 한정된 보유 자금 내에서 더 유연한 투자를 만들어낼 수 있다.

부동산으로
나만의 은행을 만들자

비교적 큰 액수의 대출을 해본 경험이 있는가? 대출을 하러 은행을 찾아가면 은행은 고객에게 다양한 증빙자료를 요구한다. 이때 필요한 자료들을 준비하다 보면 상당히 복잡하고 신경 써야 할 것들이 많다. 대출이 실행되기 전까지 고객의 소득은 어떠한지, 부채 상환능력에 문제는 없는지, 담보로 이용하고자 하는 물건이 무엇이고 해당 물건에 하자가 없는지 등 까다로운 심사가 필요하다. 남에게 돈을 빌려주는 은행의 입장을 생각해보면 당연히 납득이 가는 부분이긴 하다. 은행은 자선사업가가 아니다. 안전하게 상환할 수 있는 고객에게 돈을 빌려주고 이자를 받아 수익을 만드는 것이 은행이 대출을 운용하는 목적이다. 오히려 처음 보는 사람에게 상당한 액수의 돈을 빌려주는 것만으로도 상당히 친절하다고 할 수 있다. 다만 돈을 빌리는 우리의 입장에서 스스로 성실하게 상환할 수 있는 사람임을 증명하는 과정이 불편하다고 느끼는 것뿐이다.

그런 우리에게 이런 불편함 없이 편하게 돈을 빌릴 수 있는 은행이 있다면 어떨까? 복잡한 서류를 준비하거나, 신용등급 관리를 하지 않아도 되

경제적자유를 찾는 여행자를 위한 안내서

는 것은 물론, 빌릴 돈에 대한 담보가 필요하지도 않으며, 정해진 기간 내에 갚기만 한다면 이자도 받지 않는 그런 은행 말이다. 얼핏 듣기에는 말도 안 되는 소리 같겠지만 이런 은행은 실제로 우리 주변에서 매우 흔하게 볼 수 있다. 그 은행의 이름은 바로 '부동산'이다. 부동산을 이용하여 은행처럼 사용하면 된다. 방법은 다음과 같다.

1. 대출이 필요할 때는 전세

전세는 임차인의 '주거 공간 확보'와 임대인의 '단기간 융통할 자금'이라는 이해관계가 맞아 성립되는 일종의 거래다. 임대인은 전세제도를 통해 정해진 기간에 세입자에게 소유한 부동산을 빌려주고 보증금을 받는다. 보통은 적은 금액으로 부동산을 소유하거나 대출에 대한 이자 부담을 완화하기 위해서 전세를 이용하지만, 이를 대출처럼 활용할 수도 있다. 경제적으로 여유가 있을 때는 열심히 대출금을 갚아두고, 2~4년 이내에 갚을 수 있는 목돈이 필요한 때가 오면 전세를 통해 들어온 보증금의 일부를 사용하면 된다. 이 방법을 사용하면 예비 자금 등으로 특별한 목적 없이 통장에서 놀고 있는 현금을 활용할 수 있게 되고, 필요한 때가 오면 이자 부담 없이 유연하게 돈을 융통할 수 있게 된다는 장점이 있다. 여기서 주의할 점은 임차인의 전세 보증금을 돌려주지 못하는 상황을 만들어서는 안 된다는 것이다. 반드시 계약 기간 동안 갚을 수 있을 만한 금액만큼만 활용하여 임차인과 얼굴 붉히는 일은 없도록 하자. 나의 돈이 소중한 만큼 남의 돈도 소중한 법이다.

2. 이자를 받고 싶다면 월세

특별히 목돈이 필요하지 않은 경우라면 매달 나오는 현금흐름을 만드는 것도 좋은 방법인데, 이럴 때는 월세를 예·적금처럼 이용할 수 있다. 부동산을 임대하여 받는 월세로 이자를 만들어내는 것이다. 소유한 부동산의 대출금이 있다면 이를 갚아 이자 지출을 줄여 현금흐름을 늘릴 수 있고, 대출이 적거나 없는 경우라면 월세를 받을 때마다 이를 저축하거나 다른 곳에 투자할 자금으로 사용할 수도 있다.

위의 방법이 '은행에 현금을 넣어두고 필요할 때 꺼내쓰는 것과 무슨 차이가 있는가?'라는 의문이 들 수도 있을 것이다. 그러나 부동산으로 은행을 만드는 방법은 '시세차익'을 만들어낼 수 있다는 점에서 은행의 예·적금, 대출을 사용하는 것과 큰 차이가 있다. 예·적금은 정해진 이율에 따라 이자를 받을 뿐 원금이 늘어나지는 않는다. 반면 부동산은 그 가격이 오르거나 내려갈 수 있는 자산이기 때문에, 시간이 지나 부동산 가격이 상승하게 된다면 소유한 부동산은행의 덩치는 더 커지게 된다. 이에 따라 전세가격을 올리면 대출한도가 늘어나는 효과가 있고, 월세가격을 올리게 된다면 이자가 늘어나는 효과가 있다.

장기적으로 화폐의 가치는 떨어지고 자산의 가격은 오를 것이라는 자본주의에 대한 믿음이 있다면, 시중 은행을 사용하는 방법 외에 부동산을 통해 더욱 유연하고 편리하게 이용할 수 있는 나만의 은행을 만드는 것도 좋은 생각일 수 있다. 그렇게 만든 부동산은행은 시간이 지날수록 더 든든한 조력자가 되어줄 것이다.

저는 사실
부동산 투자를 싫어합니다

사실 나는 부동산 투자를 좋아하지 않는다. 앞에서 계속 부동산 투자에 대한 방법들에 관해 이야기했던 것을 생각하면 매우 모순적으로 들리겠지만, 그것은 부동산에 대해 이해하고 그에 맞는 전략을 세우는 것이 우리 삶에 막대한 영향을 끼치기 때문일 뿐 결코 부동산 투자를 좋아해서가 아니다. 필자가 부동산 투자를 선호하지 않는 이유가 몇 가지 있는데, 이에 대하여 함께 생각해 보았으면 좋겠다.

우선 첫 번째 문제는 부동산에 대한 자금 쏠림이 야기하는 사람들의 고통이다. '부동산은 불패'라고 말하는 사람들이 있을 정도로 우리나라 사람들은 다른 자산보다 유독 부동산 투자에 대한 신뢰가 강한 편이다. 이러한 굳은 믿음은 실거주 수요에 투자 수요를 더하여, 사람들이 가진 자금의 상당 부분을 부동산으로 몰리게 만들고 가격상승을 더욱 가속시킨다. 상승하는 가격을 보고 위기감을 느낀 사람들은 더욱 소비를 줄이고 저축을 늘리려 하게 된다. 그렇게 하지 않으면 집을 살 수 없을지도 모른다는 생각이 들기 때문이다. 이와 같은 상황 속에서 처음으로 사회에 발을 내디딘 청년이라면 소위 말하는 금수저가 아니고서야 당황스러울 수밖에 없다. 집이라는 것이 '열심히 일하고 살다 보면 어련히 사게 되는 것이겠거니…' 하는 막연한 생각과는 달리, 지극히 평범한 집 한 채조차도 적게는 수년, 많게는 수십 년이 걸려야 겨우 살 수 있는 것이라는 것을 깨닫게 되기 때문이다. 그저 내 집 마련 하나를 위해서 아주 긴 시간을 힘들게 노동하며 참고 살아야만 하는 것을 달가워할 사람은 거의 없다. 다시 돌아오지 않을 청춘의 시기에 참고 아껴가며 마음껏 즐기지 못하고 힘들게 일한 것에 대한 대가가 평범한 집 한 채라면, 필자는 그것이 타산에 맞는 결과는 아니라고 생각한다.

또한 부동산은 상대적으로 생산성이 떨어지는 투자라는 것이 필자의 생각이다. 세상에는 다양한 투자처가 있는데, 주식이나 사업과 같은 투자는 새로운 제품이나 서비스, 일자리를 제공하는 등 사람들에게 필요한 것을 만들어 이로움을 준다. 스마트폰의 발명이나 중고 거래 플랫폼 개발을 통한 편의성 증가가 그런 예라고 할 수 있다. 반면 부동산, 특히 주택은 가격의 상승으로 인한 시세차익을 만들어낼 뿐 또 다른 이로움을 만들어내지는 않는다. 오히려 강제 참여 시장의 성격을 가지고 있는 부동산 시장을 생각해 보면, 주택 가격상승은 내 집 마련이 필요한 무주택자들의 부담감을 더욱 가중시킨다.

경제적자유를 찾는 여행자를 위한 안내서

경제력 부족에 따른 주거 불안으로 결혼을 하지 않는 청년들은 매년 늘고 있으며, 결혼을 하더라도 경제적 여건을 이유로 딩크족(Double Income No Kids-맞벌이 무자녀 가정)을 자처하는 부부들도 늘고 있는 추세다. 개인이 아닌 국가의 차원에서 보았을 때, 부동산 가격상승과 부동산 투자에 대한 관심의 증가가 이 나라의 발전을 가져오기는 어려울 것 같다.

부동산에 대한 투자심리와 가격이 안정화되어 보다 많은 사람이 주거안정을 획득하게 된다면 생각해 볼 수 있는 이점들이 많다. 노동 소득에 비하여 터무니없이 높았던 부동산 가격이 내려왔다고 가정해 보자. 근로자들은 주거 안정을 위하여 평생 노동을 해야 하는 상황에서 해방되며, 내집 마련 후 자신이 하고 싶은 일에 시간과 돈을 사용할 수 있게 된다. 남는 시간과 에너지는 자기 계발이나 취미 생활에 투자할 수 있으며, 부동산 취득 이후 발생하는 잉여 소득은 다른 제품이나 서비스를 소비하고 은퇴 이후의 삶을 준비하는 데 사용할 수 있다. 시장에서 소비가 활성화되면 기업의 이익은 늘어나고 새로운 제품의 생산과 일자리 창출을 가능하게 만든다. 개인의 성장 및 행복, 소비를 통한 경제 활성화는 결과적으로 국가의 경쟁력을 키우는 역할을 하는 선순환을 만들어낼 수 있다는 것이 나의 의견이다.

집은 살아가는 데 꼭 필요한 필수재라는 점에서 부동산 투자 자체를 부정하고 싶은 마음은 없다. 애초에 피하고 싶다고 피할 수 있는 영역이 아니기도 하고, 안정적인 생활과 휴식을 위하여 좋은 집을 갖기를 희망하는 것은 자연스러운 현상이기 때문이다. 필자 또한 개인의 입장에서 부동산 가격의 변동으로 인해 인생 계획이 영향을 받는 리스크를 피하고자 부동산을 소유하고 있다. 다만 부동산 가격이 안정을 찾고 집으로 힘들어하는 사람들이 줄었으면 좋겠다는 희망이 있다. 사랑하는 사람과의 결혼, 나를 즐겁게 해주는 여가 생활, 가족 여행을 통한 추억만들기와 같은 것들로 인생을 채워나간다면 우리 삶의 만족도는 올라가고 더 살기 좋은 세상이 되지 않을까. 더 많은 사람과 후손의 행복을 위한 일이라면, 필자는 주택 가격이 반토막이 되어도 기쁘게 받아들일 수 있다.

버스는 다시 온다

'FOMO(Fear Of Missing Out) 증후군'이라는 말이 있다. 집단에서 소외되거나 혼자 뒤처지는 것 같은 상황에서 불안함을 느끼는 경우를 설명하는 용어다. 남의 집 자녀들이 모두 학원에 다니고 있으면 그렇지 않은 내 자녀가 걱정된다거나, SNS 속 많은 친구들이 골프를 치는 것을 보고 유행에 뒤처지기 싫어서 딱히 관심도 없던 스포츠를 하기 위해 비싼 장비를 구입하는 모습 등이 이에 해당한다고 할 수 있겠다. 특히 타인의 시선을 의식하는 경향이 있는 우리나라의 경우는 FOMO를 겪는 사람들을 만나는 것이 어렵지 않다. 학생인 자녀들이 부모에게 값비싼 뭔가를 사달라고 조를 때 굳히기용 멘트로 자주 하는 말이 있지 않은가.

"나 빼고 우리 반 애들은 다 가지고 있단 말이야!"

부동산 시장에서도 이런 FOMO 증후군을 겪는 사람들이 많다. 상승기에 부동산으로 돈 벌었다고 이야기하는 사람들이 점점 많아지는 것을 보며 지금 안 사면 손해인 것 같은 느낌이 들어 주택 구입을 서두르거나, 하락기에 부동산으로 돈 버는 시대는 끝났다, 지금 집 사면 바보 된다는 식의 심리가 만연해지면 분명히 사고 싶었던 때보다 가격이 내려왔음에도 불구하고 손해 볼까 싶은 마음에 선뜻 집을 사는 것을 꺼리는 경우가 많다.

아주 먼 과거, 자연 속에서 살아남아야 했던 인간은 생존율을 높이기 위해 다른 동물들처럼 무리 지어 생활해야 했다. 무리에서 낙오되면 매우 큰 위험에 노출되거나 죽음이 기다리고 있는 환경 속에서, 대세의 흐름에 편승하는 것은 분명 현명한 선택이었다. 우리에게는 여전히 그런 본능이 남아 있는 것이다. 이는 문명이 발달한 현대 사회에서도 여전히 유용하게 작용하는 경우가 많다.

매수와 매도 중 어떤 것을 선택하든, 그 기저에는 현재보다 더 나은 상황을 만들고 싶은 마음이 깔려있을 것이다. 하지만 경제적인 관점에서 대세를 따르고자 하는 본능은 투자자에게 도움이 되지 않는다.

FOMO 증후군의 가장 큰 문제는 결정에 대한 선택권을 빼앗기게 되는 것이다. 순수하게 스스로 결정을 내리는 것이 아니라, 주변 상황이나 대중의 의견으로 인해 집단에서 소외되는 것이 두려워 판단력이 흐려지는 경우는 결코 자주적인 선택의 과정이라고 볼 수 없다. 시청할 TV 프로그램이나 여가 활동의 선택과 같은 사소한 문제라면 어떤 선택을 하든 크게 문제가 되지 않지만, 부동산은 선택 하나가 인생에 매우 큰 영향을 준다는 것을 생각해야 한다. 이런 중요한 선택을 마땅한 기준이나 계획 없이 결정하는 것은 투자에 대한 확신을 떨어뜨림과 동시에 후회할 가능성을 높일 뿐이다.

또한 이런 방식으로 투자를 하는 사람들을 보면, 남들이 먼저 들어간 뒤에 이미 시장에서 돈 벌었다는 사람들이 넘쳐나고 있을 때 뒤늦게 따라서 들어가는 케이스가 많다. 이때 투자자가 시장에 참가하는 시점은 부동산의 가격이 꽤 많이 상승해 버린 뒤다. 가격이 상승했다는 것은 자산의 실제 가치보다 높은 가격에 거래되고 있을 확률이 높아졌다는 것을 의미한다. 이후 가격의 방향이 상승일지 하락일지는 알 수 없지만 이는 분명 투자자에게는 불리한 조건이다. 가격이 상승한다고 해도 큰 이득을 바라긴 어렵고, 투자 시점 이전의 상승 폭이 크다면 하락 폭도 클 확률이 높다.

애초에 부자는 상대적인 개념이다. '상대적'이라는 말은 사회 구성원 모두가 부자가 될 수는 없다는 뜻이다. 남들보다 더 많이 가진 소수의 사람을 우리는 부자라고 부른다. 그저 다수의 선택을 따라가기만 해서는 더 많이 가진 사람이 될 수 없다. 오히려 부자가 될 확률이 높은 사람은 남들과 다른 선택을 하는 사람이다. 물론 그 선택이 올바른 선택이어야 하겠지만 말이다.

O/X게임에서 문제의 정답을 잘 모르는 게임참가자들은 다수가 선택한 답을 고르려는 경향이 있다. 정답일 확률이 높아 보이기 때문이다. 하지만

그것이 반드시 정답이라는 보장은 없다. 게임에서 오래 살아남는 법은 문제의 답을 잘 맞히는 것이지 그저 다수의 의견에 편승하는 것이 아니다.

무섭게 올라가는 자산을 보고 막연한 불안함을 느낀다면 버스는 다시 오게 되어 있다는 것을 기억하길 바란다. 영원히 상승하거나 하락하는 자산은 없다. 조바심을 버리고 이성적인 판단으로 후회할 만한 선택은 피하도록 하자. 현명한 투자자는 심리에 의한 판단을 멀리하고 이성적으로 차갑게 생각할 줄 아는 사람이다.

경제적자유를 찾는 여행자를 위한 안내서

2. 주식

우리 주변에 주식으로 망한 사람들의 이야기가 들리는 이유

부모 세대쯤 되는 주변 어른들 중에서 주식하면 망한다는 이야기를 하는 사람들이 많다. 필자도 어릴 적부터 이런 말을 들어온 사람 중 한 명이었는데, 우리는 이런 어른들의 말을 별다른 의심 없이 믿을 수밖에 없었다. 그도 그럴 것이, 주식 투자가 무엇인지 제대로 이해조차 못 하는 나이일 무렵부터 하지 말라는 말을 들으며 자랐다면 자연스레 부정적 인식이 생길 수밖에 없다. 게다가 신기하게도 다들 주변에 주식했다가 크게 실패했다는 사람이 한 명쯤은 있다. 그런 경우를 보게 되면 어른들의 조언은 더욱 신뢰를 얻는다. 때문에 필자는 주식 투자에 대해 알려고도 하지 말아야겠다는 생각을 갖고 있었다. 마치 알코올중독이나 도박처럼 인생을 망치는 해로운 것이라는 인식이 있었던 것 같다.

그런데 정말 주식을 하면 망하는 걸까? 만약 주식에게 인격이 있다면 이런 취급이 상당히 억울하지 않을까 싶다. 주식 시장은 투자에 대한 리스크를 갖고 있긴 하지만, 수많은 사람에게 수익을 안겨주며 인생의 긍정적인 변화를 선물해 주기도 했다. 워렌 버핏, 피터 린치, 앙드레 코스톨라니와 같은 투자의 대가들은 시장이 주는 수익을 이용하여 막대한 부를 축적한 사람들이다. 이들만큼은 아니지만 건전한 투자로 수익을 누려 더 편리하고 자유로운 인생을 살고 있는 투자자들도 매우 많다. 주식 시장에서 버는 사람은 아무도 없고 잃는 사람만 있다면 누가 주식 투자를 하겠는가?

회칼 한 자루를 요리사가 사용하면 맛있는 음식을 만들어내지만, 강도가 사용한다면 매우 위협적인 무기가 된다. 주식도 똑같다. 주식이 투자자에게 실패를 안겨준 것이 아니라, 투자자가 주식을 이상하게 이용하여 실패라는 결과를 만들어낸 것이다. 맹목적으로 주식 투자가 좋지 않다고 말하는 것은 마치 강도가 아니라 칼이 나쁘다고 하는 것과 같다. 그리고 가만히 생각해 보면, 주식투자를 하지 말라고 이야기하던 사람들 중에서 주식 투자를 한 번도 해보지 않은 사람들도 꽤 있었다. 그것이 무엇인지 어떤 원리로 작동하는 것인지 겪어보거나 알아보지도 않고 하면 안 되는 것으로 취급을 받는다면 어찌 억울하지 않을 수 있을까.

주식하면 망한다는 말이 나오게 된 원인은 '사람들이 주식을 해서'가 아니라 '망하게끔 투자를 한 사람들이 많았기 때문'이다. 아니 엄밀히 따지자면 투자라기보다는 투기나 놀음에 가까운 행위라고 보아야 한다. 투자할 자산에 대한 이해나 계획 없이 막연한 기대감과 욕심으로 돈을 밀어 넣

경제적자유를 찾는 여행자를 위한 안내서

었다면 그것을 투자라고 부르기는 어렵다. 이런 방식의 투자는 아무것도 모르는 세 살 아기에게 칼을 쥐여준 것과 같다. 그러면 칼이 위험하니 영원히 사용하지 못하게 하는 것이 맞을까? 그보다는 칼을 사용하는 방법을 알려주고 위험하지 않게 사용하는 법을 차근차근 익히게 하는 것이 옳다.

안전하게 투자하는 방법을 배우고 올바른 계획을 세워 현명하게 투자한다면, 주식은 나의 자산을 지켜주고 불려 줄 유용한 도구가 된다. 주식투자를 할지 말지 결정하는 것은 순전히 개인의 선택이다. 다만 주식에 대하여 무관심했거나, 막연히 부정적인 태도를 가지고 있었다면 한 번쯤은 생각과 귀를 열고 그것이 무엇인지 알아보길 추천한다.

주식의 특징

1. 변동성이 크다

주식 가격은 하루만에도 10퍼센트 이상 오르내리는 일이 빈번할 정도로 변동성이 큰 편이다. 가격이 완만하게 변화하는 다른 자산에 비해 주식투자가 더 어려운 이유는 이 변동성 때문이다. 종목마다 가격 변동의 차이는 있지만 우리나라의 경우 상한가, 하한가 제도로 인해 일일 최대 30%까지 주가가 오르내리며, 미국처럼 상한, 하한이 정해져 있지 않은 경우는 하루 만에 수백 퍼센트가 오를 수도 있고 90% 이상 떨어질 수도 있다. 이렇게 가격이 빠르게 변화하면 그에 맞추어 대응하기가 쉽지 않고, 심리적 충격도 커져 투자자의 판단을 흐린다. 하지만 역으로 이런 변동성을 잘 활용하면, 매우 빠르게 자산을 증식시킬 수 있는 기회를 만들어낼 수도 있다. 드물긴 하지만 상대적으로 주식 시장에 젊은 부자가 많은 것도 이런 이유 때문이다.

2. 환금성이 좋다

주식은 환금성이 매우 좋은 자산이다. 보유한 주식을 팔고 싶을 때는 MTS를 열어 매도 버튼을 누르면 1초 만에 현재 가격으로 매도가 완료된다. 매수자를 일일이 찾을 필요도, 거래의 중개인도 필요하지 않다. 매도에 대한 결정 하나만으로 복잡한 절차 없이 자산은 현금화된다. 이것은 편의점에서 음료수 하나를 사는 것보다도 더 간편한 수준이다. 보유 자산의 환금성이 좋아지면 투자자가 처한 상황에 따라 빠르고 유연하게 자금을 운용할 수 있게 된다. 갑작스럽게 큰돈이 필요하게 되었을 때 빠르게 현금을 빠르게 융통할 수 있으며, 더 매력적인 자산을 찾았을 때 곧바로 갈아타기가 용이하다.

3. 1등을 살 수 있다

1등을 살 수 있다는 것은 주식 투자의 가장 큰 매력이다. 여기서 말하는 1등이란 시장에서 가장 우량하고 내재 가치가 큰 자산을 말한다. 부동산처럼 덩치가 큰 자산에 투자를 하려고 하면 1등은커녕 100등, 1000등 짜리 자산을 사는 것도 평범한 개인에게는 굉장히 어려운 일이다. 하지만 기업의 지분을 나눠서 거래하는 주식 시스템은 소액으로도 얼마든지 투자가 가능하기 때문에, 용돈 수준의 적은 자본을 가지고도 제일 좋은 자산을 살 수 있다. 강남 건물주가 되는 것은 굉장히 어렵지만 대기업의 주인이 되는 것은 그리 어려운 일이 아니다. 기업의 주식 한 주를 사는 순간, 투자자는 그 기업의 일부를 소유한 주인이 된다. 보유 자본의 규모에 구애받지 않고 가장 좋은 자산을 취할 수 있다는 점은 아주 큰 메리트다.

4. 분산투자가 가능하다

소액으로도 접근이 가능한 주식은 내가 가진 자본을 나눠서 투자할 수 있기 때문에 분산투자를 하기에 상당히 편리한 자산이다. 분산투자는 투자의 위험성을 줄일 수 있는 가장 기본적인 방법 중 하나로, 버는 것보다 잃지 않는 것이 더 중요한 투자의 성격을 생각해 보면 이 또한 주식의 장점이라 할 수 있다. 적은 자금으로도 투자자는 원하는 만큼 여러 개의 기업에 나누어서 투자함으로써 안정적인 자산 증식 시스템을 구축할 수 있다.

5. 다양한 분야에 투자할 수 있다

누군가 문득 몇 가지 사업 아이템을 떠올렸다고 해보자. 그 아이템이 모두 실제 사업까지 연결될 확률은 얼마나 될까? 개인의 열정이나 능력, 경제적 상황에 따라 다르겠지만 아마 상당히 낮은 확률일 것이다. 동네에 작은 가게 하나 차리는 것도 개인에게는 부담이 큰 일이다. 대박이 날 수 밖에 없는 좋은 아이디어를 떠올렸다고 해도 그것을 경쟁력 있는 수익모델로 만들고, 유능한 인재를 모아서, 완성도 있는 서비스나 제품으로 실현시키는 것은 결코 쉬운 일이 아니다. 사업 하나를 추진하는 것조차 개인에게는 인생을 좌지우지하는 리스크가 따라온다. 이 모든 것을 감수하더라도 개인이 시작할 수 있는 사업은 고작 한두 개일 것이다.

주식투자는 이런 문제에 대한 해결책이 되어준다. 이 세상에는 무수히 많은 기업이 존재하고 그 기업들은 온갖 다양하고 신박한 방법으로 돈을 벌어들인다. 학용품을 만드는 것부터 로봇. AI 등의 첨단 기술, 군수 물자, 플랫폼 사업까지 여러분이 떠올릴 수 있는 웬만한 사업들은 모두 존재한

경제적자유를 찾는 여행자를 위한 안내서

다고 봐도 무방하다. 가끔 머릿속에 괜찮은 사업 아이템이 떠오를 때가 있다면 주식시장을 들여다보기 바란다. 그것과 유사한 사업을 하는 기업이 이미 존재하고 있을 확률이 높다. 마치 뷔페 같은 주식시장 속에서 투자자는 입맛에 따라 좋아 보이는 기업을 선택하고, 개인의 한계를 넘어 다양한 사업 분야에 투자할 수 있다.

6. 레버리지 활용이 어렵다

레버리지는 투자한 자산의 변동성을 키워 투자자가 가진 자본 대비 수익률을 키워주고, 빠르게 결과를 가져올 수 있게 해주는 장치다. 하지만 그 대가로 투자에 대한 리스크와 심리적 부담은 가중된다. 주식은 대표적인 위험자산으로 투자에 대한 리스크가 높은 편이다. 이미 리스크가 높은 자산에 레버리지를 사용한다면 투자의 난이도와 위험 부담이 상당히 증가하게 된다. 따라서 주식 투자 시에는 레버리지를 사용함에 있어 신중함이 필요하며, 무리한 사용은 피하는 것이 정신 건강에 이롭다.

서울대생이 될 것인가?
고용할 것인가?

서울대생이 되는 것은 굉장히 어려운 일이다. 2023학년도 기준으로 서울대 입학정원은 약 3,500명이고 당시 고3 학생 수는 43만명이었다. 전체 수험생 중 42만 6,500명은 서울대에 입학할 수 없다는 뜻이다. 서울대 서울대 하며 말은 쉽게 하지만 들어가기가 보통 어려운 일이 아니다. 그들이 합격으로 가는 과정에는 상위 1%가 되기 위한 수 많은 노력들이 있었을 것이다. 쉽게 꺾이지 않는 강한 의지, 미래를 생각하며 매일 공부를 이어나가는 성실함 같은 것들 말이다. 서울대라는 타이틀이 사회에서 존중

경제적자유를 찾는 여행자를 위한 안내서

받는 이유는 단순히 그들이 고학력자라서가 아니라 이런 노력과 강한 의지를 가진 사람이라는 점을 다수가 인정해 주고 있기 때문이 아닐까 생각한다. 누구나 쉽게 성취할 수 있는 것이 아니기 때문이다. 필자가 살고 있는 지방에서는 지금도 서울대 합격을 축하하는 문구의 플래카드가 종종 보인다. 부단한 노력으로 성취한 결과가 어찌 자랑스럽지 않을 수 있을까.

서울대생들은 졸업 후 무엇을 하게 될까? 새로운 아이디어를 가지고 창업을 하는 사람, 학문이나 기술을 연구하는 사람, 더 나은 세상을 만들기 위한 활동을 하는 사람 등 다양한데 그 중 상당수는 자신이 원하는 근로조건을 제시하는 기업에 취직하게 된다. 먹고 산다는 것은 그만큼 중요한 문제이기 때문이다. 특히 우리나라에서는 고연봉 근로자가 되기 위하여 명문대에 진학하길 희망하는 학생과 학부모가 많은 편이다. 이들은 자신을 잘 먹고 잘살게 해줄 직업을 찾아 사회에 첫발을 내딛는다.

그런 서울대생을 비롯한 명문대 출신들을 고용할 수 있는 방법이 있다. 바로 그들이 일하고 있는 기업의 주식에 투자하는 것이다. 고학력 인재들이 기업에 입사하여 일을 하는 이유는 개인의 행복 때문이겠지만, 사원은 이익 창출을 통해 기업의 가치를 올리기 위해 고용된 사람들이다. 스스로 원하든 원하지 않든 이들은 기업을 위해 일을 해야만 한다. 기업의 가치가 상승하면 주식의 가격은 따라서 오른다. 주식을 통해 회사의 지분을 소유하는 순간부터 사원들은 주주를 위하여 일하는 셈이다. 그것도 한두 명이 아닌 수천, 수만 명의 아주 많은 근로자들이 말이다.

주식 투자는 시간을 레버리지하는 효과가 있다. 앞에서 레버리지에 대해 설명했는데, 기업에 대한 투자는 돈뿐만 아니라 다른 사람이 가진 시간도 지렛대로 활용할 수 있도록 만들어준다. 시간을 직접 사는 것은 불가능하지만, 정당한 대가를 지불하고 다른 사람의 시간을 사용하는 것은 가능하다. 기업은 임금을 지불하고 직접 근로자를 고용함으로써, 투자자는 그런 기업에 투자함으로써 다른 사람의 시간을 사용할 수 있다.

나보다 능력 있는 사람들이 잔뜩 모여있는 우량한 기업에 투자를 하는 것이라면, 투자를 통해 훌륭하게 타인의 시간을 레버리지하는 것이라고 볼 수 있다. 직접 사람을 고용하는 사업은 리스크가 상당히 큰 편이고, 좋은 아이템과 비즈니스 모델을 통해 수익을 만들어내는 것이 상당히 어렵다. 반면 주식 투자는 이런 리스크와 번거로움을 줄여주면서 시간에 대한 레버리지는 가능하게 만들 수 있다. 이미 세상에는 훌륭하게 그것을 해내고 있는 기업들이 많이 있기 때문이다.

서울대생이 되는 것은 어려운 일이지만 그들이 일하고 있는 회사의 주식을 사는 것은 비교가 되지 않을 정도로 쉽다. 당신의 돈이 서울대생을 고용하도록 만들어 보길 바란다. 지금도 전 세계의 수많은 유능한 인재들이 엄청난 경쟁률을 뚫고 자신이 속한 기업에 투자하는 사람들을 위해 매일 출근하고 있다. 그들이 얼굴도 모르는 여러분을 위해 열심히 아이디어를 고민하고, 수익을 늘리기 위해 일해줄 것이다. 우리가 회사에서 그러고 있는 것처럼 말이다.

경제적자유를 찾는 여행자를 위한 안내서

주식은 동업이다

코로나 이후로 우리 주변에 주식투자를 하는 사람이 많이 늘었다. 주식에 대한 대중의 관심을 높여준 팬데믹이라는 계기 자체는 반갑지 않지만, 개인적으로 나는 이런 변화를 매우 긍정적으로 바라보고 있다. 주식 투자는 사람들이 필요로 하는 것을 생산하고 새롭게 창조해 내는 것을 돕는 효과가 있다. 기업은 투자받은 자본을 이용하여 열심히 사업을 하고, 벌어들인 수익을 투자자와 공유하며, 이는 또다시 새로운 투자나 소비로 이어져 기업의 생산성을 높인다. 이런 선순환에 동참하는 사람이 많아진다는 것은 분명 개인을 위해서도 나라를 위해서도 좋은 일이다.

기업과 투자자 간의 선순환을 만들어내기 위해선 올바른 투자가 선행되어야 한다. 하지만 주변을 둘러보면 상당히 위태로워 보이는 투자를 하는 사람들이 많이 보인다. 가끔 주변에서 주식 투자를 하고 있다는 사람들과 이야기를 해보면 주가가 한창 고공행진 중인 인기가 많은 주식을 따라 들어가거나, 자신이 투자한 기업이 무엇을 팔고 있는지도 제대로 설명하지 못하는 경우가 신기하리만큼 많다. 내가 보았던 가장 신기한 투자는 회사의 이름이 마음에 들어서 시작한 투자였다. 물론 똑똑하게 투자하고 있는 훌륭한 투자자도 많지만, 그 이상으로 안타까운 투자를 하는 사람들도 많다. 이런 모습들을 보면 우리나라의 투자 문화는 아직 갈 길이 상당히 멀어 보인다.

그렇다면 올바른 투자란 무엇일까? 주식 투자를 하는 사람들은 주식에 대해 설명할 때, '주식은 동업이다' 라는 말을 한다. 누가 언제 처음으로 사용한 표현인지는 잘 모르겠지만, 주식이라는 자산의 본질적 의미를 설명하기에 이보다 적절한 표현이 있을까 싶다. 주식 투자를 쉽게 이해하려면 내가 동업을 하려는 상황을 가정해 보면 된다. 아래의 물음을 읽고 어떤 결정을 할 것인지 생각해 보자.

> Q. 당신의 통장에는 특별한 목적이 없는 돈 1억이 있다. 그것을 알게 된 주변 사람 중 사업을 준비하고 있는 A가 찾아왔다. A는 자신에게 대박 아이템이 있는데 마침 사업 자금으로 1억이 부족하니 자신을 믿고 사업에 투자해볼 것을 제안했다. 당신은 어떻게 할 것인가? (A는 당신과 가장 친하게 지내는 아주 오래된 친구이다.)

이 질문에 대해 당신이라면 어떤 판단을 하겠는가? 흔쾌히 투자를 결정할 것인가? 아니면 정중히 거절할 것인가? 필자가 생각하는 가장 좋은 선택은 '우선 들어보고 결정한다.' 이다. A가 이야기하는 사업에 대해 구체적으로 들어보고 살펴본 뒤에, 그 내용에 동의할 수 있는 지 여부에 따라

경제적자유를 찾는 여행자를 위한 안내서

결정하면 된다. 무슨 사업을 하고 싶은지 모르는 상태에서는 투자를 결정할 수도, 친구를 뜯어 말릴 수도 없다. A의 사업이 망하기 딱 좋은 스타트업인지, 소비자의 돈을 쓸어 담을 유니콘인지 그것에 대하여 들어보지 않고는 알 도리가 없기 때문이다.

만약 당신이 사업에 대해 들어보고 판단하겠다는 선택을 했다면, 어떤 내용을 알고 싶은가? 금세 머릿속에 한 두 가지 정도는 떠올렸을 것이다. 어떤 아이템인지, 그것이 대박이라고 생각하는 이유는 무엇인지, 그게 왜 돈이 되는지, A가 그것을 성공시킬 만한 재능이 있는지와 같은 것들 말이다. 별로 어렵지는 않지만 투자를 결정하는 데 있어서 반드시 알아야 하는 내용들이다. 아마 이런 내용들을 꼼꼼하게 따져보고 꽤 괜찮은 사업이라는 생각이 들더라도, A의 설명에 치명적인 오류는 없는지 생각해 보며 여러 사람들과 이야기해 보는 등 당신은 몇 날 며칠을 진지하게 고민해 보게 될 것이다. 1억은 결코 작은 돈이 아니기 때문이다.

주식 투자를 한다고 하면 뭔가 비밀스러운 대단한 정보나 현란한 스킬, 미래를 예측할 수 있는 비범함 같은 것이 있어야 한다고 생각하는 사람들이 많은데, 전혀 그렇지 않다. 주식 투자를 하면서 가장 필요한 것은 위의 질문에서 당신이 생각했던 아주 기본적인 고민이다. 주식 투자는 나의 돈을 기업에 맡기는 대가로 사업을 공유하는 것이다. 그렇다면 그 사업이 사람들에게 어떤 것을 파는지, 어떻게 돈을 벌어들일 생각인지, 사람들이 지갑을 열어줄 것인지, 몇 년 뒤에도 여전히 팔리고 있을 것인지와 같은 '좋은 기업'을 찾기 위한 기준을 만들어야 한다. 그리고 그 기준에 비추어 보았을 때, 기업이 돈을 잘 벌 수 있겠다는 확신이 생겼다면 그때 투자를 결정하면 된다. 오랜 친구와 동업을 하기 위해 진지하게 고민하듯이 생각해 보는 과정을 통해 투자한다면, 투자로 인한 후회스러운 결정을 많이 줄일 수 있다.

이 세상엔
오만가지 주식이 있다

전 세계에서 소비자들에게 판매되고 있는 물건들의 종류는 모두 몇 가지나 될까? 정확히는 알 수 없지만 우리가 상상하는 것 이상으로 무수히 많을 것이라는 의견에 이의를 제기하는 사람은 없을 것 같다. 20~30년 이상 살아온 성인들도 무엇에 쓰는 것인지 감도 안 잡히는 제품들이 수도 없이 많으며, 날마다 새로운 제품이 끊임없이 등장하며 우리의 삶을 편리하게 해주는 동시에 혼란스럽게 만들고 있다. 직접 만질 수 있는 제품 외에도 매우 다양한 서비스나 컨텐츠 등을 생각하면, 평생 한 번씩 다 써보는 것이 불가능에 가까울 정도로 그 종류가 많다. 아버지 어머니 세대의 경우는 이렇게 쏟아져나오는 제품과 서비스에 적응하는 것조차 힘들어할 정도다.

판매되는 것의 종류가 많다는 것은 그것을 만들어내는 기업 또한 무수히 많다는 것을 의미한다. 세계적으로 가장 큰 주식 시장은 미국의 뉴욕 증권 거래소(NYSE)와 나스닥(NASDAQ)이 있는데 이 두 가지 시장만 해도 각각 2,800개, 3,400개의 기업이 상장되어 있다. 여기에 우리나라를 비롯한 다른 모든 나라의 기업들까지 생각해 보면 전 세계에서 수만 개의 기업이 누군가에 의해 거래되고 있는 것이다.

기업들은 그 종류만큼 성격도 제각각이다. 금융, 통신, 첨단기술, 방위산업, 소비재, 에너지, 서비스 등 판매하고자 하는 아이템과 시장의 성격에 따라 기업을 운영하고 이윤을 추구하는 방식이 다를 수밖에 없기 때문이다. 안정적으로 꾸준히 돈을 버는 기업이 있는가 하면, 매번 새로운 기술과 아이디어로 뒤따라오는 경쟁자들을 따돌려 빠르게 성장하는 기업도 있다. 어떤 성격의 기업에 투자하고 있는지에 따라 주식 투자의 의미는 천차만별이다. 투자자들이 모두 똑같이 '주식 투자를 하고 있다'고 말한다고 해서 다 같은 성격의 투자를 하고 있는 것은 아니다.

저마다 제각각인 기업들이 어떤 성격을 가지고 있는지 일일이 다 파악할 수는 없으나, 비슷한 성격의 기업들끼리 묶어서 생각해 볼 수는 있다. 기준에 따라 그 분류는 달라질 수 있지만 크게 네 가지 정도로 나눠볼 수 있다. 이를 좀 더 쉽게 이해하고 싶다면 우리가 이미 익숙하게 이용하고 있는 음식점들을 생각해 보면 된다. 수많은 기업들을 어떻게 분류할 수 있는지 살펴보자.

경제적자유를 찾는 여행자를 위한 안내서

1. 성장주

성장주란 말 그대로 높은 성장률을 보이며 매출과 이익이 빠르게 증가하고 있는 기업의 주식을 말한다. 이제 막 개업한 새로운 SNS 맛집과도 같다. 기존에 없던 새로움에 이끌려 소비자들은 지갑을 열기 시작하고, 이것은 또다시 입소문을 타고 더 많은 고객을 불러 모은다. 고객은 점점 늘어나 돈이 있어도 쉽게 이용할 수 없을 정도로 인기가 하늘을 찌르며, 소비에 대한 높은 만족감은 점차 충성도가 높은 고객을 만들어 브랜드 그 자체에 대한 애정을 갖게 한다. 또 다른 새로운 제품이나 서비스가 나오기가 무섭게 사람들은 줄을 서기 시작하고, 그것을 이용하는 것만으로도 사람들은 자부심을 느낀다.

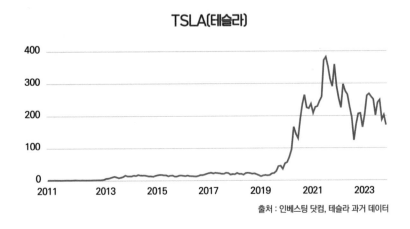

TSLA(테슬라)

출처 : 인베스팅 닷컴, 테슬라 과거 데이터

빠르게 성장하는 기업은 소비자들의 관심을 먹고 자란다. 고성장 기업 중에는 세상에 존재하지 않았던 새로운 것을 만드는 기업이 많다. 전기차,

스마트폰, 플랫폼 등 생활 모습 자체를 바꿀만한 영향력을 가진 것을 만들어 소비자들이 지갑을 열 수밖에 없게 만든다. 사람들은 이것을 '파괴적인 혁신'이라고 부르는데, 혁신이 안겨주는 충격에 매료된 소비자들은 그것에서 좀처럼 헤어 나오기가 어렵다. 마땅한 대체재도 없기 때문에 가격을 올려도 소비는 웬만해선 줄어들지 않는다.

투자자들이 이런 기업을 평가할 때는 매우 높은 가치를 부여하는 경향이 있다. 계속해서 사람들의 인기를 한 몸에 받을 무엇인가를 만들어줄 거라는 기대감으로, 현재의 기업 가치에 미래의 가치를 함께 고려하기 때문이다. 그렇다 보니 주식의 가격은 실제 기업의 성과에 비해 높게 거래되고 있는 경우가 많고, 높은 안목으로 크게 성장할 기업을 고르는 경우에는 수십, 수백 배에 달하는 아주 큰 수익을 얻게 되기도 한다. 높은 수익률을 원하는 투자자들은 성장주 투자에 큰 매력을 느낀다. 하지만 성장주 투자는 기대 수익이 높은 만큼 리스크도 큰 편이므로 신중하게 접근해야 한다. 기대에 못 미치는 제품이나 서비스로 소비자를 실망시키거나, 성장세가 예상보다 빠르게 꺾이게 되면 기업에 대한 매우 높은 평가는 거품으로 인식되어 주가를 급격하게 하락시킨다.

2. 배당주

햄버거, 커피, 아이스크림 등을 판매하는 식음료 점포 중에는 유명한 대형 프랜차이즈가 많다. 메이저급 프랜차이즈는 점포가 없는 지역을 찾기가 힘들 정도로 곳곳에 수많은 체인점을 거느리고 있는데, 이렇게 있을 만한 곳에는 이미 다 있는 프랜차이즈라면 더 이상 점포의 수를 늘리기가 부담스럽다. 꾸준하게 돈은 잘 벌고 있지만 추가로 다른 체인점을 낸다고 해도 더 많은 소비자의 유입을 이끌어내기가 어렵고 기존에 운영하고 있는 가게에도 영향을 줄 수 있기 때문이다. 배당주는 이런 유명 프랜차이즈와 닮았다. 배당은 기업이 얻은 이윤을 나누어 투자자에게 지급하는 것으로, 배당주는 투자자에게 배당을 적극적으로 지급하는 기업의 주식을 말한다.

기업은 이윤을 추구하는 집단으로, 더 많은 이익을 만들어낼 수 있는 기회가 보이면 사업을 확장하여 몸집을 키우고 싶어 한다. 사업의 규모를 키우기 위해서는 아주 많은 투자금이 필요하다. 생산 설비를 더 많이 만들거나, 새로운 아이템을 위하여 연구 개발 비용을 투자하거나, 사업에 필요한 다른 기업을 인수하는 등 확장을 위한 막대한 비용이 들기 때문이다. 이런 상황에서 투자자와 기업이 이윤을 나눠 갖게 되면 사업의 성장이 어려워지므로, 기업은 벌어들인 수익을 재투자하여 기업가치를 키우는 데에 집중한다. 결국 기업이 성장하면 보유한 주식의 가치도 오르는 것이므로 이는 투자자에게도 이로운 선택이 된다. 따라서 성장을 노리는 기업들은 투자자들에게 배당을 거의 지급하지 않거나 아예 지급하지 않는 경우가 많다.

그러나 기업이 영원히 성장할 수는 없다. 더 많은 매출과 이익을 만들어내기 위해서는 기업이 참여하고 있는 시장의 크기를 키워나가야 하는데,

성장을 지속하다 보면 언젠가는 한계를 만나게 된다. 예를 들면 통신회사가 그렇다. 우리나라에 처음 휴대폰이 보급되기 시작할 무렵에는 개인용 휴대전화기를 가지고 있지 않은 사람들이 많았으므로 신규 고객을 더 많이 유치하여 사업의 규모를 키울 수가 있었다. 이후 휴대폰을 누구나 하나씩 가지고 있는 시기가 오면 새로운 고객의 유입이 점차 어려워진다. 휴대폰을 가지고 있는 모든 사람이 달마다 통신 요금을 지불하고 있으니 꾸준하게 안정적으로 수익을 올릴 수는 있으나, 더 이상 사업을 확장할 여지는 보이지 않게 되는 것이다. 이때부터 기업은 덩치를 키우는 것보다는 기존 고객이 계속해서 제품과 서비스를 이용하도록 하는 것에 더 집중하기 시작한다. 이렇게 사업 확장에 대한 계획이 없는 회사는 벌어들인 수익을 투자자들과 나눌 수 있도록 배당을 적극적으로 지급하게 된다. 한 마디로 배당에 친화적인 기업은 운영하는 사업이 어느 정도 성숙기에 접어든 것이라고 할 수 있다.

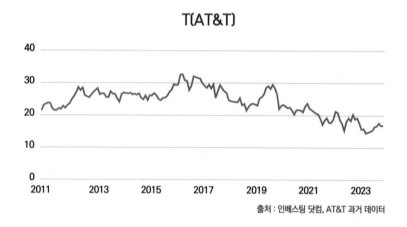

T(AT&T)

출처 : 인베스팅 닷컴, AT&T 과거 데이터

경제적자유를 찾는 여행자를 위한 안내서

배당주의 특징은 적은 변동성과 꾸준한 현금 흐름이다. 사업이 안정기에 접어들었으므로 주가의 변동이 크지 않고, 계속해서 수익을 올리고 있으니 배당 지급도 꾸준하여 현금 흐름을 늘리기에 좋다. 이런 주식은 손실에 민감한 보수적인 투자자, 또는 시세차익보다 현금 흐름을 늘리는 것을 선호하는 투자자에게 적합한 투자처가 될 수 있다. 배당 투자는 주식 투자를 해본 적이 없는 투자자들에게도 진입장벽이 낮으므로 추천할 만하다.

3. 자산주

장사가 잘 안 되고 있는 것 같은 가게가 맨날 파리만 날리는데 망하지 않고 몇 년째 계속 유지되는 것을 본 적이 있는가? 이런 가게는 심지어 영업하는 날짜나 시간도 일정하지가 않고, 가끔씩 영업을 하고 있어도 손님을 응대하고 있을 때보다 친구로 보이는 분과 앉아서 차 한잔하며 즐겁게 대화하는 모습이 더 자주 보인다. 그러나 사장님은 장사가 되거나 말거나 시종일관 여유로운 모습인 경우가 많은데, 그 이유는 그 점포가 속한 건물이 사장님의 소유이기 때문이다. 건물주가 운영하는 가게는 월세를 내지 않아도 되고, 자신의 건물에서 나오는 임대료가 있기 때문에 장사가 잘 되지 않더라도 딱히 걱정이 없다. 여유롭게 취미 삼아 가게를 유지하기만 하면 되는 것이다. 자산주는 이렇게 건물주가 운영하는 가게 같은 주식이라고 보면 된다.

자산주는 소유하고 있는 자산이 많은 기업의 주식이다. 기업이 갖고 있는 자산의 종류는 다양하다. 기업이 열심히 일해서 벌어들인 돈은 현금뿐만 아니라 땅이나 건물과 같은 부동산, 대출 상환, 채권, 심지어는 다른 기업의 주식까지 여러 곳으로 흘러 들어가 기업의 보유 자산을 늘려준다. 자산 보유를 선호하는 기업이 오랫동안 수익을 자산으로 쌓아 올리다 보면, 시가총액보다 자산이 훨씬 더 많은 경우도 종종 볼 수 있다. 기업이 자산을 많이 축적하게 되면 위기에 대한 방어력이 높아지는 효과가 있다. 영업이익이 조금 좋지 않더라도 자산이 많으니 상대적으로 안전하고, 보유한 자산의 가격이 크게 오르거나 자산 수익이 부족한 실적을 채워주기도 하는 등 위험성을 상쇄해 주기도 한다.

자산주의 대표적인 모범사례는 바로 맥도날드다. 많은 사람들이 맥도날드가 햄버거 가게라고 생각하는데, 사실 맥도날드의 정체성은 부동산에 있다. 빅맥과 해피밀세트가 벌어들인 수익도 엄청나겠지만, 그보다 많은 수익은 가져다준 것은 맥도날드가 운영되고 있는 땅과 건물의 임대료이다. 실제로 맥도날드는 가맹점으로부터 받는 로열티보다 두 배가량 많은 수익을 부동산 임대료를 통해 벌어들이고 있다. 그리고 맥도날드는 대부분의 매장이 지역의 중심지에 위치하고 있는데 시간이 지남에 따라 부동산의 시세는 크게 오르게 되고 이것은 결국 기업가치의 상승으로 이어진다. 20년 전 해피밀 장난감에 목숨을 걸던 초등학생 시절에 맥도날드에 투자했다면 현재 투자 수익률은 2,100%를 기록하고 있을 것이다. 놀랍지 않은가?

경제적자유를 찾는 여행자를 위한 안내서

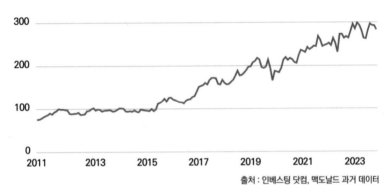

MCD(맥도날드)

출처 : 인베스팅 닷컴, 맥도날드 과거 데이터

　자산주가 가진 가장 큰 특징은 사람들이 별로 관심을 두지 않는 기업인 경우가 많다는 것이다. 기업의 표면적인 영업 자체는 그리 좋아 보이지 않을 때가 많고, 크게 성장하는 사업도 아니기 때문에 투자자들이 매력적으로 바라보기가 힘들기 때문이다. 하지만 기업이 보유한 자산이 재평가받으며 기업의 가치를 높게 평가하는 사람들이 많아지거나, 어떤 이유로 인해 해당 기업이 관심을 받게 될 때 보유 자산이 촉매로 작용하여 주가를 크게 올려 높은 수익률을 만들어줄 수도 있다.

4. 가치주

가치주를 아주 간단하게 정의하자면 '실제 기업 가치보다 저렴한 가격에 거래되는 주식'으로, 나만 알고 있는 로컬 맛집 같은 주식이다. 로컬 맛집 중에는 가격도 저렴하고 맛도 매우 좋은데 사람들에게 잘 알려지지 않아서 식당이 주는 만족감에 비해 손님이 많지는 않은 가게가 있다. 만약 우연히 이런 가게를 알게 되었다면 나만 아는 맛집으로 남아줬으면 하고 생각하기도 한다. 갑자기 어느날 방송이나 SNS에 소개되어 유명세를 타기 시작하면 앞으로는 줄을 서서 기다려야 하는 가게가 되어버릴 테니 말이다.

가치주의 핵심 투자 포인트는 가격이다. 기업의 업황이나 실적은 가격이 저렴한지 비싼지 판단하는 데 사용하는 기준에 가깝다. 기업의 성장세가 꺾이거나 사업 실적이 다소 부진하더라도 주가가 지나치게 하락하여 기업 가치에 비해 저렴하다면 저평가된 주식이라고 생각하며 투자를 긍정적으로 고려해볼 수 있다. 반대로 기업이 아무리 돈을 잘 벌고 빠르게 성장하고 있더라도 그보다 가격이 지나치게 비싼 수준이라면 가치투자로서의 매력은 떨어지게 된다. 이렇게 저평가 주식을 매수하여 적정 수준 이상으로 가격이 올라올 때까지 기다리려면, 기업의 가치를 판단할 수 있는 능력이 필요하다.

기업의 가치를 계산해 보는 것을 투자에서는 밸류에이션(Valuation)이라고 한다. 주식의 가치를 정확하게 평가하는 것은 불가능하지만, 좋은 가치주를 발견하기 위해서는 현재 시장의 규모와 앞으로의 전망, 브랜드의 위상, 매출 및 영업이익의 동향, 여러 가지 지표 등을 활용하여 기업의 실제 가치에 최대한 근접하게 다가가기 위해 노력해야 한다. 그렇게 나름의 기업의 가치를 따져보고 주식이 적정 가격보다 낮다는 것에 동의할 수 있을 때 매력이 있는 가치주를 발견한 것으로 보고 투자를 고민해 볼 수 있다.

여러분은 네 가지 종류의 주식들 중 어떤 주식에 가장 관심이 생기는가? 변화와 위험을 두려워하지 않는 사람은 성장주가 가장 매력적으로 느껴졌을 것이고, 리스크를 줄이면서 안정적인 수익을 내는 것을 선호하는 사람이라면 배당주가 좋은 투자처로 보였을 것이다. 사람마다 성격이 다르듯, 다양한 투자의 스타일이 존재하므로 자신의 성향과 잘 맞는 주식을 찾으면 투자의 안정성과 수익률을 높일 수 있다. 어떤 기업이 나와 잘 맞을 것 같은지 생각해 보고 투자할 만한 주식을 찾아보도록 하자.

기업을 분석하려면
무엇을 봐야 할까

나쁜 기업에 투자하고 싶은 사람은 없다. 투자는 자선사업이 아니기 때문이다. 수많은 기업들 중에서 나에게 돈을 벌어다 줄 좋은 기업을 찾는 것은 주식 투자의 기본이다. 그러나 주식 투자를 해보지 않았거나 이제 막 시작을 한 투자자들은 좋은 기업을 찾는 것이 쉽지 않다. 그렇다면 좋은 기업은 어떻게 찾을 수 있을까? 기업을 분석할 때 고려해야 할 요소들은 무엇인지 살펴보자.

1. 아이템

기업을 볼 때 가장 우선적으로 보아야 할 것은 그 기업이 팔고 있는 아이템이다. 무엇을 팔고 있는지 아는 것은 사업을 판단하는 핵심 요소다. 판매하고자 하는 것이 소비자의 지갑을 열 수 있다면 그 아이템은 기업을 먹여 살릴 밥줄이 된다.

2007년 스티브잡스는 프리젠테이션을 통해 애플의 신제품인 아이폰을 세상에 처음 공개했다. 멀티미디어, 통신, 인터넷 기능을 하나의 기기에 담아 출시하겠다는 내용을 중심으로 시작된 프리젠테이션은 혁신이라고 부르기에 충분했다. 15년이 지난 지금도 당시 제품 출시를 예고했을 때 느꼈던 신선한 충격을 잊지 못하는 사람이 많다. 어떤 사람들은 현재까지도 그것을 뛰어넘을 만한 발표를 본 적이 없다며 그의 발표를 프리젠테이션의 정석이라고 평가하기도 한다.

잡스의 제품 발표는 분명 훌륭했다. 하지만 만약 당시에 발표했던 제품이 아이폰이 아닌 그저 그런 또 다른 2G폰이었다면 어땠을까? 사람들은 아마 열광하지 않았을 것이다. 우리가 기억하는 그런 신선함은 느낄 수가 없었을 것이기 때문이다. 아이폰의 공개가 아직도 우리 기억 속에 강하게 남아있는 이유는 그 제품이 아이폰이었기 때문이다. 깔끔하고 간결하며 재치 있는 프리젠테이션의 역할은 어디까지나 아이템을 소개하는 것이다. 그 너머의 핵심은 기업에 돈을 벌어다 줄 좋은 아이템이다. 투자할 기업을 분석할 때 가장 첫 번째로 해야 할 일은 기업이 좋은 아이템을 만들어내고 있는지, 만들어낼 능력이 있는지 생각해 보는 것이다.

좋은 아이템을 찾으려면 우선 기업의 주력 아이템이 무엇인지 알아야 한다. 기업이 광고나 언론 등에서 적극적으로 홍보하고 있거나, 실적을 발표할 때 가장 많이 팔린 아이템이 무엇인지 확인해 보면 어렵지 않게 주력 아이템을 찾을 수 있다. 그렇게 아이템을 확인했다면, 그것이 좋은 아이템인지 판단해야 한다. 가장 중요한 판단의 기준은 '아이템이 대중의 소비로 연결될 것인가?'이다. 좋아 보이는 아이템이 있어도 가격이 너무 비싸거나 비슷한 대체품이 많이 있다면 소비로 연결되기 어렵다. 아이템을 팔아줄 수요가 있는지, 산업 동향이나 대중의 소비 패턴을 감안해볼 때 앞으로도 수요가 유지되거나 증가할 수 있는지, 후발 주자에게 추격당하거나 대체될 가능성은 없는지, 시장의 판도를 뒤집을만한 아이템인지, 경쟁사와 비교했을 때 차별화되는 점이 있는지, 소비자들의 만족도는 어느 정도인지 등을 생각해 보며 발견한 아이템의 잠재 가치를 가늠할 수 있는 눈을 키워야 한다.

이러한 기준들에 비추어 보았을 때 아이폰은 아주 훌륭한 아이템이었다. 손바닥만 한 애플의 효자 아이템은 스마트폰 업계의 거대한 흐름을 주도하며, 당시 휴대전화 시장 점유율 40%에 달하던 1등 기업을 제치고 업계 1위를 차지하는 것도 모자라 세계에서 가장 시가총액이 큰 기업이 되었다. 여러분이 아이폰의 제품 발표를 본 시점에 그 잠재 가치를 알아보고 투자를 할 수 있었다면 현재 약 3,500%에 달하는 수익률을 기록하게 되었을 것이다. 하지만 애플에 투자하지 않았던 것에 대하여 아쉬워할 필요는 없다. 세상은 언제나 변화해 왔으며 인류가 멸망하지 않는 이상 변화는 영원히 지속된다. 변화는 또 다른 수요를 만들고 새로운 시장을 개척하며, 좋은 아이템을 발굴할 무수히 많은 기회를 제공해 줄 것이다.

경제적자유를 찾는 여행자를 위한 안내서

2. 비즈니스 모델

기업이 좋은 아이템을 만들었다면, 다음으로는 그것을 수익화할 수 있는 비즈니스 모델이 필요하다. 특히 유형의 재화를 판매하는 것이 아닌 플랫폼이나 서비스를 제공하는 기업들은 비즈니스 모델을 어떻게 만들어내느냐에 따라 엄청난 결과의 차이를 보인다.

우리가 자주 사용하는 카카오톡을 생각해 보면 비즈니스 모델의 중요성을 쉽게 이해할 수 있다. 카카오톡이 처음 세상에 등장하던 2010년, 당시 카카오의 핵심 아이템은 '메신저 서비스'였다. 기존 2G폰을 사용하던 시절에는 주된 통신 수단이 전화 통화와 문자메시지였는데, 카카오는 스마트폰의 등장과 함께 인터넷 메신저 서비스를 탄생시켰다. 유료로 건당 이용료를 지불해야 했던 문자메시지를 무료로 마음껏 이용할 수 있게 되다 보니, 사람들은 너도나도 카카오톡을 다운로드하기 시작했다. 그 결과 카카오는 3년 만에 1억 명이 넘는 이용자 수를 보유한 국민 메신저가 되었다.

하지만 여기에는 한 가지 문제가 있었는데, 카카오톡의 문자 서비스는 모든 사람에게 무료로 제공되고 있었으므로 이용자 수가 아무리 많더라도 전혀 수익이 되질 않았다. 메신저 내에서 사용하는 이모티콘, 카카오와 연결되어 있는 게임 서비스에서 수익을 만들어내긴 했지만 이용자 수를 생각해 보면 크게 의미가 있지는 않았고, 오히려 유료 문자 서비스를 통해 수익을 벌어들였던 통신사들의 반발을 불러일으켜 데이터 사용을 제한당하거나 통신료 지불을 요구받는 등 어려움을 겪기도 했다.

그런 상황 속에서 힘들게 버티던 카카오는 '많은 사람이 이용하는 서비스'라는 강점을 활용하여 기회를 만들어내기 시작한다. 국내에서 거의 모든 사람들이 사용하고 있는 카카오톡은 하나의 인프라가 되었고, 다른 서비스와 결합하며 새로운 수익을 만들어냈다. 택시, 전자결제, 선물하기 등을 기존의 메신저 서비스에 접목시켜 이전에 없던 비즈니스 모델을 마련한 것이다. 보편성에 편의성까지 더해져 모바일 메신저 시장 속 카카오톡의 입지는 더욱 굳어졌다. 이 과정에서 벌어들인 수익은 금융 서비스, 컨텐츠 사업 등 더 많은 수익 모델을 만들어 나가며 현재는 시가총액 25조에 달하는 거대 기업이 되었다.

카카오가 보여주는 사례처럼, 비즈니스 모델의 단점을 획기적으로 개선하거나 시장의 변화에 발 맞추어 기존에 없던 새로운 수익화 방안을 만들어낸다면 기업은 매우 빠르게 성장할 수 있다. 좋은 기업은 지속적으로 성장하기 위해 스스로 비즈니스 모델을 점검하고 적절한 시기에 그것을 변화시켜 나가기 위한 준비와 노력을 기울인다.

3. 재무상태

창업 비용이 2억 정도 드는 작은 가게를 하나 운영하려고 할 때, 5천만 원을 가지고 있는 사람과 1.5억을 가진 사람이 있다면 당연히 후자가 유리하다. 부족한 창업 비용을 채우기 위해선 각각 1.5억, 5천만 원의 대출이 필요하기 때문이다. 가진 자본에 비해 대출이 과하다면 운영이 위태로울 수 밖에 없다. 규모의 차이가 있을 뿐 기업도 마찬가지다. 겉으로는 영업을 잘 하고 있는 것처럼 보여도 빚으로 겨우 연명하고 있어서 미래가 불투명한 상황이라면, 투자하기에 좋은 기업이라고 하기는 어렵다. 재무건전성은 기업에 투자할 때 필수적으로 고려해야 할 요소다. 재무상태를 점검해 보려면 기업의 재무제표 중 **재무상태표**에 기록된 **자산, 부채, 자본**을 살펴보면 된다.

자산(Assets)

자산은 회사가 보유하고 있는 토지, 건물, 금융자산 등을 말한다. 기업의 자산은 유동자산과 비유동자산으로 나눌 수 있다. 유동자산은 현금, 채권, 재고품처럼 단기간에 현금화할 수 있는 자산을 말한다. 반대로 토지, 설비, 건축물, 생산장비와 같이 당장 현금화하기는 어려운 자산을 비유동자산이라고 한다. 유동자산과 비유동자산을 합하면 기업의 총자산이 얼마인지 알 수 있는데, 이것을 **자산총계**라고 한다. 재무상태표를 살펴보면 자산총계 항목이 있는데, 여기서 회사가 가진 자산이 모두 얼마인지 쉽게 확인할 수 있다.

부채(Liability)

부채는 기업이 영업을 하기 위해 빌린 자금을 말한다. 기업이 발행한 채권, 미지급금, 예수금 등이 여기에 해당된다. 부채는 회사의 빚이므로, 기업의 수익에 비해 부채가 과도하다면 이는 재무상태가 불안정한 것임을 나타낸다. 특히 기업의 확장이나 개발 등의 뚜렷한 목적 없이 영업 상황이 좋지 않아서 부채가 늘고 있다면, 투자에 주의가 필요하다.

자본(Equity)

자본은 기업의 자산에서 부채를 뺀 것으로, 순수하게 회사가 보유하고 있는 자금이 얼마인지를 나타낸다. 따라서 **자본총계**가 늘고 있다면 기업이 안정적으로 운영되어 수익이 늘어남과 동시에 그 규모가 커지고 있음을 의미한다.

자본에 대한 부채의 크기를 부채비율이라고 하는데, 투자자는 이 부채비율이 적정수준에서 유지되고 있는지 살펴볼 수 있어야 한다. 만약 부채비율이 400% 이상이거나 급격하게 부채가 증가하고 있다면, 기업의 건강에 적신호가 켜진 것일 수 있으므로 투자에 신중한 고민이 필요하다. 신체가 건강한 사람이 일을 잘 할 수 있듯이 기업도 재무상태가 건강해야 영업을 잘할 수 있다.

4. 실적

열심히 하는 것과 잘하는 것은 엄연히 다르다. 기업이 좋은 아이템과 비즈니스모델을 가지고 열심히 영업하는 것도 중요하지만, 그것을 통해 돈을 얼마나 벌었는지가 더 중요하다. 기업이 영업을 하는 목적은 결국 이익 창출이기 때문이다. 공부하는 학생으로 따지면 실적은 기업의 성적표와 같다. 공부를 열심히 해도 성적이 오르지 않으면 만족스럽지 않은 것처럼, 영업을 열심히 하더라도 벌어들인 이익이 만족스럽지 않다면 좋은 기업이라고 하기는 어렵다. 좋은 투자를 만들기 위해선 영업을 열심히 하는 동시에 이익도 성장시키는 기업을 찾아야 한다.

경제적자유를 찾는 여행자를 위한 안내서

영업의 결과가 어떤지는 실적을 보며 확인할 수 있다. 실적을 보려면 재무제표의 **손익계산서**를 확인하면 된다. 실적을 확인하기 위해 손익계산서를 볼 때 우리가 알아야 할 것은 **매출액, 비용, 영업이익, 영업외 이익, 당기순이익**이다. 이것을 간단히 설명하자면 아래와 같다.

매출액	기업이 소비자에게 서비스나 재화를 판매하여 만들어낸 금액
비용	생산에 사용된 금액(제품 원가, 판매 및 관리 비용)
영업이익	매출에서 비용을 제외한 이익(회사가 영업을 통해 벌어들인 이익)
영업외 이익	이자, 임대료, 자산처분 등 영업활동 이외에 회사가 벌어들인 이익
당기순이익	특정 기간 동안 기업이 벌어들인 순수 이익(총 수익 – 총 비용)

위 항목들을 중심으로 손익계산서를 살펴보면 기업의 실적이 어떤지 간단하게 알아볼 수 있다. 실적을 체크할 때 중점적으로 보아야 할 것은 '기업의 이익이 성장하고 있는가?'이다. 해마다 당기순이익이 늘고 있다면 안정적으로 성장하고 있는 투자하기에 좋은 기업이다. 이익이 성장하는 기업이라면 영업 또한 훌륭하게 하고 있을 가능성이 높다. 전문가들은 기업의 실적에 대한 나름의 예상치(컨센서스, Consensus)를 제시하는데, 이보다 실적이 눈에 띄게 잘 나온 경우를 어닝서프라이즈, 반대의 경우를 어닝쇼크라고 부른다. 발표한 실적과 예상치 사이에 큰 괴리가 발생하는 경우, 기업에 대한 평가는 크게 바뀌게 되어 기업 내재가치의 변동을 불러온다.

5. 브랜드 가치

소비자들은 브랜드를 좋아한다. 비슷한 스펙의 제품 두 가지를 놓고 어떤 것을 구매할지 고민할 때, 가격 차이가 크지 않다면 좀 더 비싸더라도 이름이 있는 기업에서 만든 것을 선택한다. 이런 선택을 하는 이유는 브랜드가 가지고 있는 가치 때문이다. 기능이나 디자인 같은 제품 자체가 가지고 있는 가치 외에도 브랜드가 보여주는 신뢰도, 인지도 등에 가치를 매기고 이를 포함하여 판단하는 것이다. 투자자가 기업의 가치를 판단할 때에도 브랜드의 영향력은 매우 크게 작용한다. 좋은 기업은 영업을 통해 쌓아 올린 실적과 더불어 독자적인 브랜드 파워를 보여준다. 미래의 가치를 판단해야 하는 투자의 특성상, 브랜드가 주는 영향은 더 클 수 밖에 없다.

브랜드가 기업가치 상승에 가장 크게 기여하는 부분은 '기업에 대한 신뢰'다. 그것은 소비자의 신뢰일 수도, 투자자의 신뢰일 수도 있다. 기업이 꾸준하게 제품이나 서비스의 퀄리티를 높은 수준에서 제공한다면, 소비자는 만족을 넘어 그것을 생산하는 브랜드를 향한 믿음을 갖게 된다. 소비자의 강한 믿음은 'A/S까지 생각하면 삼성 제품을 사는 게 좋다', '애플이 만들면 다르다', '가전은 역시 LG'와 같은 표현을 만들어내며 충성고객을 증가시키고, 소비를 망설이던 잠재고객까지지도 끌어들인다. 이렇게 소비자의 신뢰가 쌓이면 투자자의 신뢰도는 자연스럽게 함께 높아지게 된다. 투자자들이 기업가치를 평가할 때, 브랜드에 대한 고객의 충성도를 반영하게 되기 때문이다. 투자자의 신뢰는 기업에 안정적인 투자금이 모일 수 있도록 도와 생산활동을 촉진하고 새로운 것을 개발할 수 있도록 돕는다.

경제적자유를 찾는 여행자를 위한 안내서

그렇다면 브랜드가치는 어디에서 나오는 것일까? 그것은 기업이 만들어지고 발전해 온 과정 속에서 만들어진다. 운동화를 하나 사려고 한다면 가장 많은 사람이 제일 먼저 떠올리는 브랜드는 나이키다. 나이키의 브랜드가치는 실로 어마어마하다. 나이키는 2022년 기준 미국 스포츠 운동화 시장에서 62%의 점유율을 기록하였으며, 글로벌 패션 업계 브랜드가치 순위에서 각종 명품 및 프리미엄 브랜드를 제치고 8년 연속 1위를 차지했다.

1962년에 블루리본 스포츠라는 이름으로 태어난 나이키는 일본에서 신발을 수입하는 사업으로 시작하였다가, 1972년 그리스 신화 속 승리의 여신 니케의 이름과 날개를 모티브로 독자적인 브랜드를 탄생시켰다. 스포츠 선수들의 능력을 향상시키기 위하여 신발 제작에 몰두하던 나이키는 수많은 선수와 스포츠팀에 후원하며 점차 이름을 알리기 시작했고 칼 루이스, 마이클 조던, 타이거 우즈 등 잠재력이 있는 선수들을 전폭적으로 지원하는 마케팅을 펼쳤다. 그 결과 나이키는 스포츠 스타들의 인기와 더불어 대중에게도 사랑받는 브랜드로서 국적, 인종, 성별을 초월하는 다양성과 도전정신을 나타내는 하나의 아이콘이 되었다.

브랜드는 단순한 이름과 로고가 아니다. 좋은 기업을 찾기 위해서는 기업의 브랜드가 이름과 로고뿐인지, 그 이상의 가치와 의미를 담고 있는 것인지 생각해 보는 것이 좋다. 훌륭한 목표와 비전을 제시하는 브랜드의 기업은 소비자와 투자자의 돈을 마법처럼 끌어당긴다.

6. 정책과 규제

기본적으로 산업은 국가라는 울타리 안에서 운영이 되기 때문에, 기업은 국가가 만든 정책과 규제로부터 자유로울 수 없다. 정책과 규제는 사회의 이익을 위해 만들어지는 것으로, 기업의 이익 추구 활동이 사회의 안정성과 공정성에 반하는 행위를 하지 못하도록 조절하고 감시하는 역할을한다. 공정한 경쟁, 제품의 품질과 안전성, 금융 거래의 투명성 등을 관리하는 정책과 규제는 소비자와 투자자를 보호하며 사회 구성원 간의 신뢰를 지킬 수 있도록 돕는다. 이러한 정책과 규제에 의해 기업은 경제적으로큰 영향을 받게 되므로, 투자할 기업의 산업에 대하여 국가는 어떤 입장을취하고 있는지 확인할 필요가 있다.

특히 요즘은 환경문제와 관련된 규제가 두드러지고 있다. 환경오염이심각해짐에 따라 지속 가능한 발전에 대한 필요성이 증가하고 있기 때문이다. 유해 물질 발생량을 조작하여 벌금과 소송 비용으로 큰 손실을 보게되거나, 탄소 배출 규제에 따른 폐기물 처리 방법 또는 재료 선택에 대한비용이 증가하는 모습에서 볼 수 있듯 앞으로도 환경 관련 규제는 지속적으로 강화될 것으로 보인다. 이 외에도 독과점 문제, 인권침해, 허위광고, 국가 안보 등 사회의 이익과 상충되는 기업 운영은 국가의 제재를 받는 원인이 된다. 해당 문제에 대해 기업이 가지고 있는 해결 방법이 정책이나 규제를 피할 수 없다면, 경제적 손실을 안겨줄 리스크가 될 가능성이 높다.

경제적자유를 찾는 여행자를 위한 안내서

반대로 기업과 국가가 추구하는 이익이 서로 맞아떨어진다면, 기업이 큰 이익을 가져갈 수 있는 기회가 되기도 한다. 국가와 기업 간의 협력은 정책 목표의 달성과 동시에 기업의 성장 가능성을 높여주는 상호 보완적인 관계를 형성한다. 친환경 기업에 대한 세제 혜택 제공, 건설 또는 교통 인프라 구축을 위한 대규모 예산 편성, 혁신 기술 개발에 대한 투자는 상호 보완의 대표적인 사례다. 국가가 제시하는 비전에 따라 핵심적으로 달성하고자 하는 목표가 무엇인지 파악하고 이에 따른 수혜를 받는 산업은 무엇이 있는지 파악한다면 좋은 투자의 기회를 찾을 수 있다.

7. CEO

CEO는 기업의 최고 경영자를 칭하는 말로, 사업이 나아갈 방향을 정하고 운영에 책임을 지는 중요한 역할을 수행한다. 기업을 책임지고 이끌어야 하는 리더의 자리인 만큼 CEO의 자질과 경영철학은 기업이 돈을 버는 것과 굉장히 관련이 깊다. 기업에 돈을 벌어다 줄 훌륭한 CEO는 수준 높은 통찰력에서 나온다. 기업이 할 수 있는 일이 무엇인지 정확하게 파악하고, 그 잠재력을 어떻게 사업과 접목시켜 가치를 만들어낼지, 미래에는 어떤 분야에 기업이 나아갈 방향이 있는지 등을 생각해 내는 통찰력은 돈을 벌 기회를 발견하고 위대한 기업이 될 가능성을 높여준다.

세상 모든 일이 그렇듯, 하고자 하는 일이 반드시 계획대로만 흘러가지는 않는다. 기업도 마찬가지로 운영을 해나가다 보면 갖가지 어려운 문제에 부딪히게 된다. 그런 어려움 앞에서 좌절하는 리더가 있는가 하면, 강한 정신력과 결단력으로 난관를 돌파해 내는 리더가 있다. 냉정한 태도로 문제를 어떻게 해결할 수 있을 것인지 핵심을 파악하고 방법을 찾아내는 것 또한 리더의 자질이다. 이런 위기관리 능력은 기업이 오랜 기간 시장에 살아남아 생산성과 경쟁력을 유지할 수 있게 만들어주며, 기업에 대한 긍정적인 기대와 평가를 가져온다.

CEO가 리더로서의 자질이 있는지 판단하기 위해서는 그가 살아온 행적을 살펴보는 것이 도움이 된다. 훌륭한 기업인으로 평가받았던 이들의 자서전을 읽어보거나 그들과 관련된 일화, 살아온 행적, 사업을 일궈온 과정들을 찾다 보면 자연스레 인물의 그릇을 파악하는 눈을 키울 수 있다.

잘못된 투자를 하지 않기 위해선 기업의 장점 한두 가지만을 보고 좋은 기업을 찾았다고 성급하게 결론지으며 투자하는 상황을 만들지 않도록 노력해야 한다. 아무리 성능이 좋은 제품이라고 해도 그것을 홍보하고 판매할 전략이 형편없다면 이익을 만들 수 없고, 유망해 보이는 사업도 대출을 잔뜩 끌어와 운영을 하고 있거나 리더의 태도에 문제가 있다면 운영이 위태롭다. 좋은 기업을 찾으려면 투자자는 기업이 가진 강점과 함께 결함은 없는지 다방면으로 점검해 보아야 한다. 위와 같은 기준들을 통해 기업이 어떻게 돈을 벌고 있는지 확인해 보고, 그 기업이 하고 있는 사업에 대해 동의한다면 투자를 고려해 볼 수 있다. 이 외에도 기업이 환경을 지키기 위해 노력하고 있는지, 사회적으로 기여하는 바가 있는지 등 좋은 기업을 찾기 위한 나름의 기준을 만들어보는 것도 좋다.

경제적자유를 찾는 여행자를 위한 안내서

1등에게 투자하기

기업을 분석할 때 주로 살펴보는 7가지 기준을 제시하였는데, 그것을 보고 여러분은 어떤 생각이 들었는지 궁금하다. 기업분석을 통해 직접 좋은 기업을 찾아보고 싶다는 생각이 들었는가? 아니면 복잡하고 어렵겠다는 생각이 들었는가?

주식 투자에 대한 흥미와 관심도가 높은 투자자라면 여러 기업을 면밀히 살펴보며 돈을 잘 버는 훌륭한 기업을 찾으면 되겠지만, 모든 사람들이 기업 분석에 흥미를 느끼지는 않는다. 수시로 급변하는 경제 환경 속에서 기업을 하나하나 분석하고 비교하는 것은 상당히 힘든 일이기 때문이다. 기업 분석에 자신이 없는 사람들은 방송에 나온 전문가들의 추천종목이나 지인으로부터 얻은 정보, 리딩방 같은 것에 의지하려는 경향을 보인다. 그러다 보니 기업에 투자한 이유를 물었을 때 그것을 제대로 설명하지 못하는 사람들이 많다. 참으로 안타까운 일이다. 투자할 기업에 대한 논리적인 분석이 선행되지 않는다면 좋은 기업을 찾을 확률은 당연히 떨어질 수밖에 없다. 논리적 분석에 의한 자신만의 기준이 없는 투자자는 투자하려는 기업이 좋은 기업인지 알 수가 없고, 운 좋게 좋은 기업에 투자한다고 해도 투자에 대한 확신이 없으므로 심리에 휘둘리기 쉽다.

주식 투자를 하고 싶다면서도 기업 분석에 대한 이야기를 하면 이내 듣기만 해도 머리가 아프다며 손사래를 치는 사람들이 있다. 이처럼 기업 분석이 어렵고 힘들다고 느끼는 투자자는 주식 투자를 하지 말아야 하는 것일까?

손실을 막는다는 측면에서 생각하면 그것도 방법일 수는 있겠으나, 그보다는 다른 방법을 추천하고 싶다. 바로 1등에게 투자하는 전략이다. 여기서 말하는 1등이란 각 산업별로 가장 덩치가 크고 돈을 잘 버는 기업을 의미한다. 1등 기업에 투자를 하는 것은 매우 쉽고 간단하다. 그냥 어느 기업이 1등인지 확인만 하면 된다. 이렇게 간단한 전략인데도 그 장점을 살펴보면 꽤 매력이 있는 방법이다.

경제적자유를 찾는 여행자를 위한 안내서

1등 기업은 분석이 거의 필요 없다. 이미 모든 면에서 잘 하고 있을 가능성이 높기 때문이다. 시장 속 투자자와 소비자는 매우 냉정하다. 제품이나 서비스가 만족감을 주지 못하면 지갑을 열지 않으며, 미래가 불투명해 보이는 기업에는 투자하지 않는다. 하나라도 심각한 결함이 있다면 업계 최고라는 타이틀은 얻기가 어렵다. 즉 투자자가 기업을 분석할 때 고려해야 할 여러 요소들을 1등 기업에서는 미리 신경 쓰고 잘 관리하고 있다는 말이다. 또한 이런 기업은 보통 주요 경쟁사들을 압도할 만한 기술이나 규모, 차별화 전략을 가지고 있는 경우가 많은데, 이를 바탕으로 지속적인 성과를 내며 자신만의 강력한 입지를 구축한다. 이는 다시 안정적인 수익 및 성과, 기업에 대한 신뢰도와 긍정적인 평가로 이어져 후발주자들은 따라잡을 생각조차 못하는 1등 기업이 된다. 거기에 더해 만약 해당 분야의 시장 규모가 성장하고 있는 중이라면, 안정성과 더불어 높은 성장성까지도 가져갈 수 있다. 1등을 하는 데에는 다 그만한 이유가 있는 것이다.

대표적인 1등 기업은 코카콜라가 있다. 네슬레를 제외하고 순수하게 음료 판매만 놓고 보면 코카콜라는 누구도 부인할 수 없는 압도적인 업계 1등이다. 전 세계 200여 개 국가에 탄산음료, 주스, 커피, 생수까지도 판매하는 이 거대한 음료 회사는 지구인이라면 모두가 아는 흑색 탄산음료를 생산하는 기업이다. 코카콜라는 이 훌륭한 아이템에 보틀링 시스템을 도입하여 전 세계에 제품을 공급할 만큼 판로를 크게 확장시켰으며, 산타와 북극곰 등을 이용한 마케팅으로 겨울에도 제품 판매량을 유지할 수 있게 만들었다. 경제 불황이 찾아온 시기에는 다양한 캠페인과 이벤트로 소비자들에게 행복과 긍정의 메세지를 선물해 주었으며, 올림픽과 월드컵에 후원하는 등 스포츠 마케팅을 이용하여 다함께 즐길 수 있는 음료라는 이미지를 만들기도 하였다. 그 결과 코카콜라는 소비자들에게 음료 이상의 가치로서, 모두가 인정하는 브랜드이자 하나의 아이콘으로서 받아들여지고 있다.

경영 측면에서 바라봐도 코카콜라는 지속해서 이익을 증가시켜 왔으며, 자산 대비 부채도 안정적으로 관리하고 있고, 시대의 흐름에 맞추어 친환경적인 제품 생산에도 노력을 기울이고 있다. 아이템, 수익 모델, 브랜드 가치, 재무구조, 실적 등 뭐 하나 빠질 것 없는 기업이라고 할 수 있겠다.

옛날 부모님들은 자녀가 친하게 지내는 친구를 알게 되었을 때, 그 친구가 어떤 학생인지 알아보기 위하여 자녀에게 곧잘 이런 질문을 했다.

"걔는 반에서 몇 등이니?"

굉장히 노골적이지만 핵심적인 질문이기도 하다. 학급 내 석차가 높다는 것은 공부를 잘한다는 뜻이고, 다른 학생들보다 공부에 더 많은 시간과 노력을 투입하고 있을 확률이 높음을 의미한다. 그런 학생이 학교폭력이나 비행 등 학생으로서 하지 말아야 할 일에 시간과 노력을 쏟고 있을 가능성은 매우 떨어질 수밖에 없다. 한 마디로 내 자녀에게 좋은 영향을 주는 친구일 가능성이 높다는 이야기다. 기업도 마찬가지다. 1등 기업은 투자자에게 안정적인 수익을 가져다줄 건전한 친구가 되어준다.

물론 현재 1등이라고 해서 앞으로도 계속 그러라는 법은 없다. 시장의 변화에 제때 대응하지 못하거나, 경영과정에서 해서는 안되는 선택을 하거나, 후발 주자들에게 따라잡히게 되면 1등의 자리는 내주어야 한다. 따라서 1등에 투자하는 전략을 사용할 때는 투자한 기업이 지속적으로 잘 운영해 나가고 있는지 주기적으로 체크하도록 해야 한다. 기업에 갑자기 큰 변화나 문제가 발생한다면 1등의 자리에서 내려와야 하는 순간일 수도 있기 때문이다.

*보틀링 시스템: 지역별 보틀러(병 제조업자)와의 계약을 통해 지역 내 독점 판매권을 부여하는 것.

다 같이
떨어질 때 투자하기

주식 투자자가 거시적인 관점에서 경제를 바라보는 것은 중요하다. 기업도 경제 주체 중 하나이므로 경제 상황에 따른 영향을 받을 수밖에 없기 때문이다. 국가 간 분쟁, 질병, 정치적 이슈, 기후변화, 경제위기 등은 개인의 소득수준이나 소비심리, 물가 등에 큰 영향을 미치게 되므로 기업의 이익과도 직결된다고 볼 수 있다. 그렇다면 경제 상황이 좋을 때와 그렇지 않을 때 중에서 언제 주식 투자를 하는 것이 좋을까? 경제 상황이 나빠지면 개별 기업에도 좋지 않은 영향이 있을 것이므로, 경기가 좋을 때 투자하는 것이 유리할 것이라고 생각하기가 쉽다. 하지만 주식 투자를 하기 좋은 시기는 경제 상황이 좋지 않아 시장에 걱정과 우려가 만연할 때이다. 경기가 좋지 않을 때 주식 투자를 하는 것은 투자를 유리하도록 만들어줄 매우 큰 두 가지 장점을 가지고 있다. 그것은 거품 없는 가격과 큰 수익률이다.

경제적자유를 찾는 여행자를 위한 안내서

자산에 대한 수요가 과도하게 증가했을 때, 그 자산은 실제 가치보다 훨씬 높은 가격에 거래되는 모습을 보인다. 우리는 이것을 거품이라고 부른다. 거품이 있는 자산을 사고 싶어 하는 사람은 없다. 제값보다 비싼 가격에 사는 것은 손해라는 것을 알고 있기 때문이다. 문제는 사람들이 기업의 가격에 거품이 있는지 없는지 알아내기가 매우 복잡하고 어렵다는 데 있다. 거품의 유무를 제대로 판단하지 못하는 투자자는 이에 대해 깊이 생각해보지 않은 채로 섣불리 매수를 하고 마는데, 경제 상황이 좋은 시기에는 주가에 거품이 발생할 확률이 높아진다. 가격 상승에 대한 기대감으로 주식에 대한 수요가 늘기 때문이다. 증가한 수요는 가격 상승을 만들고 이는 다시 투심으로 이어져 수요를 더욱 증가시켜 더 큰 거품을 만든다. 이런 시점에는 경험이 많지 않은 투자자가 전혀 주식에 관심을 두지 않고 있다가 주변이나 미디어에서 투자로 성공한 사례가 많이 보일 때 솔깃한 마음에 투자를 결정하는 경우가 많다. 상승기에 남을 따라가는 투자는 이미 상승한 가격에 매수하는 것이므로 주가가 오르더라도 수익이 크지 않으며, 상승세가 하락세로 전환되어 거품이 빠지는 과정에서는 하락 폭이 매우 클 수 있으므로 주의가 필요하다.

반대로 위기나 침체 등으로 경제 상황이 좋지 않은 시기에는 투자 금액을 줄이거나, 투자 자체를 회피하려는 소극적인 투자자들이 늘어난다. 기업 이익 감소와 주가 하락에 대한 두려움이 커지기 때문이다. 불경기로 인해 시장에 공포가 만연해지면, 주식 시장에 풀려있던 많은 자금은 대거 이탈하게 되고 자연히 주식에 대한 수요는 줄어든다. 이 시기엔 하락에 대한 두려움에 투자를 꺼리는 사람들이 많은데, 조금만 생각을 달리 해보면 투자에 대한 사람들의 욕심이 줄어 거품이 사라지고 있다는 의미이기도 하다. 오히려 거품 없는 가격에 주식을 살 수 있는 좋은 기회로 생각해 볼 수도 있는 것이다. 경제 상황이 좋지 않을 때는 본질적인 기업의 가치와는 관계없이 다함께 하락하는 분위기를 만들어내기도 하는데, 이때 위기의 영향을 거의 받지 않거나 경제가 회복될 때까지 버텨낼 수 있는 튼튼한 기업을 찾아낸다면 좋은 투자의 기회를 잡을 수도 있다. 만약 거품이 빠지는 것을 넘어 기업 가치 대비 주식 가격이 저평가 되어있는 상황이라면, 경기가 회복되는 것만으로도 아주 큰 수익을 누리게 된다.

축젯날 전통시장에 가면 아주 많은 사람들이 모인다. 이런 날 맛집이라고 알려진 유명한 식당에 가면 대체로 만족스러운 식사를 하기가 어렵다. 가게 앞 대기 줄은 길게 늘어져 1시간 가까이 웨이팅을 해야 하는 것은 물론이고, 정신없이 바쁘게 일하는 점원에게는 친절함을 기대하기가 어려우며, 평소라면 사 먹지도 않을 가격에 바가지를 쓰기 딱 좋다. 이런 상황에서는 아무리 음식이 맛이 있더라도 좋은 기억을 남기기가 어렵다. 반대로 비수기, 그것도 사람들이 잘 찾아오지 않는 평일 낮 시간대에 식당에 가면 어떨까? 합리적인 가격에 친절한 점원들이 정성 들여 준비한 식사를 여유롭게 즐길 수 있다. 소문난 잔치에 먹을 것 없는 법이다. 스스로 합리적인 투자자라고 생각한다면, 유행처럼 너도나도 살 때가 아니라 아무도 관심을 갖지 않는 시기에 좋은 기업을 찾고 투자하는 습관을 만드는 것이 좋다.

생활 속에서 찾아보기

　좋은 기업을 아주 쉽게 찾는 방법이 있다. 바로 우리가 직접 사용하는 제품이나 서비스를 만들어내는 기업을 살펴보는 것이다. 우리가 크게 의식하고 있지 않을 뿐 사람들은 기업이 제공하는 수많은 제품과 서비스에 둘러싸여 살고 있다. 컴퓨터, 휴대폰 어플, 가전제품, 의류, 커피, SNS, 자동차, 음악에 이르기까지 소비자가 돈을 내고 사용하고 있는 모든 것들은 기업에서 생산한 것들이 대부분이다. 이렇게 생활 속에서 사용되는 제품이나 서비스를 제공하는 기업의 주식을 선택하는 것은 매우 좋은 아이디어다. 실제로 이용하고 있는 제품이나 서비스에 대하여 직관적으로 이해하고, 해당 기업의 성장 잠재력을 예측하는 데 도움이 되는 경험을 해볼 수 있기 때문이다. 판매되는 아이템을 직접 사용함으로써 그것이 얼마나 실용적이며 시장에서 필요로 하는 것인지를 직접 경험하는 것은, 투자자가 기업의 성장 가능성을 손쉽게 가늠해 볼 수 있는 기준을 마련해준다. 기업의 혁신 능력과 경쟁력을 피부로 먼저 감지하고 시장 동향을 파악한다면, 이해하기 어려운 기업에 투자할 때와는 달리 비교적 쉽게 투자 결정을 내릴 수 있다. 이러한 방식의 투자는 자신의 지식과 경험을 활용하여 더 높은 투자 성공률을 추구할 수 있는 좋은 전략이라고 할 수 있다.

예를 들어, 우리에게 친숙한 기업이 로봇청소기나 건조기와 같은 새로운 가전제품을 출시했다고 생각해 보자. 해당 제품을 유튜버들이 광고도 받지 않은 채 앞다투어 리뷰할 정도로 사람들의 관심이 매우 높고, 먼저 사용 해본 사람들이 혼수 마련 필수템이라며 칭찬하기 바쁘며, 실제로 사용해 보니 앞으로는 이 제품 없이 사는 것이 불편하겠다는 생각이 들 정도로 만족감이 높은 제품이라면? 특별한 사정이 없는 한 그것을 생산한 기업의 실적이나 현금흐름이 좋아지게 될 것이라는 것을 어렵지 않게 추측해 볼 수 있다. 이에 더해 그 기업이 지속해서 제품 성능 및 디자인을 개선하고 있거나, 이전에 없던 새로운 제품을 만들어 소비자들을 끌어모으고 있다면? 미래에도 기업 이익과 브랜드 가치는 꾸준히 성장하게 될 것이라는 합리적인 기대를 해볼 수 있다. 어떤가? 너무 간단하지 않은가? 기업 분석이 반드시 복잡해야만 하는 것은 아니다. 때로는 상식 수준에서 기업을 바라보는 것 만으로도 얼마든지 좋은 기업을 찾을 수 있다.

결국 기업이 만든 것을 소비하는 주체는 대중이다. 대중은 수요를 만들어내며, 기업의 이익은 수요에서 나온다. 투자자가 아닌 소비자의 입장에서 기업과 아이템을 살피는 것은 투자하려는 사업의 향방을 알 수 있는 좋은 열쇠를 마련해 준다. 훌륭한 기업을 찾기 위해서는 이처럼 소비자의 지갑이 열릴 것인지 예측해 보는 습관이 필요하다. 건강에 대한 사람들의 관심 증가에 따른 운동기구 및 스포츠 의류 시장의 성장, 국민 경제 수준 성장으로 인한 취미 또는 여행 등 여가 관련 아이템의 유행, 고령화 지속에 따른 헬스케어 및 노인들을 위한 제품의 필요성 증가, 1인 가구 증가로 인한 펫 관련 산업의 성장과 같은 것들은 상대적으로 수요의 증감을 예측하기가 어렵지 않은 산업 분야다. 우리가 언제나 보고 듣고 경험하고 있는 사람들의 소비 패턴이기 때문이다. 모든 사람들은 태어난 이후로 수십 년간 살아오면서 자신도 모르게 축적해 온 소비 경험을 가지고 있다. 이를 데이터로 활용하면 되는 것이다.

친숙한 아이템을 만드는 기업에 투자하는 것은 기업에 대한 신뢰를 가질 수 있도록 하며, 이러한 신뢰는 투자에 대한 확신을 만들어내는 데에도 도움이 된다. 투자로 인해 발생하는 심리를 컨트롤해야 한다는 점에서 투자자의 확신은 매우 중요하다. 자신이 투자한 산업을 강하게 믿는 만큼 자산 가격의 등락에서 오는 욕심이나 공포로부터 멀어질 수 있기 때문이다. 내가 직접 경험할 수 있는 생활 속 기업은 이해하기 쉬운 산업에 속하므로 신뢰를 갖기가 어렵지 않지만, 일상생활과 거리가 멀게 느껴지는 기업을 믿고 돈을 맡기려 하면 자신이 내린 결정에 대한 의문이 생기게 마련이다. 투자 경험이 많지 않은 편이라면 자신에게 익숙한 기업부터 들여다보는 것이 좋다. 취미 또는 관심사에 따라 남들보다 잘 알고 있는 분야에 속하는 기업이라면 투자는 한층 더 유리해진다.

이와 같은 방법을 사용하여 투자할 때 주의할 점은 내가 경험하고 있는 제품이나 서비스를 제공하는 기업의 주식에만 집중하면 안 된다는 것이다. 우리에게 친숙한 기업들은 대부분 특정 업종에서 우위를 점하고 있거나 우수한 아이템을 보유하고 있는 훌륭한 기업임은 분명하나, 경영의 방향 또는 기술이 시대에 뒤떨어지거나 경쟁력을 잃는다면 그 기업의 가치는 떨어지게 될 수도 있다. 따라서 생활 속에서 찾은 주식에 투자할 때는 선택한 회사의 재무제표, 실적, 브랜드가치, 차별화 전략, 시장점유율 등을 경쟁 업체와 비교해 보며 분석하는 방법을 함께 사용하는 것이 좋다. 이를 통해 투자의 객관성을 확보한다면 미래 기업 가치와 위험도 예측에 대한 정확도를 좀 더 높일 수 있다.

미래의 모습을
한 번 그려보자

과학상상화 그리기 대회를 기억하는가? 상상을 하는 것도 그림을 그리는 것도 좋아했던 필자는 매년 4월마다 학교에서 진행하는 이 행사에 정말 열심히 참여했었다. 그림 실력이 그렇게 뛰어나지 않은 편임에도 종종 상장을 받곤 했는데, 진지하게 고민하며 아이디어를 생각하는 모습을 선생님께서 좋게 봐주셨던 게 아닐까 싶다. 당시 필자가 그렸던 것들은 스스로 운전하는 자동차, 집안일이나 숙제를 해주는 로봇, 화상 전화기, 온라인 쇼핑, 우주여행과 같은 것이었다. 먼 미래에는 사람들이 생활하는 모습이 이렇지 않을까 하고 생각하면서 말이다. 그러나 지금은 더 이상 상상화로 그것들을 그릴 수가 없게 되었다. 20여 년이 지난 지금 그림 속 상상들은 대부분 현실이 되었거나 현실이 되는 과정에 있기 때문이다. 한참 뒤에나 가능할 것으로 생각했던 모습들이 실제로 가능해지고 있는 것을 보고 있자면 세상의 발전이 참 빠르다는 생각이 든다.

기술의 발전은 우리에게 매우 큰 삶의 변화를 가져다주었다. 모바일기기와 통신의 발전은 집에서도 은행 업무를 처리하거나 물건을 구매할 수 있도록 만들어 주었고, OTT 서비스 및 동영상 플랫폼은 언제든 자신이 시청하고 싶은 시간에 영상 컨텐츠를 즐길 수 있게 해주었으며, PC의 개발은 개인의 생산성과 전문성을 비약적으로 증가시켰다. 지금은 너무나도 당연하게 누리고 있는 것들이지만, 과거에는 상상하기조차 어려웠던 생활 모습이다. 기술의 발전으로 인해 사람들의 생활은 점차 편리해지는 방향으로 눈에 띄게 변화해 왔다.

사람들의 생활 양식이 바뀔 정도로 변화가 있었다는 것은 무엇을 의미할까? 바로 그 기술을 활용한 제품이나 서비스에 엄청난 수요가 발생한 것임을 뜻한다. 그것이 이전에는 상상하기도 어려웠을 정도로 새로운 것이라면, 수요의 증가는 매우 폭발적으로 나타난다. 소비자들이 너도나도 지갑을 열고 달려드는 강력한 아이템이 탄생하게 되는 것이다. 그것을 생산하는 기업은 새로운 시장의 개척과 함께 돈을 쓸어 담으며 무섭게 성장하는 모습을 보여준다. 이런 커다란 변화를 보여주는 기업에 투자했다면, 그 투자금은 현재 어떻게 되었을까? 기업의 성장 속도와 마찬가지로 투자자의 자산도 빠르게 늘어났을 것이다. 그런 기업들의 주가 그래프가 보여주는 모습처럼 말이다.

경제적자유를 찾는 여행자를 위한 안내서

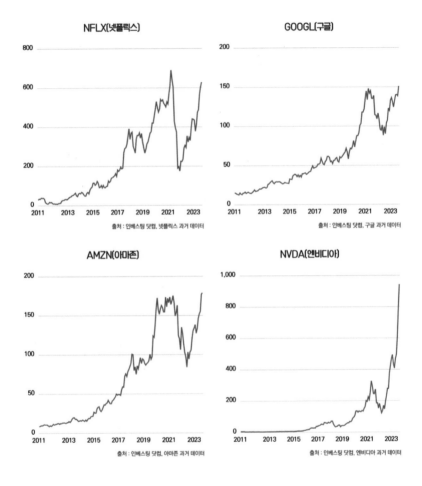

앞으로 미래에는 어떤 상상이 현실이 되어 우리 앞에 나타나게 될까. 당장은 그것이 무엇인지 알 수 없으나, 사람들의 생활 모습에 영향을 줄 만한 파급력이 있는 산업이라면 그것을 생산해 내는 기업에 엄청난 기회가 있음에는 틀림이 없다. 인류가 존재하는 한 앞으로도 세상은 계속 발전하고 변화해 나갈 것이다. 로봇, AI, 양자컴퓨터 등 다양한 형태로 우리 앞에 나타나 대중이 원하는 것을 소비할 수 있도록 말이다.

주식 투자는 물건을 소비할 때와는 다르게 현재의 가치 뿐만 아니라 미래의 가치도 함께 고려되어야 한다. 그러므로 투자자는 앞으로 어떤 변화가 있을 것인지 관심을 가지고 나름의 시나리오를 생각해 보는 습관을 들이는 것이 좋다. 각종 포럼에서 발표하는 신기술, 국가에서 주목하는 기술에 대한 정책 관련 기사, 전문가들의 미래 전망 리포트 등을 살펴보는 것은 미래 사회의 모습을 예측할 수 있는 단서를 찾는데 도움이 될 것이다.

세상이 어떻게 바뀌게 될지 고민해 보고 어디로 돈이 몰리게 될 것인지 나름의 합리적인 추측을 해본다면, 적은 금액으로도 인생을 바꿔줄 만한 투자의 기회를 만나게 될지도 모른다.

공부는 안 하면서
인서울은 하고 싶다면

'공부는 안 하면서 서울대는 가고 싶어 한다.'

욕심은 많은데 할 일을 게을리하는 사람을 보고 필자가 곧잘 하는 말이다. 조금만 노력해도 원하는 것을 모두 얻을 수 있다면 참 행복하겠지만, 사람 사는 일의 대부분은 운이나 요행보다는 기브 앤 테이크로 설명이 되는 경우가 훨씬 더 많다. 원하는 것이 있다면 그것을 얻고 싶은 만큼 노력도 할 줄 알아야 한다. 설령 그것이 힘들고 하기 싫은 일이라고 해도 말이다. 주식 투자를 할 때에도 마찬가지다. 반드시 공부가 투자의 성공을 담보하는 것은 아니지만, 노력으로 쌓아 올린 지식과 경험이 성공의 확률을 높여줄 수 있음은 분명한 사실이다. 하지만 안타깝게도 대부분의 사람들은 기본적으로 게으름을 가지고 세상에 태어났다. 이 세상엔 공부보다는 게임이나 연예인에 관심이 있는 학생들이 더 많고, 독서나 운동 등 자기계발의 필요성은 느끼지만 퇴근 후 술자리나 넷플릭스, 유튜브로 시간을 채우는 직장인들이 더 많다.

이런 이야기를 하는 필자 역시 게으름을 가지고 태어난 사람 중 한 명이다. 어릴 적 만화 속 분신술을 사용하는 닌자 캐릭터를 보며 숙제나 시험 공부를 대신 해주는 분신이 있으면 참 좋겠다는 생각을 자주 했었던 것을 생각해 보면, 게으름도 보통 게으름이 아니었던 것 같다. 그런 입장에서 게으른 사람들을 나쁘다고 말하고 싶지는 않다. 먹고 살기 위해서는 해야 할 일이 참 많다. 그 와중에 주식 공부까지 하라고 하면 하기 싫은 것이 어찌 보면 당연하지 않을까. 게으름은 죄가 아니라 사람이 지닌 지극히 평범한 특성 중 하나일 뿐이다. 허나 스스로 생각해 보았을 때 진지하게 투자를 해보고 싶다는 마음을 가지고 있다면, 적어도 주식 투자와 관련해서 만큼은 어떤 식으로든 게으름을 극복할 수 있어야 한다. 그렇지 않으면 투자하려는 기업에 대해 제대로 이해하기가 어렵고, 선택에 대한 근거가 빈약하여 가격 변동에 민감해지기 때문이다. 나름의 타당한 근거 없이 상승에 대한 기대감에 의지하는 주식투자는 좋은 결과를 지속하기 어렵다.

주식 투자자가 게으름을 극복할 방법은 무엇이 있을까? 가장 확실하면서도 훌륭한 방법은 지금이라도 부지런한 투자자가 되어 좋은 기업을 찾기 위해 노력하는 것이지만, 그것이 가능한 사람이라면 애초에 게으름이 큰 문제가 되지는 않았을 것이므로 이에 대해 논할 필요는 없을 것 같다. 다수가 편하게 받아들일 수 있는 방법은 두 번째로 훌륭한 방법인데, 바로 '효율성'을 갖추어 게으름이 만들어놓은 구멍을 메우는 방법이다. 효율성은 투입한 시간, 노력, 비용 등에 비해 얻게 되는 이득이나 효과가 큰 경우를 나타내는 말이다. 좋은 기업을 찾는 공부에 많은 시간과 노력을 들이고 싶지 않다면, 정당한 대가를 지불하고 외주를 맡김으로써 투자의 효율성을 획득하면 된다. 효율은 게으름 자체를 해결해 주지는 못하지만, 그것에서 파생되는 문제를 적은 노력으로도 상당 부분 해결할 수 있도록 돕는 효과가 있다.

숙제나 시험을 대신 해결해 주는 것은 규칙이나 법에 의해 금지되어 있지만, 감사하게도 주식시장에서는 법이 보장하는 테두리 안에서 얼마든지 투자를 대신해 주는 것이 가능하다. 이것을 가능하게 해주는 대표적인 상품이 ETF이다.

[ETF]

ETF(Exchange Traded Fund)는 다른 말로 상장지수펀드라고도 하는데, 펀드를 주식 시장에 상장시켜 주식처럼 쉽게 사고팔 수 있도록 만든 상품이다. 투자자 대신에 펀드 운용사가 나름의 기준에 따라 선별하거나 모아둔 주식들을 투자할 수 있도록 만들어둔 주식꾸러미라고 생각하면 이해가 쉽다. ETF 투자는 투자 종목을 알아서 관리해 주기 때문에 투자자가 개별 종목을 하나하나 살피며 따져보는 시간과 노력을 투입하는 부담을 덜어줄 수 있다. 이 외에도 거래가 쉬워 시장의 변화에 대응하기가 쉽다는 점, 분산투자로 안정성을 높일 수 있다는 점, 하나의 기업이 아닌 지수 또는 산업 전체에 투자할 수 있다는 점은 게으른 투자자가 편리하게 주식 투자를 하도록 만들어주는 ETF의 장점이다.

SPY와 QQQ는 미국 시장에서 거래되는 대표적인 ETF이며 이외에도 지수, 배당, 채권, 원자재, 산업섹터 등 다양한 테마나 기준을 바탕으로 수많은 ETF가 상장되어 있다. 투자자는 자신의 필요에 맞게 이들을 조합하여 투자를 구성하기만 하면 된다.

종류별 ETF	
주가 지수	SPY, VOO, IVV, QQQ, DIA
배당	SPHD, SCHD, JEPI, QYLD
채권	SGOV, SHY, IEF, TLT
원자재	GLD, COPX, LIT, GSG
산업섹터	XLK, XLF, XLV, XLY, XLP, XLE

ETF는 크게 패시브 ETF와 액티브 ETF로 분류할 수 있는데, 패시브 ETF는 특정 지수를 추종하고 펀드매니저의 개입을 최소화한다는 특징이 있다. 이와 반대로 액티브 ETF는 시장 평균보다 더 높은 성과를 만들기 위하여 펀드매니저의 능동적인 개입을 통해 운용된다. 따라서 자신의 의지에 따라 투자를 구성하기 위해서는 패시브 ETF를, 펀드매니저의 능력을 신용한다면 액티브 ETF를 활용하면 된다.

ETF에 투자를 할 때 투자자가 판단해야 할 것은 해당 펀드에 대한 신뢰도다. ETF 또한 개별 주식에 비하여 상대적으로 안전한 투자일 뿐 리스크가 없는 안전한 자산은 아니기 때문이다. 섣불리 투자를 결정하기 전, 나의 투자금을 믿고 맡겨도 될 만한지 살펴보는 최소한의 성의는 필요하다. ETF 투자를 할 때 투자자가 살펴볼 기준은 크게 4가지가 있다.

1. 믿을만한 운용사인가?
2. 운용 기간이 너무 짧지는 않은가?
3. 보수(수수료)는 얼마인가?
4. 해당 ETF의 자산 규모는 얼마인가?

이러한 기준들을 통해 신뢰할 수 있는 ETF라는 생각이 들었다면, 투자를 긍정적으로 검토해 볼 수 있다. 시장에서 자산 규모가 큰 우량한 ETF부터 살펴보며 나의 목적과 필요에 맞는 투자처를 찾아보도록 하자.

주식 투자를 하기로 마음먹었다고 해서 모든 사람이 마치 수험생처럼 공부를 할 필요는 없다. 내가 원하는 미래를 만들기 위해서 하는 것이 투자이지만, 현재 우리가 살고 있는 삶도 다시 돌아오지 않을 소중한 순간이다. 주식 관련 공부가 전혀 즐거움을 주지 않는 노동처럼 느껴지거나 투입하는 시간이 아깝다는 생각이 든다면, 투자는 전문가에게 맡기고 스스로의 행복과 성장을 위한 일에 집중하는 것도 좋은 전략일 수 있다. ETF를 활용하여 투자의 효율을 갖춰보도록 하자. 서울대는 힘들지만 적은 공부로도 인서울 정도는 할 수 있다.

좋은 주식, 좋은 가격

현대인이 사용하는 필수품을 꼽으라면 아마 스마트폰을 이야기하는 사람이 제일 많을 것이다. 요즘은 초등학생들 중에서도 스마트폰이 없는 경우를 거의 찾아볼 수 없을 정도인데, 그중에서도 사람들에게 가장 인기가 많은 제품은 아이폰이다. 애플에서 생산하는 제품은 노트북, 무선이어폰, 스마트폰, 스마트패드 등 종류를 가리지 않고 불티나게 팔리며 신제품이 나올 때마다 IT 관련 유튜버들은 앞다투어 리뷰하기 바쁘고 소비자들은 홀린 듯이 줄을 서서 값비싼 제품들을 기꺼이 결제한다. 학생들이 가장 받고 싶어 하는 선물 순위에 항상 아이폰이 빠지지 않는 것을 보면 앞으로도 이런 인기는 당분간 식지 않을 것 같다. 품질이든 감성이든 아이폰이 대단한 제품임은 부정할 수가 없다.

경제적자유를 찾는 여행자를 위한 안내서

이렇게 좋은 제품인 신형 아이폰을 당신에게만 50만원에 팔고 있다면 구매할 의향이 있는가? 아마 대부분이 그렇다라고 대답할 것이다. 당장 구매하여 그것을 원하는 사람에게 되팔기만 해도 이득이기 때문이다. 그렇다면 금액을 바꿔 다시 한번 질문 해보고 싶다. 똑같은 제품을 500만원에 팔고 있다면 구매할 의향이 있는가? 만약 구매하지 않겠다고 생각했다면 그 이유는 분명 가격이 비싸기 때문일 것이다. 사람들은 스마트폰이 아무리 비싸 봐야 150만원 내외라는 것을 잘 알고 있다. 가격이 50만원이든 500만원이든 파는 물건이 같은 것이었으므로 두 경우 모두 제품의 품질은 변함없이 훌륭했다. 가격이 합리적인지의 여부에 따라 소비에 대한 결정이 바뀐 것이다.

소비자는 자신이 가지고 있는 자본 내에서 최대한의 만족을 만들어내기 위해 합리적인 소비를 추구한다. 제 아무리 좋은 물건이라고 하더라도 구매를 통해 얻을 만족감에 비해 가격이 터무니 없이 비싸다면, 소비를 하지 않는 편이 낫다. 어리석은 소비로 다른 소비를 할 수 있는 기회를 잃어버리거나, 필수적으로 지출해야만 하는 곳에 돈을 지불하지 못하는 곤란한 상황을 만들어서는 안되기 때문이다. 그런 어리석은 소비를 막기 위해 사람들은 흔히 말하는 가성비가 좋은 물건을 찾는다. 대부분의 소비자는 품질과 가격을 비교해 보고 합리적인 의사결정을 내릴 수 있는 능력을 갖추고 있다.

그러나 이렇게 똑똑한 소비자들이 투자자가 되면 머릿속에서 가격을 지워버리는 경향이 있다. 자신의 돈을 조금이라도 아끼기 위해서 마트에서

뭐가 더 저렴한 제품인지 계산해 보며 비교하고, 면세품이나 최저가를 찾으려고 발품 파는 것을 마다하지 않던 사람들이, 단지 투자할 기업이 좋은 기업이라는 이유만으로 가격이 저렴한 지 비싼 지 생각해보지 않고 인생에서 몇 안 되는 커다란 결정을 하고 만다. 소비에 사용하던 금액과는 비교도 안되는 훨씬 큰돈을 사용하는 순간인데도 말이다. 이런 식의 투자를 하는 사람에겐 아이폰을 500만원에 구입하는 사람을 어리석다고 말할 자격이 없다. 필자가 보기에는 소비냐 투자냐의 차이가 있을 뿐, 합리적이지 못한 선택이라는 점에서 크게 다르게 보이지 않는다.

투자도 소비를 할 때와 마찬가지여야 한다. 내가 투자한 기업이 매우 훌륭하고 우량하더라도 좋은 가격이 아니라면 성공적인 결과를 만들어내기 어렵다. 같은 기업에 투자했더라도, 어떤 이는 인생을 바꿀 수 있을 만한 이득을 얻어가고 어떤 이는 피땀 흘려 모은 소중한 돈을 크게 잃고 밤에 잠을 이루지 못한다. 투자 시점에 따라 그 가격이 천차만별이기 때문이다.

혹시 자가용을 소유하고 있는가? 처음으로 차를 구매할 때를 떠올려보자. 연비가 어떤지, 옵션은 어떻게 해야할지, 할인 수단은 무엇이 있는지, 디자인이나 승차감은 어떤지, 안전한 자동차인지 등 지나칠 정도로 꼼꼼하게 장단점을 따져본 뒤에 그것이 합리적인 가격이라고 생각이 될 때 구매를 결정했을 것이다. 투자도 그래야 한다. 단지 좋은 자산이라고 해서 제값의 몇 배나 되는 가격을 주고 살 필요는 없다. 투자하고 싶은 기업이 생겼다면 그것의 가격은 어떤지 반드시 생각해 보도록 하자. 돈을 벌게 해주는 성공적인 투자는 좋은 자산을 좋은 가격에 샀을 때부터 시작된다.

주식 투자가 쉬워지는 방법

주식 투자는 어려운 투자라고 생각하는 사람들이 많다. 주식이 사람들에게 어렵게 느껴지는 이유는 무엇일까? 다양한 원인이 있겠지만 그중 가장 큰 이유는 높은 변동성이다. 변동성이 낮은 자산에 속하는 부동산은 대출까지 끌어다 쓰며 아무렇지 않게 몇억씩이나 하는 돈을 들여 사는 사람들이, 주식에 투자할 때는 부동산의 반의반도 안 되는 금액으로도 스트레스를 받는 모습이 흔하게 보인다. 이는 주식 시장이 만들어내는 높은 변동성을 감당하기가 어려운 경우에 나타나는 현상이다.

가격의 움직임이 커진다는 것은 곧 리스크의 증가를 의미하는데, 리스크가 커지면 투자자가 받을 스트레스 또한 커진다. 높은 스트레스가 주는 압박으로 인해 심리를 컨트롤하기가 어려워진 투자자는 스스로 판단력을 흐린다. 투자를 바라보는 시야는 좁아지고, 스스로 내린 선택을 계속 의심하게 된다. 이로 인해 수익과는 거리가 먼 이상한 매매를 하게 되고 투자가 점점 어려워지는 것이다.

출처 : 한국부동산원, 인베스팅 닷컴

[부동산과 주식의 변동성 비교]

변동성을 감당하기가 어려운 사람들에게는 확실히 주식 투자가 어렵게 느껴질 수도 있을 것 같다. 그런데 역으로 생각해 보면 어떨까? **'높은 변동성을 줄여 감당하기 어렵지 않은 범위 내로 조절하면, 주식 투자를 쉽게 만들 수 있다'**는 의미로 해석해 볼 수도 있다. 투자를 어렵게 만드는 원인을 제거하면 문제는 간단히 해결된다. 변동성을 다스리는 방법을 찾아 투자에 적용하면 되는 것이다.

변동성을 줄이는 가장 쉬운 방법은 투자금을 나눠서 사고, 나눠서 파는 것이다. 사람들은 이것을 **분할 매수, 분할 매도**라고 부른다. 분할 매수, 분할 매도를 실천하는 방법은 매우 간단하다. 투자금을 여러 개로 쪼개서 가격이 내려갈 때마다 매수하고 올라갈 때마다 매도하면 된다. 매매 시점을 정하는 기준은 수익률이 될 수도, 특정한 주식의 가격이 될 수도 있다.

경제적자유를 찾는 여행자를 위한 안내서

예를 들어 투자금이 1,000만원이라면 그것을 5등분 하여 처음 매수한 가격을 기준으로 20% 떨어질 때마다 200만원씩 매수하고, 20% 상승할 때마다 200만원씩 매도할 수 있다. 혹은 10등분으로 투자금을 나누어 자신이 정한 가격이 될 때마다 100만원씩 사고팔 수도 있다. 싸지면 사고, 비싸지면 파는 전략이다.

-60%	-40%	-20%	첫 매수 가격	+20%	+40%	+60%
200만원 추가 매수	200만원 추가 매수	200만원 추가 매수	200만원 매수	200만원 매도	200만원 매도	200만원 매도

가령 변동성이 큰 주식 중 하나인 테슬라에 투자했다고 생각해 보자. 투자를 시작한 시점이 2022년 1월이라고 가정했을 때, 투자금을 모두 한 번에 투자했다면 매수 평균 가격은 314달러가 된다. 이 주식을 2023년 9월까지 계속 보유할 경우 최고가(361달러) 기준 15%의 수익을 얻을 수 있고, 최저가(101달러) 기준 -67%의 손실을 보게 된다.

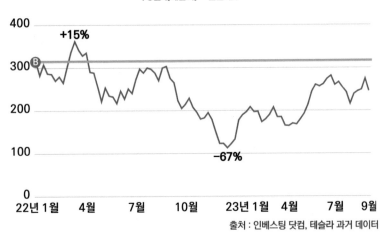

TSLA(테슬라) - 일괄매수

출처 : 인베스팅 닷컴, 테슬라 과거 데이터

반면 같은 시기에 투자금을 나누어 주가가 40달러씩 오르거나 떨어질 때마다 일정 금액을 매매하는 전략을 사용한다면 어떻게 될까?

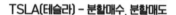

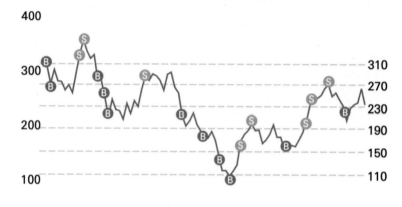

출처 : 인베스팅 닷컴, 테슬라 과거 데이터

이 경우 매수, 매도에 따라 평균 매수 가격과 투자한 금액이 수시로 변화하게 되므로, 일괄 매매의 수익률과 비교하려면 전체 투자금에 대한 누적 수익률의 흐름을 확인해야 한다. 결과적으로 분할 매매 전략은 우측 표에 나온 것처럼 최대 수익률 41%, 최대 손실률 -39%를 기록하게 된다.

경제적자유를 찾는 여행자를 위한 안내서

시점	주가	매매	수익률
2022. 1. 21.	314	1번 매수	0%
2022. 1. 27.	276	2번 매수	-2.4%
2022. 2. 22.	331	2번 매도	5%
2022. 3. 28.	363	1번 매도	7.1%
2022. 4. 26.	292	1번 매수	7.1%
2022. 5. 9.	262	2번 매수	5%
2022. 5. 18.	236	3번 매수	1.2%
2022. 7. 28.	280	3번 매도	11.3%
2022. 10. 6.	238	3번 매수	5.3%
2022. 11. 7.	197	4번 매수	-4%
2022. 12. 14.	156	5번 매수	-17.6%
2022. 12. 27.	109	6번 매수	-39.1%
2023. 1. 26.	160	6번 매도	-6.4%
2023. 2. 8.	201	5번 매도	12.3%
2023. 4. 26.	153	5번 매수	-3.4%
2023. 5. 30.	201	5번 매도	18.6%
2023. 6. 9.	244	4번 매도	32.8%
2023. 7. 5.	282	3번 매도	41.5%

분할 매매 전략을 활용하면 한꺼번에 모든 투자금을 쏟아부었을 때보다 주가 하락으로 인한 위험이 크게 줄어드는 효과가 있다는 것을 확인할 수 있다. 같은 시기에 똑같은 종목으로 투자를 시작했더라도 변동성으로 인한 리스크 측면에서 전혀 다른 투자가 되는 셈이다. 그리고 예시로 든 경우처럼 주가가 비싼 시점에 투자를 시작했다면, 분할 매매가 수익률이 오히려 더 높을 때도 있다.

분할 매수, 분할 매도는 투자의 변동성을 줄이는 것 외에도 가격을 예측할 필요가 없다는 것이 투자자를 유리하게 만들어주는 특징이다. 주식 투자를 잘하려면 기업의 주식을 좋은 가격에 사야 한다. 말은 참 쉽지만, 일반인들이 기업의 밸류에이션을 정확하게 하고 적정 주가를 계산해 내는 것은 매우 어려운 일이다. 주식은 물건처럼 가격이 정해져 있는 것도 아니다. 전문가라는 사람들도 생각하는 적정 주가가 천차만별인데, 이런 가운데 우리가 주가를 보고 그것이 저렴한지 비싼지 정확하게 판단하는 것은 무리가 있어 보인다. 이를 보완하기 위해 분할 매매 전략을 사용하는 것이다. 가격을 예측할 필요 없이 하락에 사고, 상승에 팔면 되기 때문이다.

또한, 투자의 안정성이 높아진다는 것도 분할 매매가 가진 큰 장점이다. 하락 시에도 주가가 반등할 때마다 일부 수익 실현을 하면서 내려갈 수 있으므로, 손실을 조금씩 방어하면서 하락장을 버틸 수 있게 된다. 상장 폐지될 이상한 기업에 투자한 것이 아니라면, 첫 투자에 실패했더라도 다시 일어설 기회를 얻게 되는 것이다.

주식 투자를 하면서 자신이 어느 정도의 리스크를 감당할 수 있는지 생각해 보고, 그에 맞추어 적정 수준의 변동성을 유지할 수 있다면 투자는 불안한 것이 아니라 나에게 도움을 주는 것, 즐거운 것이 된다. 분할 매수 분할 매도 전략을 활용하여 감당 가능한 범위 내로 변동성을 조절해 보자. 어렵기만 하던 주식 투자가 쉬워지는 것을 느낄 수 있을 것이다.

분산 투자의 중요성

주식 시장에서 정말 좋아 보이는 종목을 발견했다면 보유 자금의 몇 퍼센트를 투자하는 것이 좋을까? 30%? 50%? 100%? 정해진 답은 없지만 어지간하면 하지 말아야 할 선택이 있긴 하다. 바로 가진 투자금을 모두 한 종목에 100퍼센트 집중 투자하는 것이다.

집중 투자는 장단점이 명확한 투자법이다. 크게 오를 종목을 잘 선택하는 경우 높은 수익을 얻을 수 있지만, 반대의 경우 손실도 매우 크다. 투자자는 이런 특성 때문에 집중 투자의 유혹에 빠지기가 쉽다. 사람들은 빠른 길을 가고 싶어 한다. 안정적으로 투자를 운영하다가도 원하는 목표를 달성할 때까지 시간이 오래 걸릴 것 같다는 생각이 들면 어느새 조급증이 찾아온다. 그런 순간에 투자금을 빠르게 불려 줄 종목을 발견했다는 생각이 들면 위험하다는 것을 알면서도 높은 기대 수익을 바라보며 집중 투자에 욕심을 갖게 된다. 그렇다 보니 급등한 주식들을 보며 '여기에 투자금을 모두 넣었다면 어떻게 되었을까?'와 같은 생각을 하게 되는 것이다.

집중 투자의 문제는 투자한 종목이 크게 하락했을 때 발생한다. 보통 집중 투자를 선택하는 사람들은 움직임이 둔한, 소위 말하는 재미없는 주식을 사지 않는다. 인생을 바꿔줄 수 있을 만큼 높은 상승이 기대되는 변동성이 큰 주식을 선택하는 경우가 많다. 이런 주식에 투자금을 전부 집중 투자하게 된다면 확실히 인생을 바꿀 수는 있다. 하지만 그것이 기대하는 긍정적인 방향이 될지, 부정적인 방향이 될지는 함부로 예단하기 어렵다. 거기다 투자금의 출처가 단기간 내에 사용해야 하는 목적이 있는 돈이거나, 퇴직금 또는 대출금과 같이 잃었을 때 큰 타격을 받을 수 있는 중요한 돈이라면? 아마 밤에 잠도 잘 오지 않는 자신을 발견하게 될 것이다.

투자를 하다보면 지정학적 요소, 정치적 규제, 분식 회계, 내부 비리 등 주식의 가격을 예상하기 어렵게 만드는 요소를 수도 없이 만나게 된다. 이 가운데 우리가 선택한 종목이 각종 요소들을 모두 이겨내고 수익을 안겨줄 것이라 100퍼센트 확신할 수 있는가? 하락 시에 겪을 고통을 생각조차 해보지 않은 투자라면, 결과적으로 그 종목이 큰 수익을 안겨준다 해도 옳은 투자라고 할 수 없다.

이런 상황을 겪고 있는 투자자들에게는 분산 투자가 필요하다. 분산 투자란 투자금을 여러 자산에 나누어 투자하는 방법으로, 하나의 자산에 중

점적으로 투자하는 집중투자와는 대비되는 개념이다. 투자를 하다 보면 분산투자의 중요성에 대한 이야기를 자주 들을 수 있는데, 많은 사람이 분산투자에 대해 이야기하지만 그것을 주장하는 근거는 하나다. 리스크와 실패 확률을 줄이는 것, 그것이 분산 투자를 하는 이유다. 예를 들어 A 기업 하나에 집중 투자를 하였을 경우, 그 주식가격이 반토막이 났다면 전체 손실은 -50%가 된다. 반면 A 기업을 포함한 10개의 종목에 분산 투자했다면? 전체 손실은 -5%로 줄어든다. 집중투자를 했을 때보다 리스크가 10분의 1로 줄어들게 되는 것이다. 이런 방법으로 예상되는 리스크를 줄이면, 투자의 안정성을 높일 수 있다.

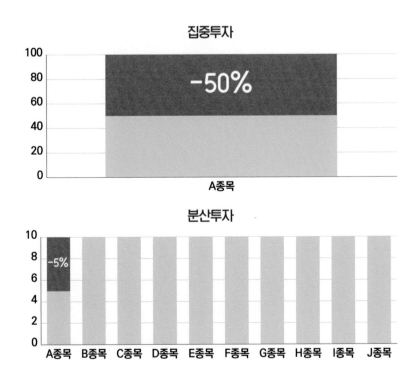

분산투자를 할 때 유의할 점은, 단순히 기업을 여러 개 나누어 사는 것으로 분산투자가 완성되었다고 생각하면 안 된다는 것이다. 좀 더 효과적으로 분산투자를 하려면 종목의 수뿐만 아니라 산업을 나누는 것도 고려하는 것이 좋다.

만약 5개의 기업에 분산투자를 했는데, 투자한 기업들이 모두 반도체기업이라면 어떨까? 반도체 업황이 좋지 않은 시기가 오면 가지고 있는 모든 종목이 하락하게 될 것이다. 이렇게 종목의 수만 늘린 투자는 특정 기업에 대한 리스크를 줄일 수는 있어도, 시기별로 찾아오는 산업에 대한 리스크는 줄일 수 없다. 주가가 움직이는 시기가 각기 다른 업종에 고루 나누어 투자했을 때 분산투자는 제 기능을 발휘한다. 기술주와 경기 방어주처럼 서로 반대로 움직이는 업종으로 나누어보는 것도 좋다.

가끔 안정성에만 집중한 나머지 괜찮아 보이는 종목이 보일 때마다 사 모아서 보유 종목이 20개, 30개가 넘어가는 투자자들이 있는데, 이는 그다지 추천할 만한 방법은 아니다. 투자할 좋은 기업을 찾아 선택하는 것으로 투자가 끝나는 것이 아니기 때문이다. 그 기업이 잘 운영되고 있는지, 문제가 발생하지는 않았는지 꾸준히 살펴보는 것도 건전한 투자를 지속하는 중요한 과정이다. 전문 투자자가 아니고서야 그 많은 기업을 하나하나 신경 써가며 체크하는 것은 쉬운 일이 아니다. 우리 직장인들은 직장생활, 육아, 취미 활동, 자기 계발 등을 해내는 것만으로도 하루가 다 지나간다. 거기다가 스무 개가 넘는 종목을 체크할 시간을 만들고 그것을 지속하기는 현실적으로 어렵다.

경제적자유를 찾는 여행자를 위한 안내서

개인적으로 분산투자를 하더라도 10개가 넘는 종목에 투자하는 것은 지양하는 것이 좋다고 생각한다. 만약 그보다 많은 종목에 투자하고 싶다면, 차라리 ETF에 투자하는 것을 추천한다.

분산 투자를 추천한다고 해서, 일방적으로 집중 투자가 나쁘다고 주장하고 싶은 것이 아니다. 빠르게 원하는 경제적 목표를 이루고 싶다면 적은 종목에 집중하여 적극적인 리스크 테이킹을 하는 것도 필요하긴 하다. 잠재성이 확실한 하나의 종목에 투자해서 인생을 바꾼 사람이 많은 것도 사실이다. 다만 그 리스크를 감수할 준비가 되지 않았다면 그것이 무모한 선택일 수 있음을 알아야 한다는 것이다. 공부가 부족하던, 투자자로서의 그릇이 만들어지지 않았건 나의 투자 레벨이 집중 투자를 컨트롤하지 못하는 수준이라고 생각한다면 아직은 투자의 준비가 되지 않은 것이다. 집중 투자는 그 준비가 되고 난 뒤에 고민해도 늦지 않다.

안정적으로 여러 개의 기업에 나누어 투자하다가 스스로 준비가 되었다는 생각이 들면 그때부터 한 종목씩 줄여보는 식으로 접근하는 것이 좋다. 적당한 수익, 충분히 감당 가능한 손실을 모두 만족시킬 수 있는 종목 수를 생각해 보도록 하자. 그렇게 자신이 감당할 수 있는 수준이 어느 정도인지 확인해 가며 종목의 수를 줄여나간다면, 밤에도 잠이 잘 오는 투자를 할 수 있다.

언제 팔아야 할까?

'매수는 기술이고 매도는 예술이다.'

자산은 사는 것보다 파는 것이 훨씬 어렵다는 의미를 담고 있는 말이다. 주식을 매수하는 것은 별로 어렵지 않다. 전망이 좋을 것으로 예상되는 기업의 주식을 사기로 결정하고 해당 종목에 투자금을 밀어 넣으면 그만이기 때문이다. 반대로 매도는 정말 어렵다. 투자한 주식의 가격이 떨어졌을 때는 더 큰 손실을 막기 위해 손절했다가 주가가 다시 올라버릴까 걱정이 되고, 오르면 오르는 대로 수익 실현 후 내가 판 가격보다 더 올라서 후회하게 될까 고민이 된다. 주가의 방향과 관계없이 매도 버튼을 누르려고 하면 투자자는 불안함을 느낀다. 자산의 가격이 가파르게 오르내리는 변동성 높은 주식시장의 특성상, 결정에 대한 조급함마저 들기 때문에 매도를 판단하기는 더욱 혼란스럽다. 사는 것이든 파는 것이든 똑같은 자산에 대한 결정인데도 매도가 더 어려운 이유는 무엇일까.

경제적자유를 찾는 여행자를 위한 안내서

매도가 매수보다 어려울 수밖에 없는 이유는 논리적 근거의 유무에 있다. 매수를 할 때에는 투자자 스스로 만들어낸 자신만의 판단 근거가 있다. 이익 성장, 아이템, 재무구조, 브랜드가치, 산업 동향 등을 꼼꼼히 따져보고 기업이 앞으로 더 큰 이익을 만들어내며 성장할 수 있을 거라고 동의할 때 투자자는 매수를 결정한다. 즉, 매수를 했다는 것은 나름의 논리 구조를 바탕으로 한 투자 근거가 있었다는 뜻이다. 판단 근거가 부실하다는 생각이 들었다면 애초에 투자는 시작되지 않았을 테니 말이다. 그런데 매도를 할 때에는 이 논리적 근거가 없거나 부실해지는 경우가 많다. 기업의 가치보다는 수익률에 집중한 나머지 논리적 근거의 중요성을 잊어버리게 되기 때문이다. 기업 가치의 변화는 시간이 흘러 미래가 되어야 확인할 수 있는 것이지만, 수익률은 내 계좌에서 실시간으로 확인할 수 있다. 사람은 미래의 일 보다는 곧바로 직접 확인할 수 있는 현재의 일에 더 민감하게 반응하기 마련이다. 당장 나에게 직접적으로 영향을 주는 수익에 집중을 빼앗기다 보니, 투자를 시작했던 이유가 수익률에 가려 보이지 않게 되고 마는 것이다. 이처럼 매도의 근거가 수익률이 되어버리면, 판단에 필요한 합리적인 기준이 사라져 버린다. 팔아야 하는 이유를 모르니 당연히 매도는 어려워질 수밖에 없다.

이와 같은 고민을 하고 있는 투자자는 쉽게 매도 여부를 판단하기 위해서 나름대로 기준을 세워보는 것이 좋다. 매도 기준을 세우는 것은 어렵지 않다. 처음에 자신이 해당 종목에 투자를 시작했던 이유를 생각해 보면 된다. 그 이유가 사라지는 순간이 바로 주식을 팔아야 하는 시점이다. 투자의 근거가 반대의 상황으로 변하는 순간을 기준으로 매도를 결정하면 된다.

투자해야 할 이유가 사라졌으니, 역으로 투자를 정리하면 되는 것이다. 이를 바탕으로 생각해 볼 수 있는 기본적인 매도의 기준은 네 가지가 있다.

1. 기업의 펀더멘탈이 죽었을 때

주식 투자에서 펀더멘탈(Fundamental)이란 기업의 내재 가치를 확인할 수 있는 기본적인 데이터를 말한다. 너무 당연한 말이지만 매출 및 영업이익 감소, 재무상태 악화 등의 이유로 인해 기업의 성장 속도가 둔화되거나 역성장할 것 같다는 생각이 들었다면 투자를 해야할 가장 큰 이유가 사라진 것이다. 자연히 자산으로서의 매력은 떨어질 수밖에 없다.

2. 가격이 비쌀 때

기업이 지속적해서 성장하고 있더라도 그보다 가격이 빠르게 올라버렸다면 주가에 거품이 끼어있을 가능성이 높아진다. 아무리 좋은 기업이라고 해도 내재 가치보다 가격이 훨씬 비싼 상황이라면, 단기간에 추가적인 주가 상승을 기대하기는 어렵다. 특히 변동성이 큰 종목들의 경우 기업의 성장 속도에 비해 가격이 단기간에 과도하게 급등하는 경우가 있는데, 급하게 오른 만큼 조정이 크게 올 위험도 있다. 이럴 때는 보유 주식 전체를 매도하는 것보다는 일부 매도 후 조정에 재매수하는 방식으로 대응하는 것이 좋다. 단기적으로 주가가 급등했다고 하더라도 훌륭한 기업이라는 사실은 변화가 없기 때문이다.

경제적자유를 찾는 여행자를 위한 안내서

3. 더 좋은 자산을 찾았을 때

투자한 기업에 특별한 문제가 없더라도 매도를 해야하는 경우도 있다. 보유한 종목보다 더 매력이 있는 종목을 찾았을 때가 그런 경우에 속한다. 매력의 요소는 높은 성장성일 수도, 저평가된 가격일 수도, 수요나 산업 환경의 변화일 수도 있다. 보유 종목과 비교하여 상대적으로 훨씬 더 투자 매력이 있는 종목이라고 판단된다면, 기존의 투자를 정리하고 새로운 투자를 시작하는 것을 고려해 볼 수도 있다. 이때 주의할 점은 더 위험한 종목으로 갈아타거나, 단순히 종목의 가격이 더 많이 빠졌다고 해서 섣불리 자산을 교체하는 선택을 해서는 안된다는 것이다. 기존의 투자를 시작할 때와 마찬가지로 새로운 투자를 해야 할 합리적인 근거가 있는지 생각해 보아야 한다.

4. 나의 판단이 잘못되었다는 생각이 들었을 때

미로 찾기를 하다가 막다른 길을 만나게 되면 반드시 가던 길을 되돌아 나와야 한다. 주식 투자에서도 이런 선택을 해야 하는 순간이 있는데, 바로 자신의 판단이 틀렸다는 것을 알았을 때이다. 투자를 하다 보면 저평가인 줄 알았던 가격이 사실은 회복을 기대하기 어려운 매우 합리적인 가격이라는 것을 알았다던가, 산업 동향 또는 기업에 대한 분석이 잘못되었다던가, 극복할 수 있을 거라고 생각했던 악재가 도저히 해결될 기미가 보이지 않는 치명적인 리스크였다던가 하는 등의 상황이 발생할 때가 있다. 이런 문제는 주로 투자의 흐름이 나의 예측 범위를 크게 벗어나는 경우에 발생한다. 투자가 이런 상황에 놓여있다면 자신의 판단이 틀렸음을 인정하고 주식을 매도하여 더 이상 잘못된 방향으로 투자가 진행되지 않도록 하는 것이 중요하다. 실수를 외면하지 않고 빠르게 바로 잡을 수 있어야 큰 손실을 막을 수 있다.

이 네 가지 기준 중에서 하나라도 충족이 되지 않는다면 보유한 주식의 매도를 고려해 볼 수 있어야 한다. 투자자가 가지고 있는 논리의 근거가 약해졌기 때문이다.

매도에서 중요한 것은 투자자가 얼마나 벌었고 잃었느냐가 아니다. 기업의 가치는 투자자의 수익률로 결정되지 않는다. 주가의 변동과 관계없이 투자를 시작할 때 떠올렸던 근거가 깨지지 않았다면 계속해서 보유하면 된다. 사과나무를 심어놓고 꽤 많이 자랐다고 해서 사과나무를 자르거나 뽑아버리지는 않는다. 나무를 잘라내야 하는 순간은 나무가 병들었거나, 더 이상 열매를 많이 만들어내지 못하거나, 훨씬 더 많은 열매가 열리는 나무를 찾았을 때다. 그런 시기가 오기 전까진 지속적으로 관심을 갖고 잘 돌봐주는 것이 현명한 선택일 것이다. 투자자는 의도치 않은 매도로 인한 후회를 만들지 않도록 자신만의 기준을 가지고 선택할 수 있어야 한다. 후회 없는 매도를 하기 위해선 투자를 시작할 때 매도를 하는 시점까지 계획을 세워두는 것이 좋다.

경제적자유를 찾는 여행자를 위한 안내서

장기투자 하실 거라면서요?

　일반적으로 사람들이 생각하는 장기투자의 이미지는 매우 편안한 느낌인 것 같아 보인다. 주식을 매수한 다음 오래 가지고 있기만 하면, 자신이 원하는 수익률에 도달할 것이라고 생각하는 투자자들이 많다. 하지만 이는 실제로 장기투자를 해보기 전까지의 막연한 생각일 뿐이다. 장기투자를 하기로 마음먹고 직접 투자를 해보면, 투자를 지속하는 기간동안 IMF, 글로벌 금융위기, 무역전쟁, 팬데믹, 금리 인상, 전쟁 등과 같은 경제에 큰 영향을 주는 변수들을 수도 없이 만나게 된다. 그런 순간마다 흔들리지 않고 투자한 기업을 믿으며 버티는 것이 장기투자다.

　실제로 장기투자를 해본 투자자들은 생각보다 장기투자의 난이도가 높다는 것을 실감하게 된다. 사놓고 수면제를 먹으면 된다는 식으로 간단히 이야기하지만, 장기투자가 말만큼 쉬운 투자는 아니다. 기업에 대한 믿음과 굳은 의지가 없으면 버틸 수가 없기 때문이다. 주식을 매수하고 잊어버려야겠다고 마음을 굳게 먹고 투자를 시작했더라도, 적지 않은 금액을 넣어둔 데다 위아래로 크게 움직이는 차트를 보고 있으면 슬슬 이런 생각이 들기 시작한다.

'주가가 계속 위아래로 움직이네.
저점에서 사고 고점에서 팔았으면 금방 돈 벌었겠는데?'

단기투자, 흔히 말하는 단타의 유혹이 찾아오는 것이다. 계획대로 투자를 잘 이끌어나가다가도 이런 유혹에 솔깃하는 투자자들이 매우 많다. 성공이 단기간 내에 가져다주는 이득이 매우 탐스럽게 보이기 때문이다. 뉴스나 커뮤니티를 보면 단기 투자에 성공해서 은퇴하였거나, 빚더미에 앉아있다가 그것을 모두 갚고 성공적인 삶을 살고 있는 등 제 2의 인생을 살게된 사람들의 이야기가 넘쳐난다. 이런 이야기들을 접하다 보면 10퍼센트 남짓한 내 주식계좌의 수익률은 매우 초라해 보인다. 이에 따라 주식 차트에 있는 단기간의 변동성을 모두 이익으로 전환해보려는 욕심이 자꾸만 투자자의 마음속에서 고개를 든다. 그 중 적지 않은 사람들이 이 유혹을 떨쳐내지 못하고 단기투자에 손을 뻗는다. 미디어에서 보았던 성공적 결과들을 생각하며 혹시 나도 가능하지 않을까 하는 희망을 갖는 것이다.

하지만 기대와는 다르게 단기투자로 돌아서는 순간 계좌의 수익률은 망가지기 시작한다. 같은 종목에서 투자의 방식만 바꾸었는데도 말이다. 왜

경제적자유를 찾는 여행자를 위한 안내서

이렇게 되는 것일까? 그것은 단기 투자와 장기 투자가 전혀 다른 영역이기 때문이다. 주식 가격의 단기적인 변화는 투자자들의 심리로 인해 발생하고, 장기적인 가격 변화는 기업의 내재 가치 변동에 의해 발생한다. 단기 투자를 했다는 것은 기업을 바라보는 사람들의 심리에 투자했다는 뜻이고, 장기 투자를 했다는 것은 주식의 본질인 기업의 가치에 투자했다는 것을 의미한다. 동일한 주식을 선택했지만 완전히 새로운 자산에 투자를 하고 있는 셈이다. 이것이 장기투자와 단기투자의 가장 큰 차이다. 사람들의 심리와 기업의 내재 가치 중에서 어떤 것을 예측하는 편이 성공의 확률이 높을까? 기업의 가치 변동은 영업 실적이나 아이템, 재무상태 등의 다양한 근거 등을 통해 합리적으로 추측해 볼 수 있지만 단기간에 수시로 변화하는 사람들의 심리는 예측하기가 정말 어렵다. 열 길 물 속은 알아도 한 길 사람 속은 모른다고 하지 않던가. 같은 이슈를 놓고도 어떤 날은 주가가 오르고, 어떤 날은 주가가 떨어진다.

화려한 트레이딩으로 성공적인 결과를 만들어낸 트레이더들의 계좌를 보며 '나도 노력하면 가능하지 않을까?' 하는 생각을 갖는 사람들이 많다. 만약 여러분이 그런 생각을 하고 있다면 해주고 싶은 말이 있다. 올림픽을 준비하는 운동선수들만큼 노력한다고 해서 모두 다 금메달리스트가 되는 것은 아니다. 노력과 함께 그 분야와 관련된 재능도 필요하다. 단기 트레이딩도 마찬가지인데, 이 역시 재능의 영역임을 인정해야 한다. 그런 재능이 자신에게 있는 것인지 생각해 보지 않고 함부로 덤빌만한 영역이 아니라는 것이다.

스스로 생각해 보았을 때 자신이 단기투자에 대한 재능이 없는 것으로 판단된다면, 우량한 자산에 장기 투자하는 것을 추천한다. 여유를 갖고 긴 호흡으로 투자한다면 스트레스 없이 높은 확률로 만족할 만한 수익을 거둘 수 있다. 장기투자자는 버릇처럼 수시로 핸드폰 속 주식 차트를 들여다볼 필요가 없다. 날마다 위아래로 움직이는 주가를 신경 써야 할 이유가 없기 때문이다. 성공적인 투자의 마무리는 내가 생각하는 자산의 가치보다 가격이 더 높을 때 만들어진다. 1주일이든, 1년이든, 10년이든 주가가 기업 가치를 따라잡을 때까지 얌전히 기다리기만 하면 되는 것이다. 이것이 장기투자의 가장 큰 장점이다. 좋은 기업을 골라 투자했다면, 나머지는 기업에 맡기면 될 일이다. 그 기업을 바라보는 사람들 사이에서 눈치 보며 전전긍긍할 필요가 없다는 말이다. 물고기를 잡을 때, 물속에 뛰어 들어가 물고기를 쫓아다니며 작살을 연신 찍어대는 것보다는 물 밖에서 미끼를 끼운 낚싯대를 던져놓고 입질이 올 때까지 느긋하게 기다리는 편이 훨씬 쉽다. 특별한 재능이 없는 우리 같은 투자자들에겐 지루하더라도 인내심을 갖고 기다리는 자세가 필요하다.

경제적자유를 찾는 여행자를 위한 안내서

뉴스는
적당히 보시는 게 좋습니다

　뉴스를 보다 보면 어떤 기업에 관한 매우 좋은 소식을 알게 될 때가 있다. 그렇게 관심이 생겨 해당 기업에 대해 좀 더 알아보면 주가는 연일 상승하며 신고가를 갱신 중이고, 미디어에 나오는 전문가들은 긍정적인 전망과 함께 자신들의 논리와 근거를 보여주며 높은 목표가를 제시한다. 이런 정보들을 접하고 나면 앞으로도 관련 산업은 전망이 좋을 것 같아 보이고, 계속해서 주가가 오를 것이라는 기대감이 생긴다. 이러한 상황에서 우리는 이 기업의 주식을 사야 할까 말아야 할까?

결론부터 말하자면, 위 상황에 대한 정답은 '모른다'이다. 좀 더 정확하게 표현하면 웬만하면 투자하지 않는 편이 낫다. 일반적으로 기업에 대한 긍정적인 소식이 나오면 주가가 상승해야 한다고 생각하는 사람이 많다. 이는 합리적인 생각처럼 보일지는 모르겠으나 투자자에게는 위험할 수도 있는 사고방식이다. 시장에서 거래되는 주식들을 살펴보면, 투자자의 기대와는 달리 호재에도 주가는 잠깐 오르다 떨어지기도 하고, 악재가 터졌음에도 하락하던 주가가 반등할 때도 있다. 실적 발표를 봐도 비슷한 흐름을 보이는 경우가 있는데, 이런 예외적인 상황들은 생각보다 흔하게 발생한다. 이것이 우리가 뉴스를 보고 투자하면 안 되는 이유다.

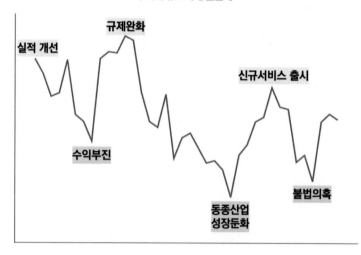

뉴스를 만드는 목적을 생각해 보면 쉽다. 뉴스는 되도록 많은 사람에게 정보를 알리기 위한 매체다. 뉴스에서 어떤 정보를 알게 되었다면, 그 정

경제적자유를 찾는 여행자를 위한 안내서

보는 다른 사람들도 모두 알고 있는 내용이 되어있다. 정보도 희소성이라는 게 있다. 가지고 있는 사람이 소수일 때 가치가 있다는 말이다. 모두가 알고 있는 가격 변동의 재료는 이미 주가에 반영되어 소멸된 상태이므로, 우리가 대중매체를 통해 알게 된 정보는 더 이상 주가에 큰 영향을 주기가 어렵다.

이것을 생각하지 않고 새롭게 알게 된 정보의 긍정적인 면, 부정적인 면 자체에만 집중하다 보니 투자자의 예측과는 다르게 가격이 움직이는 것이다. 이미 가격이 오를 대로 올라버린 상황에서 해당 기업에 대한 긍정적인 뉴스는 오르는 주가를 지켜보던 투자자의 FOMO를 유발하여 욕심만 키울 뿐이다. 크게 이슈가 되어 관심이 쏠리게 될 기업에 투자하여 수익을 올리고 싶었다면 누구보다도 먼저 그 기업에 투자했어야 한다. 뒤늦게 따라가는 투자자는 앞서 입장한 투자자의 들러리가 될 확률이 높다. 수익을 얻더라도 이익이 크지 않거나, 소위 말하는 설거지를 당하는 식이다.

뉴스를 포함하여 대중이 이용하는 매체에 활용되는 컨텐츠는 자극적으로 만들어지기가 쉽다. 그래야 사람들의 이목을 끌어올 수 있기 때문이다. 하루 만에 시총이 수십조가 증발했다느니, 특정 산업의 슈퍼 사이클이 왔으니 매수 타이밍이라느니 하는 조회수를 올리기 딱 좋은 내용의 컨텐츠들은 다양한 매체에서 단골로 등장하는 소재다. 많이 오른 기업은 앞으로도 엄청난 상승을 보여줄 것처럼 이야기하고, 심하게 하락한 기업은 금방이라도 망할 것처럼 이야기하는 컨텐츠에 대중은 관심을 갖는다. 거기서 얻는 정보가 좋은 쪽이든 나쁜 쪽이든 자극적이기 때문이다. 건조하게 객관적 사실만 전달하는 내용보다는 호기심을 자극하고 믿고 싶은 방향으로 가능성을 열어주는 내용에 더 끌리는 것은 자연스러운 현상이다. 우리가 뉴스에서 얻는 소식은 두 가지로 구분할 수 있는데, 하나는 객관적인 사실이고 다른 하나는 사실의 모습을 한 의견이다. 정보를 투자에 활용하고자 한다면 이 두 가지를 구분할 줄 알아야 한다. 투자자에게 필요한 것은 의견이 아닌 객관적 사실이다.

기업에 관한 정보나 팩터들은 기업이 가진 잠재력에 대한 판단의 근거를 세우는 데 도움을 주기 때문에, 신뢰도가 높은 매체를 통해 정보를 찾고 체크해보는 것은 시장에 대한 이해와 투자의 실력을 키우는 방법이 될 수 있다. 하지만 이것들을 단순히 가격 등락의 판단 기준으로 활용하면 안 된다. 뉴스는 후행적 지표다. 정보는 투자자 스스로의 판단과 기업 가치를 확인하는 용도로 활용될 때 의미를 갖는다. 어느날 뉴스를 보고 투자하고 싶다는 생각이 들었다면 다시 한번 이렇게 생각해 보길 바란다.

'이 정보를 나보다 늦게 알게 될 사람들이 얼마나 있을까?'

경제적자유를 찾는 여행자를 위한 안내서

주식 시장의
대표적인 사망 플래그

　드라마나 영화를 감상하다 보면, 등장인물이 하는 말이나 행동이 나중에 일어날 사건을 암시하는 경우가 있다. '설마 여기까지 쫓아오진 못하겠지?'와 같은 말을 한다던가, 금기시된 행동을 아무렇지 않게 하고 있다가 화를 당하는 것이 그런 예다. 이것을 우리는 '플래그'라고 부르는데, 그중에서도 인물이 사망하게 될 것을 암시하는 장면들을 일컬어 '사망 플래그'라고 한다. 전쟁에 나란히 참전한 형제가 전쟁이 끝나고 집에 돌아가면 제일 먹고 싶은 음식이 무엇인지 이야기하며 살아 돌아가겠다는 의지를 다지지만, 꼭 한 명은 전장에서 사망하고 집에 돌아오지 못하는 장면을 한 번쯤은 본 적이 있을 것이다. 주식 투자를 하는 사람들의 모습에서도 사망 플래그를 많이 찾아볼 수 있다. 그중 투자자들에게서 흔히 보이는 대표적인 플래그들을 함께 생각해 보면 좋을 것 같다. 실패 사례는 투자자가 실수하지 않도록 돕는 훌륭한 오답 노트가 되어주기 때문이다.

1. A 회사는 안 망해. 나는 이 주식이랑 평생 같이 갈 거야.

기업에 대한 확신을 가지고 있는 사람들이 장기투자를 다짐하며 자주 하는 말이다. 투자할 좋은 기업을 찾고, 그 기업의 주식을 장기 보유하는 것은 훌륭한 선택이자 건전한 투자를 만들 수 있는 방법 중 하나다. 다만, 이것은 그 기업이 꾸준히 좋은 기업으로 존재할 때까지만 성립되는 이야기다. 사람이 영생할 수 없는 것처럼 기업도 언젠가는 망한다. 사람들의 문화나 생활패턴, 산업 동향이 크게 바뀌는 경우에 기업이 변화에 적응하지 못하거나 치명적인 오판을 하게 되면, 어떤 어려움에도 끄떡없을 것 같은 거대한 기업도 무너지게 될 수 있다. 투자에 확신을 갖고자 한다면 그에 맞는 근거가 필요하다. 투자자는 이런 근거가 유지되고 있는지 지속적으로 확인해야 한다.

또한 이런 생각을 하는 투자자 중 다수는 투자를 해놓고 기업의 운영에 대해 일절 신경 쓰지 않는 경우가 많다. 투자를 시작할 무렵에는 기업에 관해 충분히 이해하고 있었다고 해도, 투자 시점 이후에 기업이 돈을 잘 벌고 있는지 체크하지 않는다면 확신은 점차 불안함으로 변질되고 만다. 20년 전 시총 상위 종목이 어떤지 찾아보면, 누구나 인정하던 1등 기업이 현재는 순위권에도 없는 경우를 확인할 수 있다. 투자에 대한 믿음을 갖는 것은 좋지만 그것이 맹목적이어서는 안 된다. 영원한 것은 없다. 종목과 사랑에 빠지지 말라는 것은 이런 이유에서 하는 말이다. 투자자는 기업과 평생 같이 가고 싶을지 모르겠지만, 기업은 그럴 생각이 없을 가능성이 크다.

경제적자유를 찾는 여행자를 위한 안내서

2. 전문가가 오른다 그랬어!

투자자 중에는 많은 이익을 얻고 싶지만 공부는 하기 싫은 사람, 스스로 판단을 내리는 것을 두려워하는 사람들이 많다. 나는 이런 투자자들을 '책임감 없는 투자자'들이라고 부른다. 돈을 벌고 싶은 마음은 굴뚝같으면서도, 성실성이나 결단력을 갖추지 못한 사람들이 이에 속한다. 이들은 투자의 과정에서 찾아오는 게으름과 공포를 스스로 해결하지 못한 사람들이다. 문제를 직접 해결하고자 하는 의지가 부족하기 때문이다. 책임감 없는 투자자는 간단하고 편리하게 문제를 해결하기 위해 전문가를 찾는다. 게으름을 요행으로, 두려움을 다른 존재에게 의지하는 것으로 해결하려는 것이다. 모두 자신의 투자에 대한 책임을 미루는 행동이다.

책임감 없는 투자자들에게는 전문가라는 존재의 의미가 '주가의 앞날을 정확하게 예측하는 사람'으로 받아들여지고 있는 것 같다. 마치 용하기로 소문난 점술가처럼 말이다. 전문가의 의미가 이런 의미라면, 안타깝게도 시장에 전문가는 단 한 명도 존재하지 않는다. 당장 전문가라고 불리는 이들의 과거 예측을 찾아보길 바란다. 그들의 예측을 맹목적으로 믿고 투자하는 것이 얼마나 위험한 일인지를 깨닫게 될 것이다. 전문가들의 말은 어디까지나 투자에 대한 참고로서 활용되어야 한다. 비판적인 수용은 투자자의 필수 덕목이다.

경제 방송 또는 유튜브 채널에 등장하는 전문가들의 설명을 잠깐 듣고서는 '투자 전문가니까 잘 알고 있겠지 뭐', '저 회사 목표주가가 10,000원이니까 지금 사도 30%쯤은 이익이 나겠군'과 같은 생각을 해본 적이 있는가? 만약 그런 경험이 있었다면 당신은 책임감이 부족한 투자자일 가능성이 높다. 여전히 그런 방식의 투자를 하고 있다면, 안일한 생각으로 힘들게 마련한 시드머니를 남의 손에 맡기는 선택이 어떤 후회를 가져오게 될지 숙고해보길 바란다.

3. ○○ 종목 아직도 안 샀어?

패션의 트렌드가 주기적으로 바뀌는 것처럼, 주식 시장에서는 특정 산업이나 종목이 크게 유행하는 때가 있다. 이처럼 특정 시기에 뜨거운 관심을 받는 주식을 '테마주'라고 한다. 테마주가 존재하는 이유는 다양한데, 보통 어떤 산업이 빠르게 성장할 것이라는 분위기가 시장에 형성되거나, 영향력이 큰 이슈로 인해 관련주로서의 매력이 상승하는 식이다. 사람들의 관심을 끌어올 수 있는 큰 이벤트가 있다면 관련 기업에 대한 기대감이 커지게 되고 돈이 몰리게 되는 것이다. 테마주에 한 번 불이 붙기 시작하면 정말 무서운 상승세를 보여준다. 연일 상승하며 높게 솟아오른 장대 양봉을 보고 있자면, 절로 가슴이 웅장해질 정도다.

이런 성질을 갖고 있는 주식이다 보니, 주식판에서는 해당 종목에 대해 모르는 사람이 없다. 내가 직접 찾아보지 않아도 뉴스에서부터 주변 사람들에 이르기까지 해당 종목에 대한 소식이 계속 보이고, 긍정적인 전망을 내놓는 전문가들은 개인 투자자들로부터 추앙을 받기 시작한다. 흡사 종교와 같은 모습이다. 이미 투자를 한 사람들은 높은 수익률을 자랑하며 놀리듯 이야기한다. '○○종목 아직도 안 샀어?' 하고 말이다.

그것을 듣고 있던 귀가 얇은 투자자들은 반쯤 세뇌가 되어서는 '지금이라도 올라타야 하나?' 하는 고민을 하기 시작한다. 그들이 가진 높은 수익률이 부럽기 때문이다. 문제는 여기서 시작된다. 생각해 보자. 이미 열 배, 스무 배 올라버린 주식이 또 다시 그렇게 상승할 수 있는 여력이 있을까? 아마 쉽지 않을 것이다. 테마를 타는 주식은 대개 희망과 기대로 오른 경우가 많다. 설령 기업이 미래에 크게 성장할 수 있는 잠재력을 가지고 있다고 해도, 급격하게 오르는 주가를 뒷받침해 줄 뛰어난 실적이 아직은 없다. 이런 기업에 투자한 경우, 주가가 다시 꺾이기 시작하면 전고점을 회복하지 못하거나 회복에 매우 긴 시간이 필요하게 될 수 있다. 만일 아무런 성장성 없이 단순히 기대감으로만 주가가 오른 경우라면, 매우 위험한 투자를 하고 있는 것이므로 주의하도록 하자.

4. 몰라요..

나는 종종 주변 지인들에게 재무 상담을 해주기도 하는데, 내담자가 주식을 보유하고 있다면 왜 그 종목을 매수하였는지 반드시 이유를 물어본다. 투자한 기업에 대하여 얼마나 이해하고 있는지 체크하기 위함이다. 돌아오는 답변을 들어보면, 기업에 대해 충분히 이해하고 투자 근거를 명확하게 설명할 수 있는 사람은 다섯 명 중 한 명 정도다. 그 외 대부분은 기업이 무슨 사업으로 어떻게 돈을 버는지 구체적으로 설명하지 못하는 경우가 많다.

"망하지는 않을 것 같아서 투자했어."
"유명한 회사잖아! 우량주 아냐?"
"2차 전지 관련된 기업이라고 알고 있어. 요즘 핫하다던데?"

다수의 답변은 대개 이런 식이다. 여러분은 위의 답변에서 기업에 대한 이해도가 느껴지는가? 나는 전혀 느껴지지 않는다. 간혹 투자한 기업의 이름조차 기억하지 못하는 사람들도 있었는데, 기업의 가치와는 관계없이 모두다 건전한 투자라고 보기는 어렵다. 그 기업이 무엇을 팔고 있는지, 어떻게 소비자를 모으는지, 아이템의 위상은 어느 정도인지, 브랜드와 아이템은 어떻게 평가되고 있는지 전혀 모르고 있기 때문이다. 이렇게 근거가 전혀 없는 불확실성에 기대는 투자를 할 바에는 차라리 해외여행이나 명품백처럼 자신을 행복하게 해줄 무언가에 소비하는 것을 추천하고 싶다. 물건이나 추억이라도 남을 수 있도록 말이다. 알지도 못하는 기업에 투자를 했다가 마음고생하며 투자금을 살살 녹여 아무것도 남지 않는 것보다는 그편이 낫다.

가끔 '없어도 되는 돈'이라는 표현을 쓰며 노력이 배제된 가벼운 투자를 아무렇지도 않은 일처럼 말하는 사람들이 있다. 주식 투자에서 없어도 되는 돈의 진짜 의미는 '인생에 지장이 없을 수준의 금액'이지, 카지노에서 도박을 하듯 깜깜이 투자를 하라는 뜻이 아니다. 이런 말을 하는 사람들조차 손실을 보고 나면 뒤늦게 공부를 하는 경우가 많이 보인다. 사실은 없어도 되는 돈이 아니었다는 뜻이다. 조금만 솔직해지길 바란다. 우리 같은 보통 사람들에게는 단돈 백만원도 적은 돈이 아니다. 그 백만원을 벌기 위

경제적자유를 찾는 여행자를 위한 안내서

해 사람들은 하기 싫은 일을 하고 만나고 싶지 않은 사람들을 만나며 스트레스를 견딘다. 이 세상에 아무런 의미 없이 그냥 잃어도 되는 돈은 없다.

아무런 투자 근거 없이 홀짝 게임처럼 투자를 하게되면, 실패에서 배우는 것이 아무것도 없다. 애초에 선택에 대한 합리적인 논리나 기준이 없었으므로, 실패의 원인이 무엇인지 알 수가 없기 때문이다. 마치 시험 문제를 찍어서 풀었을 때 왜 자신이 틀렸는지 알 수가 없는 것과 같다. 이런 투자를 하는 사람들은 투자를 아무리 반복해도 성과가 전혀 나아지지 않는다. 실패라는 경험 속에 투자자로서 성장할 기회가 존재하지 않는다면 그것을 의미 있는 투자라고 말할 수는 없지 않을까? 그 유명한 워렌 버핏이 말했다. 위험은 자신이 무엇을 하는지 모르는 데서 온다고.

5. 존버는 승리한다!

투자한 주식의 가격이 하락하게 되면, 투자자들은 보유한 주식을 매도하지 않으려 하는 경향이 있다. 소위 말하는 '존버'라는 전략을 사용하면서 손실을 확정 짓지 않으려는 것이다. 존버는 투자의 상황에 따라 훌륭한 작전일 수도 있고, 안쓰러운 고집이 될 수도 있다. 나의 존버가 둘 중 어느쪽인지 판단할 수 있는 기준이 하나 있는데, 그것은 보유하고 있는 기업이 돈을 잘 버는 훌륭한 기업인지의 여부다.

만약 훌륭한 기업에 투자했다면 존버는 좋은 전략이다. 주가가 하락하더라도 걱정할 이유가 없기 때문이다. 어차피 주가는 기업의 가치에 수렴하게 되어있다. 기업이 열심히 영업을 하고 꾸준히 이익을 성장시키고 있다면, 현재의 손실은 전혀 문제가 되지 않는다. 오히려 주가가 빠져도 투자자에게는 좋은 상황이다. 주식을 더 저렴하게 매수하여 보유 지분을 늘릴 수 있으니 말이다. 언젠가 상승할 주식이라면, 그저 마음 편히 기다리면 된다.

반면에 성장 가능성이 불투명한 기업에 투자했다면 존버는 투자자에게 독이 된다. 이 경우엔 투자 손실을 회복하기가 어려울 뿐만 아니라, 버티는 기간 동안 투자금을 운용할 수 있는 기회비용을 날리게 되기 때문이다. 어떤 기업의 주식에 3년 동안 물려 있었던 투자자가 겨우 손실을 회복했다고 생각해 보자. 이 투자자는 본전을 찾은 것일까? 그렇지 않다. 계좌의 수익률이 0%가 되어 원금을 그대로 회수했다고 해도 이는 명백한 손해다. 물려있었던 기업의 주가가 회복하는 동안 그보다 뛰어난 기업들은 더욱 빠르게 회복하거나 성장했을 것이다. 합리적인 투자자라면 보유한 주식을 매도하여 그런 기업의 주식을 샀어야 한다. 하다못해 투자금을 4%짜리 예금에 3년간 넣어둔 경우와 비교를 하더라도 13% 이상 수익을 냈어야 수지가 맞는다. 성장하지 못하는 기업에 집착하는 동안 투자자는 시간과 기회를 잃는다.

존버를 선택한 투자자는 '안 팔면 손실이 아니야!' 라는 말을 곧잘 하는데, 주식이 가격을 회복하지 못하면 그것은 손실이 맞다. 그런 경우엔 존버가 아닌 손절이 답이다. 자신의 선택이 틀렸을 때 더 이상 대응할 방법이 없어 실패를 인정하지 못하고 버티고 있는 것이라면, 그게 정말 옳은 판단인지 고민해 보도록 하자.

경제적자유를 찾는 여행자를 위한 안내서

6. 본전이라도 찾아야지

개인적으로 가장 우려되는 투자자의 모습이다. 다시 복구조차 할 수 없을 정도로 인생을 망칠 수 있기 때문이다. 손실을 보고 좋아할 투자자는 아무도 없겠지만, 유독 손실에 민감한 투자자들이 있다. 이런 케이스를 살펴보면 대개 지인추천 등으로 투자를 시작했다가 손실을 보게 되고, 그것을 복구하기 위해 감당하기 어려운 더 큰 돈을 투자했다가 손실을 키우고, 벼랑 끝에 몰린 마음으로 대출을 끌어다 쓰거나 비트코인과 같은 더 위험하고 어려운 자산에 손을 뻗는 모습이다. 손실로 인해 이성이 마비되어 더 위험하다는 것을 알면서도 잘못된 선택을 하고 마는 것이다. 이들의 심리는 도박중독자의 그것과 크게 다르지 않다. 손실은 심리적 여유와 반비례한다. 손해가 커질수록 마음은 동요하고, 궁지에 몰린 투자자는 이성이 배제된 선택을 하게 된다. 이성을 잃은 투자는 결국 인생을 망하게 하는 결과를 낳는다.

이렇게 안타까운 과정을 겪고 있을 때는 주변의 만류도 귀에 들리지 않는다. 그것을 받아들일 수 있는 이성이 없기 때문이다. 어떻게 해서든 손실을 만회하려는 투자자에겐 진심 어린 조언도 소음에 불과하다. 마치 브레이크가 고장 난 자동차와 같다. 기름이 떨어질 때까지, 혹은 더 이상 전진할 수 없을 만큼 커다란 장애물에 부딪힐 때까지 무서운 속도로 앞으로 나아갈 뿐이다. 그렇게 망할 대로 전부 망하고 더 이상 할 수 있는 것이 없을 때가 오면, 그제야 후회와 함께 이성이 돌아온다. 뒤늦게 지나온 길을 돌아보고 후회하지만 아무런 소용이 없다. 시간을 되돌릴 수는 없기 때문이다. 진정 손실을 복구하고 싶었다면, 첫 번째 실패에서 문제를 파악하고 그것을 해결하기 위해 노력했어야 한다.

본전을 찾기 위해 위험한 선택을 하는 투자자는 시장이 감정을 느끼지 못한다는 것을 이해하지 못한 사람이다. 시장은 우리가 손실을 입었다고 해서 특별히 배려해 주지 않는다. 최선을 다해 진심으로 투자를 하더라도 그 방법이 잘못되었다면 손실을 입을 수 밖에 없고, 전략과 선택이 훌륭하다면 놀이를 대하는 마음으로 가볍게 투자를 해도 꾸준히 이익을 쌓을 수 있다. 중요한 것은 마음이 아니라 방법이다. 투자자의 그릇이나 실력을 키워야 실패를 성공으로 바꿀 수 있다는 말이다. 컵라면에 찬물을 붓고 아무리 간절하게 기도해도 라면은 익지 않는다. 실패 속에서 원인을 찾고 전략과 선택을 수정할 수 있어야 한다. 그렇게 해야 실패는 실패가 아닌 성공의 과정이 된다.

7. 숏베팅

숏베팅은 자산의 가격에 거품이 많이 껴있다고 생각되거나 시장의 사이클이 하락에 들어설 것이라고 생각할때 사람들이 관심을 갖는 투자다. 스스로 주식 공부를 많이 했다고 생각하며 자신감이 조금 붙어있는 투자자들에게서 자주 볼 수 있는 모습인데, 마치 자신이 영화 빅쇼트의 주인공인 마이클 버리라도 된 것처럼 확신에 찬 숏 포지션을 잡는다. 다른 투자자들이 손해를 보는 순간에도 남다른 실력과 감으로 수익을 만들겠다는 것이다.

숏포지션을 잡는다는 것은 무엇을 의미할까? 주가의 흐름이 어느쪽이든 항상 수익을 얻겠다는 과도한 욕심을 의미한다. 자본주의 세상이 인플레이션을 기본으로 작동한다는 것을 생각해 보면 상당히 무모한 플레이라고 할 수 있다. 꾸준히 우상향하는 자산 가격이 일시적으로 떨어지는 순간을 정확하게 짚어내야 하기 때문이다. 숏 베팅의 가장 위험한 점은 시간이 지날수록 투자가 불리해진다는 점이다. 자산의 대부분은 인플레이션을 타고 우상향하는 성질이 있다. 이 가운데 반대로 투자하는 것은 당연히 위험할 수밖에 없다. 물린 주식처럼 오래 들고 있는다고 해서 손실을 회복할 수도 없고, 자산이 하락하는 시점을 모르면 물타기를 할 수도 없기 때문이다.

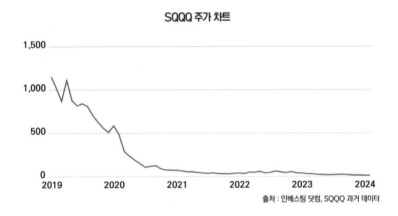

SQQQ 주가 차트

출처 : 인베스팅 닷컴, SQQQ 과거 데이터

주가 하락에 확신을 갖는 투자자들에게 이런 질문을 던지고 싶다. 당신의 공부라는 것이 미래를 맞출 수 있을 만큼 완벽한 것이라고 생각하는가? 그런 생각이 들었다면 과거에 자신이 내렸던 수많은 선택과 후회들에 대해 떠올려보길 바란다. 시점을 맞추는 것이 얼마나 어리석은 생각인지 알게 될 것이다. 숏에 투자하고 싶은 마음이 들었다면 한 번만 더 고민해보고 결정하길 권한다. 하락은 피하거나 대비해야 할 대상이지 돈을 버는 데 이용할 만한 장치가 아니다.

투자자가 경계해야 하는 마음가짐이 하나 있는데, 그것은 '빨리 부자가 되려는 마음'이다. 주식투자를 하다 보면, 당연히 잃는 시기도 있고 버는 시기도 있다. 당신이 세계적으로 유명한 부자가 되고 싶은 것이 아니라면, 외줄타기와도 같은 위험을 감수하면서까지 빨리 가야 할 필요가 없다. 운전을 할 때 빨리 가고 싶다고 해서 200km가 넘는 속도를 내는 것은 결코 좋은 선택이 아니다. 시장은 누가 욕심쟁이인지 알아보는 능력이 있다. 가지고 있는 능력보다 더 빠르게 부자가 되려는 욕심을 부리면 여지없이 손해를 보게 된다. 떨어질 때는 최대한 적게 깨지고, 올라갈 때는 남들만큼 버는 것이 정신건강에 이로운 투자라는 것을 기억하자.

8. 내가 다시 투자하면 사람이 아니다!

투자로 큰 손실을 보고나면, 투자자에겐 그만큼 큰 상처가 따라오게 마련이다. 그중에서도 감당할 수 없을 만큼 큰 상처를 입은 투자자들은 '투자' 자체를 미워하기 시작한다. '내가 다시 투자를 하면 사람이 아니다!', '그때 내가 주식만 안 했어도!'와 같은 말을 하면서 말이다. 투자로 인해 피해를 보았으니, 투자가 나쁜 것이라고 결론짓고 다시는 쳐다보지 않으려 하는 것이다. 원래 사람은 어떤 문제가 발생했을 때 외부에서 그 원인을 찾는 것을 좋아하는 경향이 있다. 손실을 입을만한 선택을 한 것은 자기 자신이지만, 어쩔 수 없는 외부적 요인으로 인해 문제가 발생한 것이라고 생각하는 편이 마음 편하기 때문이다. 그 마음만큼은 충분히 이해한다. 손실로 인한 상처를 감당하는 것만으로도 벅찬 상황에서, 문제의 원인마저 스스로에게서 찾으려 하면 자존감은 금방 바닥나고 말 테니까.

더 이상 투자를 하지 않는다는 선택은 분명 투자로 인한 손실을 100% 막을 수 있는 방법이긴 하다. 하지만 이건 하나만 알고 둘은 모르는 선택이라고 할 수 있다. 앞서 말했듯, 어떤 분야의 상위 1% 안에 드는 슈퍼스타가 되지 않고서야 노동만을 가지고 부자가 되는 것은 정말 쉽지 않다. 투자나 사업 없이 부자가 될 생각을 한다는 것은 그런 의미다. 잃었다고 해서 투자 자체를 그만두는 것은 그나마 가장 쉽게 부자가 될 수 있는 수많은 기회를 날려버리는 것과 같다. 이는 차(車), 상(象), 마(馬) 모두 다 떼고 장기를 두겠다는 것과 다를 것이 없다. 안전하기 위해 내린 선택이 오히려 무모할 수도 있다는 말이다.

더욱이 이런 말을 하는 감정적인 투자자들은 투자를 그만두었다가 상승장에서 남들이 다 버는 것을 보고 나서 조바심이 들어 다시 돌아올 확률이 매우 높다. 그럴 바에는 시장에 계속 남아 작은 실패를 거듭하며 투자 실력을 키우는 것이 낫다. 실패가 무섭다고 해서 가능성마저 닫아버리지는 말았으면 한다. 손실에 대한 충격이 가시고 나면 다시 차분히 스스로의 투자를 되돌아보자. 거기서 왜 손실을 보았었는지 이유를 찾고, 손실을 감당할 수 있을 만한 규모로 처음부터 다시 시작하면 된다. 가능성은 열어두고 위험성만 제거하는 것이 최선의 선택이다. 그렇게 하면 애초에 투자가 당신을 망가뜨릴 수도 없다.

주식 시장의 대표적인 사망 플래그 여덟 가지에 대해 알아보았다. 언급한 사례들이 사망 플래그가 되는 공통적인 이유는 무엇일까? 그것은 바로 리스크의 증가다. 위험하다는 것을 알면서도 사람들은 욕심 때문에 자꾸만 리스크를 키운다. 돈을 벌고 싶지만 투자실력을 키우기는 귀찮아서, 당장 돈이 급해서, 빨리 원하는 결과를 만들고 싶어서 등의 다양한 이유로 자신의 능력을 넘어선 욕심을 부리는 것이다. 우리가 생각하는 것보다 시장은 훨씬 더 똑똑하다. 투자자가 가진 능력 이상의 과한 욕심을 갖는다면, 시장은 투자자에게 실패를 안겨주며 매몰차게 떨어뜨려 버린다. 급할수록 돌아가라고 하지 않는가. 부자가 되고 싶은 마음이 간절할수록 욕심을 버려야 한다. 우리가 돈을 벌 수 있게 만들어주는 것은 간절한 마음이 아니라 실력과 경험이다. 실패는 해도 괜찮다. 중요한 것은 실수를 반복하지 않으며 묵묵히 나아가는 것이다.

경제적자유를 찾는 여행자를 위한 안내서

지금 당장
백만원으로 시작합시다

    작년 어느 날, 같은 직장에서 일하는 동생과 술 한잔할 일이 있었다. 서로 평소 대화를 별로 해본 적이 없는 터라 이런저런 이야기들을 했었는데, 대부분의 결혼 적령기 청년들끼리 하는 대화가 그렇듯 재테크에 대한 이야기가 대화 주제 중 하나였다. 목표를 가지고 열심히 살아가는 사람들의 이야기를 듣는 것을 좋아하는 필자는 동생의 이야기를 흥미롭게 듣고 있었다. 그는 아직 이렇다 할 투자는 해본 적이 없지만 직장에서 맡은 일에 최선을 다하며 더 나은 미래를 위해 저축을 열심히 하고 있는 성실한 청년이었다. 혹시 주식 투자도 해본 적이 있냐는 필자의 질문에 동생은 이렇게 답했다.

"아, 주식도 관심은 많이 갖고 있는데
그건 공부가 많이 필요하니까
나중에 충분히 공부하고 나서
잘 할 수 있게 되면 그때 시작할 계획이에요."

주식 투자를 할 생각은 있으나 나중에 시작하겠다는 말에 소액으로 지금 당장 시작해 보는 것을 추천했지만, 예상대로 돌아오는 반응은 회의적이었다. 이유는 '아직 공부가 완벽하지 않기 때문'이었다. 다른 사람들에게서도 종종 보았던 모습이기에 그의 반응이 그리 생소하지는 않았다. 필자는 그의 의견을 존중하기로 하고 해주고 싶었던 말을 이내 거두었다. 도움이 되고 싶어 건네는 의견을 쓸데없는 간섭으로 만들어 상대의 기분을 상하게 하고 싶지 않았기 때문이다.

필자는 주식을 배워보려고 하거나 이미 공부를 하고 있는 사람들을 보면, 공부를 하는 동시에 소액으로 당장 시작해 보기를 권하곤 한다. 공부를 하고 나서 시작하는 것보다 투자자가 얻을 수 있는 장점이 훨씬 많기 때문이다. 이렇게 생각하는 데에는 그럴만한 이유가 있다.

우선 주식은 변동성이 큰 자산으로, 시장의 사이클을 경험할 수 있는 좋은 도구로 활용할 수 있다. 투자를 제대로 해보지 않은 사람이라면 자산 가격의 변동에 상당히 민감하다. 계속해서 변화하는 가격을 보며 투자자는 심리적으로 흔들리지 않도록 변동성에 무뎌질 필요가 있는데, 그것을 연습할 수 있는 방법은 스스로를 지속적으로 그런 환경에 노출시키는 것이다. 기본적으로 자산의 가격이 변동하는 과정은 자산의 내재 가치를 중심으로 상승, 과열, 하락, 회복을 반복하는 사이클의 움직임을 보이는데, 빠르게 시장의 분위기가 변화하는 주식 시장을 통해 이 사이클을 경험하고 그 원리를 파악한다면 다른 자산에 투자 할 때에도 도움이 된다.

　　　　　　　　경제적자유를 찾는 여행자를 위한 안내서

 X 99

 부자와 빈자의 사이에는 '실패에 대한 민감도'의 차이가 존재한다. 실패에 대한 민감도란 가지고 있는 부의 정도에 따라 실패가 주는 영향력이 상대적으로 차이가 발생하는 것을 말한다. 부자가 아닌 사람들은 한 번의 실패가 인생에 큰 영향을 주지만, 부자들에겐 그다지 큰 영향을 주지 않는다. 똑같이 1억짜리 실패를 했다고 하더라도, 1억을 가진 사람에겐 전 재산을 날린 커다란 실패이고 10억을 가진 사람에겐 그리 큰 실패가 아니다. 이러한 차이는 빈부격차를 더욱 심화시킨다. 사람은 실패를 통해 배우기 때문이다. 부자에겐 실패를 해볼 수 있는 기회가 많고 빈자에겐 그 기회가 적다. 여기서 오는 배움의 차이는 결국 성공의 가능성이 부자에게 흘러가도록 돕는다.

 주식 시장에서는 이런 차이를 아주 쉽게 극복할 수 있다. 주식은 실패를 저렴하게 살 수 있는 도구다. 1주를 사든 1000주를 사든 같은 종목에 투자하고 있다면 상승과 하락의 이유는 본질적으로 같다. 실패를 하더라도 그 원인은 투자 금액과 아무런 관계가 없다. 1억을 가진 투자자가 100만 원으로 주식을 한다면, 100번의 실패를 해볼 수 있는 기회를 가질 수 있다. 100번의 실패 속에서 투자자는 실패의 원인을 생각해 보게 되고 같은 실수를 반복하지 않도록 노력하게 된다. 그 과정 속에서 투자의 성공률은 자연스럽게 높아지는 것이다. 100번이 투자를 배우기에 부족하다고 생각한다면 50만원씩 투자하여 200번의 기회를 만들면 된다. 학창 시절 공부에 활용하던 오답 노트처럼, 많은 실패를 해볼 수 있는 기회를 통해 점차 실력을 키워나간다면 아무리 어리숙한 투자자라고 해도 훌륭한 투자자로 성장할 수 밖에 없다.

게다가 아직 자신의 투자 성향을 잘 모르는 투자자라면 더욱더 소액으로 접근이 가능한 주식을 해보는 것이 좋다고 생각한다. 주식이 자신의 성향에 맞지 않는 투자라면, 안 하면 그만이기 때문이다. 그것이 맞는지 안 맞는지는 결국 해봐야 알 수 있다. 그것을 굳이 완벽하게 공부를 했다고 생각할 만큼 많은 시간과 노력을 들인 뒤에야 알 필요는 없지 않은가? 적은 금액으로 시작해 보고 주식이 정말 맞지 않는 것 같다는 느낌이 왔다면 과감하게 털고 나오면 될 일이다. 이 세상에는 주식 외에도 나의 돈을 불려 줄 투자처가 수도 없이 많다.

투자 세계에서는 지식의 습득보다 경험으로 쌓을 수 있는 배움이 훨씬 더 큰 힘을 발휘한다. 공부만으로는 절대 좋은 투자자가 될 수 없다. 물에 들어가 본 적도 없는 사람이 책과 동영상으로 열심히 수영을 공부하고 자신이 헤엄을 칠 수 있다고 믿으며 물에 들어가면 어떻게 될까? 헤엄치지 못하는 것은 고사하고 근거 없는 자신감만 붙어서 위험을 더욱 초래할 뿐이다. 수영을 배우는 가장 좋은 방법은 회원권을 끊고 직접 물 속에 들어가 물에서 숨 쉬는 방법부터 배우는 것이다. 코에 물도 들어가 보고 엉성한 자세로 이상하게 헤엄쳐보기도 하며 실력을 쌓아나가야 한다. 우리는 타고난 천재가 아니다. 점차 시간이 흐르며 수영 실력이 늘고 나서야 비로소 깊은 물에 들어가도 당황하지 않고 능숙하게 헤엄칠 수 있다.

투자는 시험공부가 아니다. 애초에 확률이 지배하는 영역인 투자에서 완벽한 공부라는 것은 존재할 수 없다. 적은 금액으로 실컷 넘어져 보고, 경험을 쌓아가며 투자에 대한 감을 익히고 리스크를 관리할 수 있는 능력을 키워야 한다. 그것이 필자가 사람들에게 당장 백만원으로 주식을 시작해 보기를 추천하는 이유다.

3. 안전자산

안전자산 투자의 의미

앞에서 대표적인 투자 자산인 부동산과 주식에 대하여 알아보았다. 만약 지금까지 읽은 내용을 주변 지인에게 두 시간 이상 막힘없이 이야기할 수 있을 정도로 이해하게 되었다면, 이제 여러분은 월급쟁이 투자자로서의 기본적인 소양은 어느 정도 쌓게 된 셈이다. 그런데 여기에 더해 여러분이 알아두었으면 하는 자산이 아직 하나 더 남아있다. 바로 안전자산이다.

안전자산 투자의 필요성

투자를 하다 보면, 경제적 목표를 향해 올라가는 과정에서 때때로 위기를 만나게 될 때가 있다. 시장에 위기 상황이 찾아오면 투자자는 보유 자산이 크게 하락하는 것을 경험하게 되는데, 투자를 시작하는 시점에는 자산 규모가 크지 않기 때문에 리스크 관리가 별로 어렵지 않다. 손실 금액이 크지 않으니 딱히 심리적 압박감이 드는 것도 아니고, 자산이 하락하더라도 투자 시점 이후에 벌어들이는 추가 소득을 활용하여 충분히 대응할 수 있기 때문이다. 하지만 투자를 지속할수록 점차 자산의 규모는 늘어나게 되고, 이에 따라 리스크도 함께 커질 수밖에 없다. 그러다 보면 특정 시점부터는 심리적으로 자산의 하락 규모를 감당하기가 어려워지고, 추가 소득만으로 리스크를 커버할 수 없는 상황이 연출된다.

투자금액	수익률	손실액	리스크관리
3000만원	-30%	900만원	추가 소득으로 대응 가능
3억원	-30%	9000만원	추가 소득으로 대응 어려움

개인의 소득 수준이나 재정적 상황에 따라 그 규모는 다르겠지만, 이처럼 투자한 자산의 하락이 주는 리스크가 감당하기 어려워졌다는 생각이 들게 되었다면 안전자산 투자가 리스크 관리의 해답이 될 수 있다. 안전자산 투자는 리스크를 효과적으로 관리할 수 있도록 하여 잠이 잘 오는 투자를 만들어주기 때문이다.

안전자산 투자가 리스크 관리에 도움이 되는 이유는 무엇일까? 바로 안전자산의 가격 흐름이 위험자산과 비교했을 때, 서로 반대로 흘러가는 경향을 보인다는 것이다.

경제적자유를 찾는 여행자를 위한 안내서

경제 상황이 나빠지거나 시장의 불확실성이 증가하는 경우, 투자자들은 더 큰 수익을 노리기보다는 보유 자산을 손실로부터 지키는 것을 선호한다. 이런 시기엔 가격의 움직임이 크지 않아 기대 손실이 적은 자산이 인기를 얻는다. 이에 따라 투자 수요는 안전자산으로 쏠리게 되고, 위험자산과는 반대로 그 가격도 오르게 된다. 이런 성질 때문에 안전자산 투자는 손실을 방어할 수 있는 수단으로 이용될 수 있다. 질병이나 사고로 어려움이 발생했을 때 도움을 주는 보험처럼 말이다.

안전자산 투자의 흐름

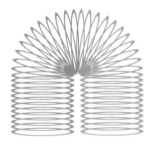

혹시 이렇게 생긴 장난감 용수철을 알고 있는가? 나는 다른 사람들에게 안전자산 투자에 관해 이야기할 때, 이 장난감 용수철을 예시로 들어 설명하곤 한다. 다음의 그림들을 살펴보며 안전자산을 활용한 투자의 흐름을 이해해 보자.

50 : 50

1) 그림에서 파란색 부분은 위험자산, 주황색 부분은 안전자산을 의미한다. 처음 투자를 시작할 때, 100만원을 50만원씩 둘로 나누어 양쪽에 투자했다면 보유 자산의 상태는 위와 같은 모습일 것이다.

30 : 60

2) 여기서 시장에 위기가 찾아온다면 어떻게 될까? 위험자산의 가격은 하락하고 안전자산의 가격은 오르게 된다. 이 경우 위험자산 하락으로 인한 손실을 안전자산의 상승분이 상쇄해 주어 손실을 줄일 수 있게 된다. 이것이 안전자산 투자의 첫 번째 효과다.

경제적자유를 찾는 여행자를 위한 안내서

50 : 40

3) 여기에 더해, 안전자산에 비중을 두었던 투자자는 가격이 오른 안전자산을 팔아 저렴해진 위험자산을 다시 살 수 있다. 용수철의 긴 부분을 짧은 쪽으로 넘기는 것처럼 말이다.

80 : 30

4) 이후 위기가 지나가고 시장의 분위기가 회복되고 나면, 위기가 왔을 때와는 반대로 위험자산의 가격이 오르게 되고 안전자산의 가격이 내려가게 된다. 이번엔 위험자산의 가격이 올라 비중이 커졌으므로, 위험자산을 일부 매도하여 다시 안전자산을 살 수 있을 것이다.

55 : 55

5) 처음과같이 반반으로 비중을 조절하고 나면, 재미있는 점을 하나 찾을 수 있다. 두 자산의 합계가 처음 투자했던 금액인 100만원이 아니라 110만원이 되어 있다는 점이다. 시장의 흐름에 따라 위험자산과 안전자산의 비중을 조절하였기 때문에, 결과적으로 전체 자산 규모가 10% 더 증가한 것이다. 만약 100만원을 모두 위험자산에 투자한 상태였다면 불가능한 방법이다. 이것이 안전자산 투자의 두 번째 효과다.

이렇듯 안전자산 투자는 단순히 손실을 줄이는 것뿐만 아니라, 반복되는 시장의 상황에 따라 비중을 조절하며 대응할 수 있기 때문에 추가적인 수익을 기대해 볼 수도 있다. 예측보다 대응을 선호하는 투자자들에겐 아주 유용한 투자 방법이라고 할 수 있다.

경제적자유를 찾는 여행자를 위한 안내서

무엇이 안전자산일까

그렇다면 리스크 관리에 활용할 만한 안전자산에는 어떤 것이 있을까? 사람들이 인식하고 있는 대표적인 안전자산으로는 부동산, 금, 은, 달러, 엔화, 채권, 현금 등이 있으며, 이는 실제로 투자에 많이 활용되고 있다. 다만 경제 상황이나 관점에 따라 안전자산으로 취급되는 자산은 달라질 수 있으므로, 단순히 '○○은 안전자산이다'라고 결론짓는 것보다는 안전자산을 찾을 수 있는 나름의 기준을 세워두고 무엇이 안전자산인지 생각해보는 과정을 통해 투자에 활용하는 것이 타당하다. 리스크로부터 투자자를 지켜줄 만한 안전자산이 되려면, 다음의 두 가지 조건이 필요하다.

안전자산의 조건
I. 변동성이 작은 자산인가?
2. 위험 자산과 반대로 흘러가는 경향이 있는가?

안전자산을 판단하는 기준이 위와 같은 이유는 안전자산 투자의 목적이 손실 방어와 리스크 관리에 있기 때문이다. 안전자산 투자를 통해 리스크를 관리하려면, 위험자산의 특성을 생각해 보고 그것과 반대의 성질을 가진 자산을 찾아 투자해야 한다. 위험자산 투자에서 리스크가 발생하는 원인은 위험 자산의 높은 변동성과 위기에 가격이 하락하는 성질이다. 이와 반대로 변동성이 작고, 위기에 하락하지 않는 자산에 함께 투자하면 위험자산 투자의 리스크를 효과적으로 줄일 수 있다.

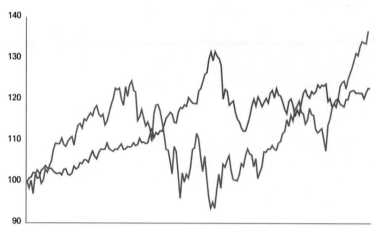

출처 : 인베스팅 닷컴, 2021~2024년 원-달러 환율 및 S&P 500 과거 데이터를 지수로 표현

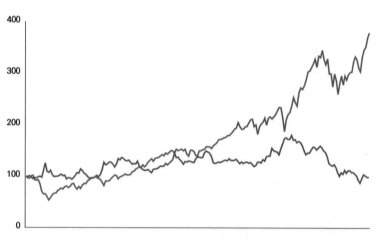

출처 : 인베스팅 닷컴, 2008~2024년 TLT 및 S&P 500 과거 데이터를 지수로 표현

경제적자유를 찾는 여행자를 위한 안내서

재미가 없잖아

안전자산에 투자해야 한다는 이야기를 하면, 이에 대해 부정적으로 생각하는 투자자들은 이렇게 이야기를 하기도 한다.

'달러? 채권? 그런 건 별로 재미가 없어!'

안전자산의 낮은 변동성 하나만을 생각하는 것이라면, 영 일리가 없는 이야기는 아니다. 하지만 안전자산을 바라보고 이런 생각을 하는 투자자는 안전자산 투자의 목적을 전혀 이해하지 못하고 있거나 안전자산을 제대로 활용하지 못하는 사람들이다.

안전자산 투자의 목적은 더 빠르게 돈을 불리는 것이 아니라, 리스크 관리를 통한 손실 방어와 안정적인 자산운용에 있다. 스스로 생각해 보았을 때 자신이 크게 버는 것보다 잃지 않는 것을 더 중요하게 생각하는 투자자라면, 안전자산에 대해 이해하고 투자에 활용해 보도록 하자. 너무 크게 넘어졌다가 다시는 일어서지 못하는 일이 없도록 도움을 받을 수 있을 것이다.

앞서 제시한 기준에 비추어 보았을 때, 우리가 안전자산으로 활용하기에 적합한 자산은 *현금, 달러, 채권이다. 이번 장에서는 이 세 가지 자산에 관해 이야기해 보고자 한다.

*안전자산에서 부동산을 제외하였는데, 그 이유는 총 세 가지다.

1) 변동성

부동산 자체는 변동성이 크지 않은 자산이지만, 일반적인 직장인들 입장에서는 전혀 그렇지 않다. 부동산의 가격이 워낙 비싸다 보니 최소 50% 이상은 레버리지를 사용해야 하므로 변동성이 커지는 효과가 발생하기 때문이다.

2) 가격의 흐름

보통 개인 투자자들이 투자를 목적으로 활용하는 자산은 주식과 부동산이 주류를 이룬다. 그런데 부동산과 주식은 속도의 차이가 조금 있을 뿐, 가격흐름의 방향성이 크게 다르지 않다. 따라서 둘 중 어느 하나에 투자하고 있는 입장에서는 다른 하나를 안전자산으로 활용하기가 어렵다. 두 자산이 같이 상승하고, 같이 하락하기 때문이다.

3) 자산 비중 및 환금성

부동산은 가격이 매우 높은 자산이기 때문에 하나에만 투자하더라도 전체 자산의 큰 비중을 차지하며, 필요에 의해 매도를 해야 할 때 매도하기가 쉽지 않은 환금성이 떨어지는 자산이다. 이는 유연한 투자를 방해하여 시기별로 적절한 대응을 하기 어렵게 만든다.

경제적자유를 찾는 여행자를 위한 안내서

이 세 가지 이유는 부동산의 가격이 크게 신경 쓰이지 않을 만큼 보유자금이 충분한 투자자에게는 해당되지 않는 내용이다. 그들에게는 적절한 대출을 활용하여 자산배분 차원에서 일정 비중을 담는 것이 오히려 훌륭한 선택지일 수 있다. 그러나 제시한 근거에 대해 동의하는 입장이라면, 실제 부동산을 매수하는 것보다는 리츠나 배당주처럼 소액으로도 접근할 수 있는 그와 비슷한 다른 자산에 투자하는 것을 추천한다. 이후 스스로 투자하기에 여유롭다고 느낄 만큼 자금을 모은 뒤에 부동산 투자를 통한 자산 배분을 고려해도 늦지 않다.

위기에 투입되는 식스맨: 현금

현금은 쓰레기일까

'현금은 쓰레기다'

올 웨더 포트폴리오로 유명한 브리지워터의 설립자 레이달리오가 했던 말이다. 화폐가 계속해서 발행되고, 현금 외 자산들이 오르는 시기에 현금을 보유하는 것은 쓰레기를 보유하는 것과 마찬가지라는 의미로 한 발언이었을 것이다. 다소 자극적인 표현이긴 하지만, 자본주의의 역사 속 화폐 가치의 흐름을 생각해 보면 이는 타당한 의견으로 보인다. 사람들이 보유하고 있는 현금은 그 가치가 지속해서 줄어들고 있고, 앞으로도 그럴 가능성이 높기 때문이다.

경제적자유를 찾는 여행자를 위한 안내서

출처 : 인베스팅 닷컴, 한국부동산원(S&P 500 과거 데이터, 전국아파트 매매 가격 과거 데이터를 지수로 표현)

[S&P500지수, 대한민국 부동산 지수, 원화 비교 차트]

그래프에서 알 수 있듯, 주식과 부동산은 과거부터 현재까지 등락을 반복하며 꾸준히 오르고 있었다. 2003년부터 2023년까지 20년간 미국 주식은 약 4배, 대한민국 부동산은 2배가 되었다. 현금 외 자산들이 올랐다는 것은 무엇을 의미할까? 같은 기간 동안 현금의 가치가 1/4배, 1/2배로 줄어버렸다는 뜻이다. 현금의 이런 특성을 생각해 보면 쓰레기라는 표현도 과언은 아닌 듯하다. 입출금 통장에 현금을 넣어놓고, 계좌에 찍혀있는 금액이 변하지 않았다고 해서 손해를 보지 않았다고 생각하면 안 된다. 다른 자산들이 우상향하는 한, 현금의 가치는 계속해서 줄어들게 될 것이다. 우리가 투자라는 활동을 통해 현금을 다른 자산으로 바꿔 그 가치가 줄어드는 것을 막아야 하는 이유다.

현금이 필요한 순간

그렇다면 현금은 보유할 가치가 전혀 없다고 보아야 하는 것일까? 그렇지는 않다. 투자를 하다보면 현금이 반드시 필요한 순간이 있기 때문이다. 레이달리오가 한 말의 의미를 다시 한번 생각해 보자.

'현금 외 자산들의 가격이 오를 때
현금의 가치는 줄어든다'

이 말을 반대로 해석하면, '현금 외 자산들의 가격이 떨어질 때는 현금의 가치가 상승한다'는 뜻이 된다. 그렇다. 시장에 위기가 찾아와 투자한 자산들의 가격이 떨어지는 시기에는 반대로 가치가 상승하는 현금을 보유하는 것이 도움이 된다. 하락장에서 발생하는 여러 가지 리스크를 현금을 이용해 효과적으로 대응할 수 있기 때문이다.

현금 보유의 가치를 제대로 이해하려면, 하락장에서 투자자가 리스크에 노출되었을 때 현금을 활용할 수 있는 방법에 대해 생각해 보면 된다. 하락장에서 투자자가 겪을만한 리스크는 크게 두 가지다. 첫 번째는 보유한 자산의 가격이 하락했을 때이고, 두 번째는 투자를 위해 사용한 레버리지가 부담을 줄 때이다. 이 두 가지 리스크를 어떻게 현금을 활용하여 대응할 수 있는지 살펴보자.

경제적자유를 찾는 여행자를 위한 안내서

1) 보유한 자산의 가격이 하락했을 때

시장에 위기가 찾아오면 부동산이든 주식이든 그 가격이 크게 떨어지게 마련이다. 투자한 자산이 있는 상태에서 하락장을 만나게 되면 제아무리 좋은 자산을 들고 있어도 투자자는 손해를 볼 수밖에 없다. 이런 시기에는 앞에서 안전자산의 효과에 관해 설명했던 것처럼, 현금을 들고 있는 것만으로도 손실이 줄어든다. 보유한 현금이 차지하는 비율만큼 전체 자산 중 투자한 자산의 비중이 줄어들어 손실 규모를 줄이는 효과가 있기 때문이다.

투자자	투자금	투자규모	수익률	손실
A	투자금 1000만원 보유	1000만원 투자	-30%	-300만원
B	투자금 1000만원 보유	700만원 투자 300만원 현금 보유	-30%	-210만원

또한 현금을 보유하고 있었다면 저렴해진 자산을 추가로 매수할 수도 있다. 부동산이라면 상급지로 갈아타는 방법으로, 주식이라면 추가 매수를 통해 평단가를 낮추며 대응하는 식으로 말이다.

만일 현금 비중이 높은 투자자라면 하락장이 오히려 좋은 상황으로 받아들여질 것이다. 추후 상승기가 돌아왔을 때 남들은 손실을 회복하는 수준에서 그치는 데 비해, 보유한 현금을 이용해 자산을 더 저렴한 가격에 추가 매수할 수 있으므로 높은 수익을 가져갈 수 있기 때문이다.

2) 투자를 위해 사용한 레버리지가 부담될 때

'양날의 검'이라는 표현을 기억하고 있는가? 레버리지는 자산 가격이 상승할 때는 투자의 이익을 키울 수 있지만, 기대와는 반대로 자산 가격이 하락하게 된다면 손실을 키우는 장치이기도 하다. 때문에 레버리지를 적극적으로 활용한 투자자는 남들보다 하락장이 더욱 괴롭게 느껴진다. 자산 가격 하락이 가져오는 손실이 더 커질 뿐만 아니라, 레버리지가 주는 부담까지 가중되므로 괴로움이 배가 되는 것이다.

레버리지를 과다하게 사용하고 하락장을 만나 투자의 부담이 커진 상황에서는, 상환해야 하는 원금과 이자가 주는 데미지를 줄이는 것이 마음 편한 투자를 만드는 데 도움이 된다. 이것을 가능하게 해주는 것이 평소에 가지고 있던 현금이다. 갭 투자를 한 부동산의 전세금이 하락하는 상황이라면 보유한 현금을 활용해 부족해진 보증금을 돌려주고, 사용한 대출의 이자가 높아져 현금 흐름이 나빠진 경우에는 원금을 상환하여 이자 지출을 줄일 수 있다.

현금 가치 상승 구간

출처 : 인베스팅 닷컴, S&P 500 과거 데이터를 지수로 표현

경제적자유를 찾는 여행자를 위한 안내서

나는 현금이 농구 경기의 식스맨과 같은 존재가 아닐까 생각한다. 식스맨은 5명이 플레이하는 농구 경기에서 스타팅 멤버가 아닌 대기 선수지만, 중요한 순간에 게임에 투입되어 팀의 페이스를 조절하는 역할을 수행하는 선수를 말한다. 투자에선 현금이 이런 식스맨과 같은 모습이다. 평소엔 통장에서 그다지 큰 역할을 수행하지 않지만, 시장에 위기가 찾아오면 현금은 큰 힘을 발휘할 수 있다.

현금이 놀고 있으면 아깝잖아요

이제 막 투자에 재미를 붙인 사람들의 경우 현금이 놀고 있으면 조바심이 들기도 한다. 자산에 넣어두고 불릴 수 있는 현금을 통장에 가만히 놔둬야 하는 상황이 그리 달갑지는 않기 때문이다. 그 마음만큼은 충분히 이해한다. 하지만 투자자가 현금을 보유하는 것은 분명 의미가 있는 일이다. 자산 가격이 떨어지는 순간에 가지고 있는 현금이 있다면, 그것을 이용하여 스스로를 지킬 수 있기 때문이다.

만약 현금 없이 보유 자산을 100% 투자자산으로 세팅해 둔 상태에서 하락장이 찾아온다면 어떨까? 아마 기존에 보유한 자산이 다시 오를 때까지 손실이 발생한 상태로 그저 기다리는 것 말고는 아무런 대응도 할 수 없을 것이다. 반대로 참을성을 가지고 현금을 보유하고 있었던 투자자들은 좀처럼 찾아오지 않는 자산의 빅세일 기간에 저렴한 가격으로 좋은 자산들을 쓸어 담을 수 있다.

이미 충분한 비중을 투자자산에 넣어둔 상태라면, 느긋한 마음으로 15~30% 정도의 현금은 통장에서 놀게 놔두는 것이 정답일 수도 있다. 때로는 아무것도 하지 않는 게 좋은 투자가 될 수도 있기 때문이다.

경제적자유를 찾는 여행자를 위한 안내서

가장 인기 있는 화폐: 달러

원화 VS 달러

다음 두 가지 질문을 읽어보고 정답이 무엇일지 생각해 보자.

Q1. 어느날 갑자기 현지 화폐 없이 외국으로 여행을 가게 되었다. 지갑을 열어보니 원화와 달러밖에 없는 상황이다. 둘 중 어떤 화폐가 더 유용하게 쓰이게 될까?

Q2. 한국인과 미국인을 제외한 세계 여러 나라 사람들 100명에게 원화 1만 3천원과 10달러 중 무엇을 가져가겠냐고 물어본다면 사람들은 어느 것을 더 많이 선택하게 될까?

평소 경제에 딱히 관심이 없는 사람들이라고 해도, 두 문제의 정답이 달러라는 것을 모르는 사람은 없을 것이다. 그런데 이상하지 않은가? 원화와 달러 모두 거래에 사용할 수 있는 화폐인데 왜 달러가 정답이 되는 것일까?

우리나라 사람의 입장에서는 원화를 대한민국으로 가져와 사용할 수도 있으므로 두 화폐의 유용성에 별 차이가 없어 보이고, 환율이 1300원 정도이므로 1만 3천원과 10달러가 같은 가치라고 생각할 수 있다. 하지만 다른 나라 사람이 보았을 때는 동일한 금액이라고 해도 원화보다 달러의 가치를 더 높게 평가한다. 우리나라를 제외하고 달러와 원화를 동등하게 바라보는 나라는 거의 존재하지 않는다. 달러는 세계에서 가장 인기 있는 화폐이기 때문이다.

기축통화의 위엄

달러가 가진 인기의 비결은 바로 '기축통화(Key currency)'에 있다. 기축통화란 세계의 기준이 되는 화폐로, 국가 간에 이뤄지는 국제적인 거래에서 기본적으로 사용되는 화폐를 말한다. 예를 들어 대한민국에서는 원화를 사용하고 태국에서는 바트를 사용하지만, 이 두 나라가 서로 거래를 해야되는 상황에서는 원화나 바트가 아니라 기축통화인 달러를 사용하여 대금을 지급하게 된다. 달러가 국가 간 거래의 기준이라는 기축통화의 지위를 갖고 있기 때문이다.

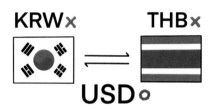

경제적자유를 찾는 여행자를 위한 안내서

달러가 기축통화가 될 수 있는 핵심적인 이유는 '신용'이다. 달러가 가진 힘을 이해하려면 우선 이 신용이라는 것에 대한 이해가 선행되어야 한다. 우리는 평소에 별다른 생각 없이 화폐를 사용하여 물건이나 서비스의 대가를 지불하는데, 이 모습을 화폐라는 개념이 전혀 없는 사람이 바라본다면 어떻게 보일까? 화폐가 무엇인지도 모르고 어디에 쓰는 것인지도 모르는 사람이라면, 사람들이 거래하는 모습을 이해하기가 상당히 어려울 것이다. 얼굴이 그려진 종잇조각 몇 장을 받고 친절하게 웃으면서 값나가는 물건을 순순히 내놓는 모습으로 보일테니 말이다.

화폐가 제 기능을 할 수 있는 것은, 단순한 종잇조각에 불과한 화폐에 국가가 지불 능력을 보장하는 신용(Credit)을 부여했기 때문이다. 이처럼 각 국가들은 나름대로 신용을 부여한 화폐를 만들어 사람들이 편리하게 거래를 할 수 있도록 만들어 두었는데, 여기서 화폐 간 신용의 차이가 발생한다. 각 국가마다 경제 규모, 국제적 서열, 국가의 안정성 등의 차이가 있으므로 각 화폐에 부여된 신용에서도 그 차이가 생기게 되는 것이다.

규모를 좀 더 작게 하여 생각해 보면, 신용의 차이가 생기는 이유를 어렵지 않게 이해할 수 있다. 예를 들어 우리가 집에서 A4용지를 적당히 잘라 스스로의 얼굴을 그려 넣고 숫자를 적어 나만의 화폐를 만들었다고 생각해 보자. 식당에 가서 맛있게 밥을 먹고 난 뒤에, 식당 주인에게 음식에 대한 대가를 원화가 아닌 스스로 만든 화폐로 결제하겠다고 이야기 한다면 어떻게 될까? 아마도 식당 주인은 여러분에게 화를 내며 장난하지 말고 원화를 내놓으라고 이야기할 것이다. 실제로 우리가 만든 화폐를 값어치 있는 것으로 바꿔주겠다고 진심으로 생각하고 신용을 부여했다고 해도 말이다. 우리가 만든 장난 같은 화폐보다는 대한민국이 신용을 부여한 원화가 훨씬 신뢰가 가기 때문이다. 신용의 차이란 이런 것이다.

그렇다면 현시점을 기준으로 세계에서 가장 신뢰가 가는 국가는 어디일까? 바로 여러분이 잘 알고 있는 미국이다. 지구상에서 가장 강하고 튼튼한 나라인 미국은 세계에서 가장 높은 신용을 화폐에 부여할 수 있는 국가다. *그렇기 때문에 달러는 다른 여러 나라들로부터 기축통화로서 인정받을 수 있는 것이다. 어떤가? 이제 달러가 좀 더 귀하게 보이지 않는가?

위기에 더 강해지는 달러

이처럼 높은 신용을 가지고 있는 달러는 경제적인 위기 상황에서 더 높은 평가를 받는다. 경제 불안이나 위기 상황에서 투자자들은 안정성과 신뢰성이 담보되는 화폐를 선호하는 경향이 있기 때문이다. 특히 경제 위기의 규모가 시장에 매우 큰 충격을 줄 정도로 심각한 상황이라면, 투자자들의 불안감에 힘입어 달러에 대한 수요는 더욱 급증한다. 이처럼 위기에 더 강해지는 특성으로 인해 달러는 투자자들에게 대표적인 안전자산으로서 취급되고 있다. 이것이 달러가 리스크 헷징에 적합한 이유다.

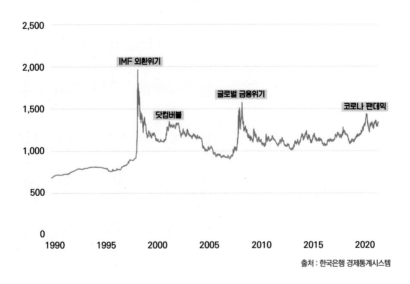

원-달러 환율

2,500

2,000 IMF 외환위기

1,500 글로벌 금융위기 코로나 팬데믹

1,000 닷컴버블

500

0
1990   1995   2000   2005   2010   2015   2020

출처 : 한국은행 경제통계시스템

1997년, 대한민국에 IMF 사태가 터졌을 때에는 한 달 만에 원-달러 환율이 900원에서 1,950원으로 두 배가 오르기도 했다. 당시에 달러를 보유하고 있던 투자자들에게 달러는 단순한 외국 화폐 이상의 의미였을 것이다.

달러 투자 시기

달러에 투자하려면 우선 달러가 비싼지 저렴한지 판단할 수 있어야 한다. 가격이 오를 대로 올라버린 상황에서 달러에 투자하면 안전자산으로서의 매력을 잃기 때문이다. 여러분은 달러의 적정 가격이 얼마라고 생각하는가?

앞의 설명에서 이야기했듯, 달러는 위기 상황에서 그 수요가 증가하며 환율이 상승하게 된다. 이런 시기엔 이미 달러가 비싸게 거래되고 있을 확률이 높다. 따라서 달러에 투자하기 좋은 시기는 시장에 위기감이 크지 않아 자산들이 안정적인 흐름을 보이고 있을 때다. 자극적인 뉴스가 적고 모두들 웃는 얼굴로 마음 편하게 투자를 하고 있는 그런 때가 달러 투자의 적기라고 할 수 있다. 달러에 대한 매력을 느끼는 투자자가 그리 많지 않은 상황에서 저렴하게 달러를 쌓아둔다면, 추후 자산 가격이 꺾이는 시기가 오더라도 영향을 크게 받지 않으며 오히려 투자를 훨씬 유리한 상황으로 이끌 수도 있다.

여기에 더해, 나름의 기준을 정해두고 원달러환율의 흐름을 살펴보며 달러의 가격이 상대적으로 어느 수준에 있는지 함께 생각해 보는 습관을 들이는 것도 좋은 방법이다. 최근 1~2년 사이의 환율 및 달러지수의 움직임을 살펴보고, 최고점과 최저점의 평균이 어디쯤에 있는지 확인하여 이를 기준으로 활용한다면, 좀 더 명확하게 달러의 가격 수준을 판단하는 데 도움이 된다.

원-달러 환율

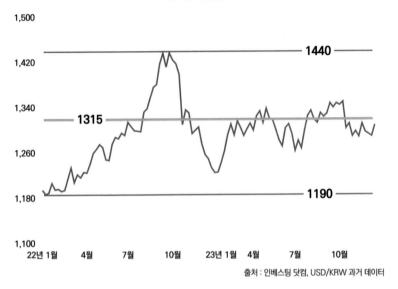

출처 : 인베스팅 닷컴, USD/KRW 과거 데이터

달러 지수

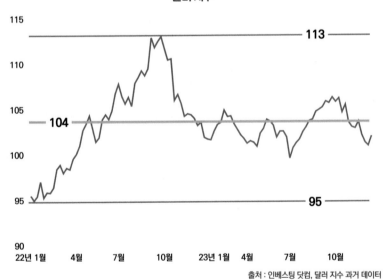

출처 : 인베스팅 닷컴, 달러 지수 과거 데이터

달러 투자 방법

달러에 투자하는 방법은 총 세 가지로 **달러 환전, 달러 표시 자산 투자, 양방향 투자**가 있다.

1) 달러 환전

달러에 투자하는 가장 기본적인 방법은 환전이다. 달러가 저렴하다고 판단될 때 달러를 사두었다가, 환율이 오르면 매수-매도 간 환율의 차이에 따라 환차익을 얻을 수 있는 가장 리스크가 적고 쉬운 방법이라고 할 수 있다. 투자 방법 또한 매우 간단한데, 은행의 달러 예금을 통해 달러를 보유하거나 증권사 계좌의 환율 우대 서비스를 이용하면 적은 비용으로 편리하게 원화를 달러로 바꿀 수 있다.

2) 달러 표시 자산 투자

스스로 생각하기에 좀 더 투자에 적극적인 성향을 가지고 있는 투자자라면 미국 주식, 채권과 같은 달러 표시 자산에 투자를 해볼 수도 있다. 달러 표시 자산은 달러를 기반으로 거래해야 하기 때문에 자산에 투자하는 것만으로도 달러에 투자하는 효과가 있다. 미국 자산 투자와 동시에 달러에도 투자하는 셈이다.

달러 표시 자산 투자가 가진 장점은 상대적으로 투자 손실 방어가 유리하다는 점이다. 경기가 좋지 않아 투자한 자산의 가격이 하락하게 되는 경우 반대로 달러 환율은 상승한다. 이 때문에 투자 손실의 일부분은 환차익

경제적자유를 찾는 여행자를 위한 안내서

으로 상쇄되어 손실이 줄어들게 되는 것이다. 손실에 민감한 투자자들에게는 국내 자산 투자보다 더 매력적으로 느껴질 수 있는 방법이다.

이렇게 달러 표시 자산에 투자할 때는 달러 매수 시기와 자산 투자 시기를 분리하면 더 유리한 투자를 할 수 있다. 평소에 환율이 저렴할 때 보유한 원화를 달러로 환전해 두었다가 투자 자산을 매수하면, 환차익 면에서도 투자의 시세차익 면에서도 이익을 얻을 수 있기 때문이다. 이런 방식의 투자는 투자 시점 이후에 자산가격이 떨어지더라도 이미 환차익이 있으므로 어느 정도 안전마진을 확보할 수 있는 방법이기도 하다. 물론 환율 상승 비율 이상으로 투자한 자산이 하락하는 경우에는 손실이 발생할 수밖에 없으니 감당할 수 있는 변동성의 자산인지 생각해 보고 투자할 수 있도록 하자.

3) 양방향 투자

혹시 '우산 장수 부채 장수' 이야기를 알고 있는가? 우산과 부채를 파는 두 아들을 매일 걱정하다가 비가 오면 우산을 파는 아들의 장사가 잘 되어서 좋고, 날이 맑으면 부채를 파는 아들의 장사가 잘되어서 좋지 않느냐는 이웃의 말을 듣고 기뻐하던 어머니의 이야기 말이다. 양방향 투자는 이야기 속 우산과 부채처럼 달러와 음의 상관관계를 갖고 있는 자산을 이용하여 양쪽으로 자산을 운용하는 전략이다. 달러가 오르면 오른 대로 이익을 얻고, 달러가 떨어지면 반대로 오르는 자산을 함께 들고 있으니 이익을 얻는 방법이라고 할 수 있다.

이 전략을 실행하기 위해서는 달러와 반대로 가는 자산을 이용해야 한다. 달러와 음의 상관관계를 갖고 있는 자산은 무엇이 있을까? 그것은 바로 원화 표시 자산이다. 한국의 주식이나 부동산과 같은 것들 말이다. 원-달러 환율이 올랐다는 것은 곧 원화가 싸졌다는 것을 의미하고, 환율이 떨어졌다는 것은 원화가 비싸졌음을 의미한다. 이를 이용하여 환율이 높을 때는 달러를 팔아 원화 자산에 투자하고, 환율이 낮을 때는 이것을 다시 매도하고 달러에 투자하면 되는 것이다. 이렇게 하면 환율의 방향과 관계없이 두 자산 중 한쪽은 항상 돈을 버는 구조가 된다.

KOSPI 지수, KOSPI+달러 양방향 투자 수익률 비교

— KOSPI — KOSPI+달러

(KOSPI 60% : 달러40%, 3개월마다 리밸런싱)

경제적자유를 찾는 여행자를 위한 안내서

비교 자료에서 확인할 수 있는 것처럼, 달러와 코스피 지수를 활용하여 양방향 전략을 사용하였다면 2013년부터 2023년까지 10년간 코스피 지수에만 투자했을 때보다 최대 손실 폭을 절반으로 줄일 수 있었을 뿐 아니라 수익률을 두 배로 늘릴 수 있었을 것이다. 이렇듯 양방향 투자는 국내 자산에 집중 투자했을 때보다 훨씬 마음이 편한 투자를 할 수 있도록 도움을 주는 방법이다.

*환차손을 보았을 때

달러에 투자한 뒤에 환율이 떨어져버리면 환차손이 발생하기도 하는데, 이런 경우에는 달러 예금이나 미국 배당주, 미국채를 이용하여 손실을 메꿀 수도 있다. 너무 비싸게 달러를 산 것이 아니라면 환차손에 대해서는 크게 걱정하지 않아도 괜찮다.

*달러에 대해 좀 더 이해하고 싶다면, 기축통화의 역사에 대해 공부해보는 것을 추천한다. 금본위제, 영국의 파운드화, 브레튼우즈 체제, 페트로달러에 대해 한번 찾아보도록 하자.

*만일 현재 보유하고 있는 자산의 대부분을 원화로 가지고 있는 투자자라면, 달러 투자에도 조금은 관심을 가져보도록 하자. 달러는 시장에 위기가 찾아왔을 때 투자 손실을 줄여주고, 현금을 가치있게 보관하는 훌륭한 금고가 되어줄 것이다.

*반대로 보유 자산의 대부분을 달러가 차지하고 있다면, **금 투자**에 관심을 가져보는 것이 좋다. 달러의 패권에 위기가 찾아올 때는 금이 상대적으로 높은 평가를 받는다. 금에 투자하려면 양도차익 비과세 상품인 금 거래용 계좌를 증권사를 통해 개설하거나 'KRX금현물, GLD, IAU'와 같은 금 ETF를 활용하도록 하자. 금 투자는 단기적인 방향성을 보고 사는 것보다는 자산배분 차원에서 접근하는 것을 추천한다.

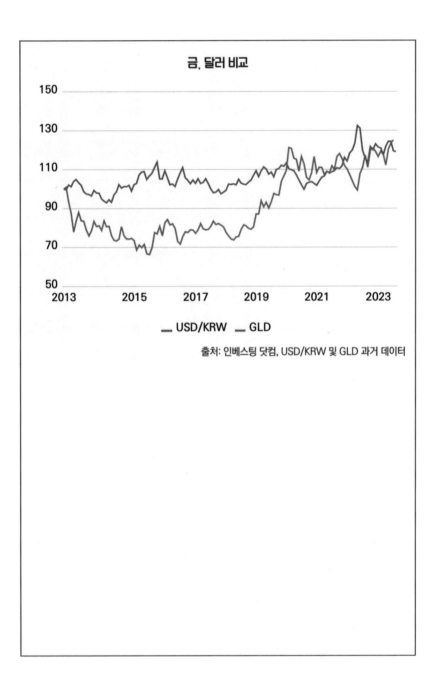

금, 달러 비교

2013 2015 2017 2019 2021 2023

— USD/KRW — GLD

출처: 인베스팅 닷컴, USD/KRW 및 GLD 과거 데이터

두 마리 토끼를 잡는 자산: 채권

채권의 의미

채권이란 국가나 기업이 필요한 자금을 마련하기 위하여 활용하는 수단으로, 투자자들에게 원금과 이자의 상환을 약속하며 발행하는 증서를 말한다. 주식투자가 사업의 성장을 바라보고 그 이익을 공유하기 위해 기업에 투자하는 '동업'의 개념이라면, 채권투자는 직접 '돈을 빌려주는 행위'다. 투자자는 채권을 매입함으로써 필요한 곳에 돈을 빌려주고 이자를 받을 수 있다. 우리가 은행에서 받는 대출을 역으로 생각하면 이해가 쉽다. 채권에 투자할 때에는 우리가 은행 역할을 하게 되는 것이다.

채권의 종류는 크게 국채와 회사채로 나눌 수 있다. 국채는 국가가 발행한 채권을, 회사채는 기업이 발행한 채권을 말한다. 투자자는 발행된 국채와 회사채들을 살펴보고, 믿을만한 곳에 돈을 빌려주는 것으로 이자 수익을 만들어낼 수 있다. 채권을 이용하면 매번 이자를 내기만 하던 입장에서, 이자를 받는 입장이 된다.

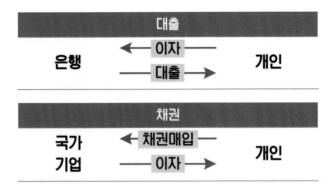

채권 투자의 장점

채권 투자의 제일 큰 장점은 '원금 보장이 되는 상품'이라는 점이다. 이러한 특징은 마치 은행의 예금처럼 투자자가 예측 가능한 수익을 얻을 수 있도록 만들어준다. 만기 시점에 약속된 원금과 이자를 확정적으로 얻을 수 있으므로, 투자자는 투자가 종료되는 시점에 자신의 수익이 얼마가 될지 정확하게 알 수 있다. 이처럼 원금 보장이 가능한 이유는 앞서 말했듯 채권이 동업의 개념이 아닌 대출의 개념이기 때문이다.

예를 들어 자영업자 A가 가게를 하나 차리려고 하는데, 개업에 필요한 자금 2억 중 1억이 부족한 상황이라고 가정해 보자. 이를 해결하기 위한 A의 선택지는 두 가지다.

1. 동업자를 구한다.
2. 부족한 자금을 빌린다.

A가 동업자를 구하는 방법을 선택했다면, 부족한 금액인 1억만큼 동업자에게 가게의 지분을 매도한 셈이 된다. 이 경우 사업의 리스크는 절반으로 줄어든다. 매도한 지분만큼 리스크를 동업자와 나눠 갖게 되었기 때문이다. 만약 사업이 잘 풀리지 않아 1억의 손실이 발생했다면, A의 손실은 그의 절반인 5천만원이 된다. 이는 주식의 구조와 같다.

동업을 하는 경우		
A	1억원 투자	-5천만원 손실
동업자	1억원 투자	-5천만원 손실

반면에 부족한 1억을 은행에서 빌렸다면 어떻게 될까? 사업에 대한 리스크는 온전히 A가 지게 된다. 은행은 이자 수익을 위해 돈을 빌려줬을 뿐, 리스크를 테이킹한 것은 아니기 때문이다. 장사가 잘 되든 안 되든 자영업자는 은행에서 빌린 돈을 1원도 빠짐없이 갚아야 한다. 은행으로부터 가져온 1억은 말 그대로 '빌려준 돈'이다. 영업이 잘 풀리지 않게 된 것이 딱할 수는 있겠지만, 그렇다고 해서 은행에 손해를 분담해서 떠안아달라고 요청할 수는 없는 노릇이니 말이다.

은행에서 빌린 경우		
A	2억원 투자 (대출 1억)	-1억원 손실
은행	1억원 대여	손실 X

경제적자유를 찾는 여행자를 위한 안내서

채권도 마찬가지로 대출의 개념이므로, 발행된 채권을 매수한 투자자는 국가나 기업의 상황과 관계없이 약속한 원금과 이자를 전액 상환받을 권리가 있다. 이것이 바로 채권이 안전자산으로서 취급받을 수 있는 이유다. *투자 손실 가능성이 매우 낮기 때문이다. 이는 채권이 갖고 있는 매우 큰 강점이다. 일반적으로 투자 대상으로 취급되는 자산 중에서 예금을 제외하고는 손실 가능성이 없는 자산은 거의 없다. 위험 자산 투자로 인한 원금 손실의 두려움이 큰 투자자들에겐 상당히 허들이 낮은 투자라 할 수 있겠다.

그런데 이렇게 채권에 대한 설명을 듣다 보면, '원금 보장이 되고, 약속된 이자와 원금을 받는 상품이라면 이미 사람들이 이용하고 있는 은행 예금과 다를 게 무엇인가?'와 같은 생각이 들지도 모른다. 확실히 리스크가 적다는 측면만 보았을 때는 채권 투자의 필요성을 느끼기 어려울 수 있다. 하지만 채권과 예금 사이에는 큰 차이가 하나 있다. 바로 '시세차익'이다. 채권이 가진 또 하나의 장점은 돈을 빌려주고 이자를 받을 수 있는 동시에 시세차익도 노려볼 수 있는 자산이라는 점이다.

금리와의 상관관계

채권 투자에서 시세차익이 발생하는 원리를 이해하기 위해는 채권과 금리의 상관관계에 대하여 이해할 필요가 있다. 간단히 설명하자면, 채권과 금리는 음의 상관관계를 가진다. 금리가 내리면 채권 가격이 오르고, 금리가 오르면 채권 가격이 내려간다. 그 이유를 예시를 통해 이해해 보자.

우선 채권이라는 자산은 뒤가 정해져 있는 자산이다. 발행과 동시에 만기 시점과 지급 금액이 고정되기 때문이다. 예를 들어 이율이 10%이고, 만기가 1년 남은 채권이 있다고 가정했을 때, 그것에 100만원을 투자하면 만기 시점에 투자자가 받게 될 금액은 110만원으로 고정이 된다.

투자대상	이율	만기	투자금	결과
채권	10%	1년	100만원	100 × 1.1 × 1 = 110만원

이때, 같은 시기에 은행에서 10%짜리 1년 만기 정기예금을 팔고 있다면 어떨까? 채권과 예금을 비교하였을 때, 둘의 매력은 차이가 없다. 예금과 채권 모두 만기 시점에 받게 될 금액이 110만원으로 똑같기 때문이다. 이 경우 채권에 대한 수요는 상승하지 않는다.

투자대상	이율	만기	투자금	결과
예금	10%	1년	100만원	100 × 1.1 × 1 = 110만원

그런데 여기서 금리가 5%로 낮아진다면 어떻게 될까? 채권의 수익률은 발행 시점에 10%로 고정되어 있기 때문에 금리 변동의 영향을 받지 않아 똑같이 110만원을 받을 수 있지만, 은행에서 파는 예금의 이자는 5%가 되어있을 것이므로 만기 시점에 받게 될 금액이 105만원으로 줄어버린다. 이렇게 되면 상대적으로 채권의 매력은 상승하게 된다. 예금에 비해 채권의 수익이 5만원 더 좋은 상황이기 때문이다.

투자대상	이율	만기	투자금	결과
채권	10%	1년	100만원	100 × 1.1 × 1 = 110만원
예금	5%	1년	100만원	100 × 1.05 × 1 = 105만원 (채권과 5만원 수익차이 발생)

이 과정에서 채권에 대한 수요는 증가하게 되므로, 채권의 가격도 함께 상승하는 것이다. 채권의 시세차익은 이렇게 발생한다.

반대로 금리가 오르면 같은 원리로 인해 채권의 매력이 상대적으로 떨어지기 때문에 가격도 같이 하락하게 된다. 하지만 이는 크게 문제가 되지 않는다. 그런 경우에는 만기까지 채권을 보유함으로써 원금을 지킬 수 있기 때문이다. 이렇게 리스크는 없으면서 시세차익도 얻을 수 있는 자산이라는 점을 이용하면, 채권으로 매우 유리한 투자를 만들 수 있다.

듀레이션

여기에 더해, 만기가 길어지면 금리로 인한 채권 가격의 변화는 더욱 커지게 된다. 다음 페이지의 표들을 살펴보자.

투자대상	이율	만기	투자금	결과
채권	10%	1년	100만원	100 × 1.1 × 1 = 110만원
예금	5%	1년	100만원	100 × 1.05 × 1 = 105만원 (채권과 5만원 수익차이 발생)

투자대상	이율	만기	투자금	결과
채권	10%	3년	100만원	100 × 1.1 × 3 = 130만원
예금	5%	3년	100만원	100 × 1.05 × 3 = 115만원 (채권과 15만원 수익차이 발생)

투자대상	이율	만기	투자금	결과
채권	10%	5년	100만원	100 × 1.1 × 5 = 150만원
예금	5%	5년	100만원	100 × 1.05 × 5 = 125만원 (채권과 25만원 수익차이 발생)

*계산의 편의성을 위해 복리는 고려하지 않음

[만기 기간별 채권과 예금 비교]

이처럼 만기가 길어질수록 금리 변동으로 인한 채권 가격의 민감도가 상승하게 되는데, 이를 *'듀레이션(Duration)'이라고 한다. 금리가 떨어졌을 때, 만기가 긴 채권일수록 가격이 크게 오르고 만기가 짧은 채권은 가격이 적게 오른다. 따라서 채권을 이용하여 기존에 투자한 자산의 하락 리스크를 헷징하려면, 기대 손실 방어에 필요한 적정 듀레이션을 생각해 보고

경제적자유를 찾는 여행자를 위한 안내서

어떤 채권에 투자할지 선택해야 한다. 전체 보유 자산 중 채권의 비중이 작은 편이라면 장기채에 투자하여 하락 상쇄 효과를 키울 수도 있고, 채권 비중이 큰 편이라면 단기채를 매수하여 듀레이션의 크기를 줄일 수도 있다.

채권 투자 방법

채권에 투자할 수 있는 방법은 두 가지로, 직접 투자와 ETF 투자가 있다. 직접투자는 특정 국가나 기업이 발행한 채권을 직접 매입하는 방법이고, ETF 투자는 채권들을 모아서 만든 채권 ETF에 투자하는 방법이다. 두 방법의 차이점은 만기의 유무다. 특정한 채권에 직접 투자하는 경우 만기가 정해져 있기 때문에 만기일까지 보유하면 약속된 원금과 이자를 모두 받을 수 있지만, 채권 ETF에 투자하는 경우에는 보유한 채권이 지속적으로 교체되기 때문에 만기가 없다.

따라서 원금 보장을 원하는 투자자라면 단일 채권에 직접 투자하도록 해야 하고, 금리에 따른 시세차익만을 바라본다면 ETF 투자를 이용하면 된다. 단일 채권은 증권사 어플 등에서 검색을 통해 원하는 국채, 회사채에 직접 투자할 수 있고, 채권 ETF는 주식과 동일한 방법으로 상장되어 있는 ETF의 티커를 검색하여 투자할 수 있다.

채권 ETF	
단기채	SHY
중기채	IEF
장기채	TLT

지속적인 금리 상승으로 향후 금리 인하에 대한 기대감이 높아지고 있는 상황이라면, 더욱 채권 투자에 관심을 가져볼 필요가 있다. 안정적인 수익과 함께 채권 가격 변동으로 인한 시세차익을 얻을 수 있는 가능성이 높아지기 때문이다. 채권 투자를 처음 시작하는 초보 투자자라면 잔존만기가 1년 이내인 한국 또는 미국의 국채에 직접 투자하는 것부터 시작해 보는 것을 추천한다. 당장 목적이 없는 예비 자금이 있다면, 이를 보관할 목적으로 SGOV, BIL과 같은 초단기 채권 ETF에 투자하여 파킹목적으로 활용하는 것도 좋다.

*투자 손실 확률이 없는 것이 아니라 매우 낮다고 표현하였는데, 채권 투자에 리스크가 전혀 없는 것은 아니다. 채권을 발행한 국가나 기업이 파산하게 되면 채무를 이행할 수 없게 되므로 투자자는 손실을 입게 된다. 하지만 이에 대해 크게 걱정할 필요는 없다. 멀쩡한 국가나 기업이 망할 확률은 거의 없기 때문이다. 신용등급이 낮은 채권에 투자하지만 않으면 된다. 국채라면 망하지 않을 것 같은 나라에, 회사채라면 AA등급 이상에 투자하도록 하자.

*이표채와 할인채
채권의 종류는 이표채와 할인채로 분류되기도 한다. 이표채(Treasury Coupon Bond)는 발행하며 원금에 대한 이율을 지정한 채권을 말하며, 할인채(Zero Coupon Bond)는 발행가격 자체가 원금에 할인이 적용된 가격으로 설정된 채권을 말한다. 본문에서는 혼동을 최소화하기 위해 따로 언급하지 않았다. 이표채와 할인채의 수익을 모두 '이자'라고 표현한 것은 이 때문이다.

*듀레이션의 정확한 의미는 '현재가치를 기준으로 채권에 투자하였을 때 원금을 회수하기까지 걸리는 기간'이다. 듀레이션과 금리 변동으로 인한 채권 가격의 민감도가 정비례하므로, 듀레이션은 이자율 변동에 대한 채권 가격의 민감도를 측정하는 지표로 활용된다. 만약 이에 대한 이해가 어렵다면, '만기가 길어질수록 금리변동으로 인한 채권 가격 변동의 민감도가 크다' 정도로 이해해도 무방하다.

STEP 5.

포트폴리오
만들기

투자에도 성격이 있다

[MBTI]

여러분들은 MBTI라는 것을 알고 있는가? MBTI는 에너지의 방향, 인식기능, 판단기능, 생활양식의 4가지 지표를 바탕으로 인간의 성격을 16종류로 나누어 설명하는 성격 유형 검사의 일종인데, 특히 MZ세대 사이에서 굉장히 유행하고 있다. 최근 주변을 보면 학교, 소개팅, 직장, 모임 등의 대화에서 거의 빠지지 않고 등장하는 소재로, 마치 '밥 먹었어?'와 같이 보편적으로 나누는 인사처럼 보일 정도다.

이런 유행에 힘입어 한 투자 관련 어플에서는 투자 MBTI 컨텐츠를 제공하기도 했다. 투자자의 성향을 어울리는 동물에 빗대어 자신에게 어울리는 투자 방법을 설명해 주는 테스트였는데, 쉬는 시간에 직장동료들과 재미 삼아 성향을 확인해 보니 제각각 다른 결과가 나오는 것이 꽤 흥미로웠다.

세상에 오만가지의 성격이 존재하듯, 투자에도 다양한 성격이 있다. 다소 리스크를 지더라도 공격적인 투자를 좋아하는 사람이 있는가 하면, 조금이라도 손해를 보는 것이 두려워 안정성을 최우선으로 고려하는 사람도 있고, 현금 흐름을 중시하는 사람, 자산의 내재 가치와 성장성에 주목하는 사람, 안정적인 노후를 꿈꾸는 사람, 경제적 자유를 이루고 싶은 사람, 빠르게 성공을 이루고 싶은 사람 등 개인의 투자 성향은 매우 다양하게 나타난다. 심지어 같은 종목에 투자하더라도 저마다 기준과 목표가 제각기 다르다. 여러분은 어떤 성격의 투자자인가?

투자로 성공하는 방법은 다양하다. 자산은 부동산, 주식, 금, 달러, 채권, 원자재, 탄소배출권, 비트코인 등 그 종류부터 헤아릴 수 없으며, 같은 자산에 투자하더라도 누가, 언제, 어떻게 투자하느냐에 따라 그 결과는 천차만별로 나타난다. 수많은 자산과 투자 방법 속에서 나의 자본과 심리가 흔들리지 않게 컨트롤할 수 있는 최적의 자산을 찾아 자신만의 포트폴리오를 구성하는 것이 성공적인 투자의 열쇠다. 성공적인 투자를 해낸 누군가의 방법을 그대로 따라 하는 것이 다른 누군가에게는 정답이 아닐 수도 있다.

나에게 적합한 포트폴리오를 구성하려면, 스스로에 대한 이해와 더불어 다양한 자산의 특징과 투자 방법을 폭넓게 살펴보고 고민해 보는 과정이 필요하다. 타이슨이 피겨스케이팅을 하고, 마이클 조던이 피아노를 연주하며, 비틀즈가 요식업계에 진출했다고 상상해 보자. 아마 맡은 분야에서 성공할 확률보다는 우리가 그들의 이름을 알지 못할 확률이 더 높을 것이

경제적자유를 찾는 여행자를 위한 안내서

다. 사람들이 그들을 기억하는 이유는 각자 재능과 성향에 맞는 분야에서 실력을 키우기 위해 노력했기 때문이다. 투자 또한 그래야 한다.

이번 장에서는 스스로에게 적합한 포트폴리오를 좀 더 쉽게 만들기 위한 기준을 투자의 시기별로 나누어 제시하고자 한다. 본격적으로 투자를 시작하기 전에 어떤 성향의 투자자가 될 것인지 신중하게 고민해 보고, 제시한 기준을 바탕으로 자신의 투자성향에 맞는 계획을 구상하여 실천하도록 하자. 제대로 된 방법과 의지를 갖고 그것을 묵묵히 해나가다 보면, 언젠가는 꽤나 만족스럽게 쌓여있는 자산을 보유하고 있는 자신을 발견하게 될 것이다.

포트폴리오1: 사회적응기

사회적응기 SWOT 분석	
S	긴 투자 시간
W	부족한 시드머니
O	더 많은 투자 기회
T	충동적 소비 환경

이제 막 학교를 졸업하고 사회에 첫발을 내딛은 사회적응기 청년들의 장점과 단점은 매우 명확하다. 이들은 경제활동 인구 중 가장 젊은 편에 속하는 집단으로, 노년기에 이르기까지 매우 긴 시간이 남아 있어 상대적으로 더 많은 투자 기회를 갖는다. 하지만 이제 막 돈을 벌기 시작하는 단계에 있기 때문에 소득이 높지 않은 편이어서 시드머니가 부족하다는 것이 큰 특징이며, 젊은 세대인 만큼 소비에 대한 유혹이 생활 환경 곳곳에 배치되어 있어 돈을 모으는 것을 상당히 어려워하는 경향이 있다.

경제적자유를 찾는 여행자를 위한 안내서

투자자로서 이들에게 가장 필요한 것은 '**적극성**'이다. 적극적으로 저축률을 끌어올려 빠르게 시드머니를 만들고, 자신의 미래 설계에 맞는 적절한 속도와 방법을 선택하여, 스스로 감당할 수 있을 만한 리스크를 테이킹하는 것을 즐길 수 있어야 한다. 그런 적극성을 갖추었을 때, 젊은 시절에 찾아오는 수많은 투자 기회들을 성장의 발판으로 만들 수 있기 때문이다.

아울러 이 시기에는 투자와 더불어 자신의 몸값을 높이려는 노력에도 관심을 두어야 한다. 아직 시드머니가 많지 않기 때문에 투자를 통한 소득보다는 가지고 있는 노동력의 값어치를 올려 근로소득을 높이는 것이 훨씬 효율적인 성장을 만들어내기 때문이다. 젊은 청년들이 가지고 있는 가장 강력한 무기는 시간이다. 그 시간들을 가치 있는 곳에 사용하고 있는지 수시로 스스로를 되돌아보며 흘러가는 시간이 아까운 곳에 사용되고 있다면, 그것을 절제하는 법을 배우는 것이 좋다.

사회적응기의 포트폴리오는 시드머니 모으기, 투자 시작하기의 두 단계로 나눠볼 수 있다.

---

*SWOT은 Strength(강점), Weakness(약점), Opportunity(기회), Threat(위기)의 약자로, 분석 대상을 이 4가지 항목으로 나누어 살펴보는 방법을 말한다. 대상의 현황 파악과 향후 전략 수립에서 흔히 이용되는 분석법이다.

1. 시드머니 모으기

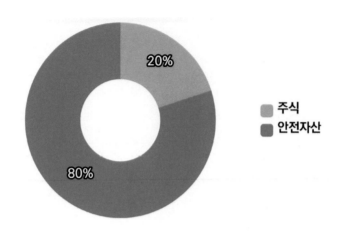

자산구성:
주식 20%(지수ETF 또는 배당주와 같은 안정적 종목)
안전자산 80%(현금, 달러, 채권)

-시드머니 모으기 단계에서는 본격적인 투자보다 공부와 마인드세팅에 더 집중해야 하는 시기다. 아직 투자 금액이 많지 않고 경험도 부족하기 때문에, 높은 수익률을 올리더라도 인생을 바꿀만한 의미 있는 이익을 만들어내기는 어렵기 때문이다. 오히려 이 시기에는 작은 금액으로 여러 번 투자의 실패를 겪어보고, 실패의 원인이 무엇인지 분석하며 투자자로서의 레벨을 끌어올리는 기회를 만드는 것이 더 중요하다.

경제적자유를 찾는 여행자를 위한 안내서

-다양한 투자 및 재테크 관련 도서들을 읽어보고 자산에 대한 이해와 함께 투자의 기본을 배워 많은 경험을 쌓아둔다면, 훗날 진정으로 의미 있는 선택을 해야 하는 순간에 공포나 욕심으로부터 멀어져 현명한 판단을 내릴 수 있는 지혜로운 투자자가 될 수 있다.

-사회적응기에 속하는 사람들의 경우, 스스로에게 무궁무진한 경제적 성장의 가능성이 있음을 인지하는 것이 중요하다. 이 시기에는 인생의 목표를 설정할 때 조금은 호기를 부려보는 것도 좋다고 생각한다. 지나치게 허무맹랑한 목표가 아니라면, 약간 현실성이 떨어지더라도 자신이 원하는 미래의 모습을 마치 눈에 보이는 것처럼 선명하게 그려보도록 하자. 그리고 그에 맞는 경제적 목표를 설정하여, 그것을 이루기 위해 사용할 수 있는 투자 방법과 원칙이 무엇인지 끊임없이 고민해 본다면 누가 직접 가르쳐주지 않더라도 목표 달성의 가능성이 조금씩 열릴 것이다.

-스스로 투자를 자신 있게 할만 한 기본이 완성되었다는 생각이 들 때까지는 안전자산과 투자를 철저히 분리하여 운용해야 한다. 이 시기에 모으는 안전자산은 지금이 아닌 본격적으로 투자를 시작하고 난 뒤에 활용될 자산이다. 노는 돈이 아깝다는 생각은 잠시 접어두자. 조급함은 절대로 투자자에게 도움을 주지 않는다.

-이제 막 사회에 들어와 소득을 올리기 시작한 경우라면, 계획적인 소비를 실천하는 데 정말 많은 노력을 기울여야 한다. 학생 시절에 비해 소득이 크게 늘었다고 해서 소비에 관대해지는 것은 후회의 가능성을 매우 높

이게 된다. 청년기의 100만원과 중년, 노년기의 100만원은 매우 큰 차이가 있음을 명심하도록 하자. 저축할 금액을 미리 정하고 월급날에 저축을 먼저 한 뒤에 남은 소득 안에서 생활하는 습관을 기르는 것을 추천한다.

연령	투자 가능 기간	결과
25세	40년	100×1.1의 40승 = 4525만원
45세	20년	100×1.1의 20승 = 672만원
65세	0년	100×1.1의 0승 = 100만원

(수익률 연 10%, 65세 기준)

[연령별 100만원의 가치]

-그럼에도 정말 소비하고 싶은 항목이 있다면, 목표 저축 금액을 정해두고 목표 달성에 대한 보상으로 일정 부분 소비를 하는 것도 좋은 방법이다. 소비에서 오는 즐거움과 함께 자산 축적에 대한 의지를 강화할 수도 있기 때문이다.

경제적자유를 찾는 여행자를 위한 안내서

2. 투자 시작하기

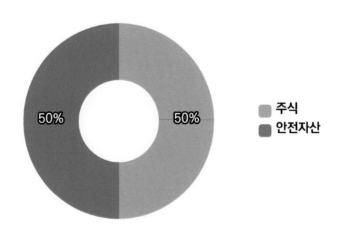

자산구성:
주식 50%(지수ETF 35%, 개별종목 15%)
안전자산 50%(현금, 달러, 채권)

-의미 있는 수준의 시드머니가 모여있고 어느 정도 투자에 대한 이해가 선행되어 나름의 투자 마인드와 원칙이 세워졌다면, 이제 본격적으로 투자를 시작해야 하는 시기다.

-초기에는 주식과 안전자산의 비중을 50:50으로 맞추어 운용하다가, 이후 투자가 안정적으로 굴러가는 것이 보이기 시작하면 점차 주식의 비중을 높여나가는 방식으로 스스로 감당할 수 있는 범위(60:40~80:20)까지 투자 자산을 확대하도록 해보자. 이 과정에서 개별 종목을 편입하고자 한

다면 한 종목에 지나치게 큰 비중을 담는 것보다는 3~5개의 우량한 기업의 주식에 분산투자 하도록 하는 것이 편안한 투자를 하는데 도움이 된다.

-본격적인 투자를 시작하기 전에 투자 계획에 어떤 리스크가 있는지, 예상치 못한 변수에 어떻게 대응할 것인지 미리 생각해 보고 대비할 수 있어야 한다. 만약 어떤 리스크가 있는지 구체적으로 이해하지 못하고 있다는 생각이 든다면, 잘못된 투자이거나 공부가 부족한 것이므로 이를 해결한 뒤에 투자해야 한다.

-투자와 동시에 경계해야 할 것은 지나친 자신감이다. 스스로 내린 결정에 확신을 갖는 것도 필요하지만, 한두 번의 성공에 취해 과한 자신감을 갖게 되는 것은 훗날 되돌리기 어려운 큰 실수를 만들 수 있으므로 멀리해야 한다. 그 성공이 실력이었는지 행운이었는지 판단해 볼 수 있는 객관성을 갖추도록 하자. 동료 투자자가 있다면 서로의 투자에 대해 피드백을 해보는 것도 좋은 시기다.

-이 시기부터는 안전자산도 함께 투자에 활용해야 한다. 평소에는 안전자산을 잘 보관하고 있다가, 시장에 침체나 위기가 왔을 때 저렴해진 좋은 자산을 추가 매수하여 하락장에 대응할 목적으로 사용하면 또 다른 투자의 기회를 만들 수도 있다.

포트폴리오2: 사회활동기

사회활동기 SWOT 분석	
S	직장 내 경력에 따른 소득 증가
W	소비 항목의 다양화로 인한 지출 증가
O	의미 있는 투자를 만들 수 있는 시드머니
T	내 집 마련, 결혼 및 육아비용 부담

직장 생활에 적응하고 연차를 쌓아나가다 보면, 사회초년생들은 점차 사회활동기에 접어들게 된다. 이 시기에 속하는 사람들은 이전에 비해 상당히 여유로워진 모습이다. 경력이 쌓이면서 연봉도 꽤 상승했으므로 전보다 더 많은 것을 살 수 있고 즐길 수 있게 된 데다, 직장생활에도 충분히 적응이 되어있기 때문이다. 아울러 저축도 꾸준히 하였다면 종잣돈도 꽤 모여있어 의미 있는 투자를 할 수 있기 때문에, 사회적응기에 비해 재테크의 중요성이 더욱 부각되는 시기다.

사회활동기가 되면 소득 인상과 더불어 소비의 증가도 함께 체험하게 된다. 각종 모임, 지인 및 동료들의 경조사, 여행, 취미활동, 자녀 교육비 등 소비의 폭이 넓어지면서 전체 지출액이 늘어나는 경우가 많기 때문이다. 또한 주택 구입, 결혼, 출산 및 육아 비용 등으로 큰 지출이 발생하는 이벤트가 발생하는 시기로, 소비 통제가 제대로 되지 않는다면 소득에 비해 저축액이 좀처럼 늘지 않는 재정적 정체를 경험하게 되기도 한다.

사회활동기의 투자자에게 필요한 태도는 '**신중함**'이다. 항목이 다양해진 소비 활동 내에서 불필요한 지출이 있지는 않은지 신중하게 생각해 보고 현명한 소비를 할 수 있도록 노력해야 하며, 열심히 모은 시드머니를 함부로 엄한 자산에 밀어 넣는 일이 없도록 투자를 할 때에도 많은 고민을 통해 결정해야 한다. 애써 모은 시드머니를 깨뜨리지 않고 잘 불려 나갈 수 있어야 경제적 성장 속도에 가속이 붙기 때문이다.

사회활동기 투자자의 포트폴리오는 이 시기의 가장 큰 이벤트인 내 집 마련을 중심으로 주택 매수 자금 모으기, 주택 매수 이후로 나누어 생각해 볼 수 있다.

1. 주택 매수 자금 모으기

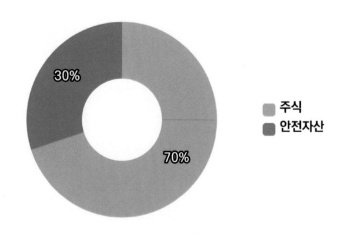

30%

70%

주식
안전자산

자산구성:

주식 70%(지수ETF 50%, 배당주 20%)

안전자산 30%(현금, 달러, 채권)

-전체 자산 보유액이 매수를 희망하는 주택 가격에 비해 턱없이 모자란 상황이라면, 당장 주택 매수를 서두르는 것보다는 기존의 투자를 유지하며 자산을 불리는 것이 더 유리한 선택이다. 그렇게 자산을 축적하며 부동산 시장의 상황을 지켜보다가 무리하지 않는 선에서 마음에 드는 주택을 매수할 수 있는 상황이라는 판단이 들면, 그때 부동산을 매수해도 늦지 않다. 주택 매수 이전까지는 부동산을 대체할 만한 자산으로 자산 배분을 해 두었다가, 주택 매수 시점이 되면 보유하고 있던 자산을 정리하여 부동산 매입 자금으로 활용하도록 하자.

-자산 규모가 적을 때에는 부동산보다 더 빠르게 성장할 수 있는 자산으로 포트폴리오를 구성하는 편이 좋다. 투자하는 자산이 부동산보다 느리게 성장하는 자산이라면, 주택을 매수하는 데 소요되는 기간이 상당히 길어지기 때문이다. 단, 지나치게 변동성이 큰 자산에 투자하여 투자에 어려움이 발생하는 일이 없도록 반드시 리스크 관리에 신경을 써야 한다.

-만약 주택 매수를 희망하지 않는 투자자라면 70:30 비율을 계속 유지하며 자산을 불려 나가도록 하자. 이 경우, 고위험 자산에 집중투자를 하기보다는 부동산과 비슷한 성격의 자산에 일정 비중을 두고 투자하여 무주택 리스크를 헷징하는 것이 안정적인 자산운용과 심리 조절에 도움이 된다. 만약 지방에 거주하고 있거나 직업 특성상 이동이 잦은 경우는 배당을 안정적으로 지급하는 기업의 주식을 보유하고 그 배당을 이용하여 월세를 내는 것도 좋은 방법이다.

-또한 이 시기에는 주택 구입 자금을 빠르게 모으는 데 목적이 있으므로, 여전히 소비에 대한 통제가 필요하다. 소비에 대한 판단을 할 때에는 다른 사람들과 자신을 비교하는 마음을 버리도록 하자. 소비의 기준은 사회적 체면이 아니라, 진짜로 나를 행복하게 해주는 것이 무엇인지 고민해 보는 과정 속에서 만들어져야 한다.

-특히 해외여행, 신차 구입, 결혼과 같이 큰 지출이 예상되는 상황에서는 합리적인 선택을 반복할수록 원하는 경제적 목표를 빠르게 이룰 수 있다.

-애초에 우리가 이겨야 하는 것은 옆에 있는 친구나 동료가 아니라 '1년 전의 나'다. 나보다 나은 삶을 살고 있는 이들과의 비교는 인생을 불행하게 만들지만, 과거와 현재의 나를 비교하는 것은 성장에서 오는 즐거움을 느끼도록 돕는다.

-가능하다면 SNS를 끊는 것을 추천한다.

2. 주택 매수 이후

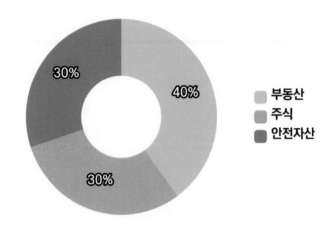

30%

40%

30%

■ 부동산
■ 주식
■ 안전자산

자산구성:
부동산 40%(대출을 제외한 금액)
주식 30%
현금 or 안전자산 30%

-자산의 규모와 관계없이 부동산을 자산에 편입하게 되면, 보유 자산 중 상당히 큰 부분을 부동산이 차지하게 된다. 내 집 마련을 하는 사람들 대부분이 자신이 가진 능력의 범위 내에서 가장 좋은 부동산을 사려는 경향이 있기 때문이다. 이처럼 부동산 비중이 대부분을 차지하는 자산 구조의 불균형이 발생하게 되면, 부동산 시장의 상황으로부터 받는 영향이 매우 커지게 되므로 자산 구조의 안정성을 위해 이를 조절할 필요가 있다. 이런 경우에는 주택 매수 이후 추가적으로 벌어들이는 소득을 활용하여 부동산 외 자산의 비중을 늘리는 방식으로 균형을 맞춰나가면 된다.

경제적자유를 찾는 여행자를 위한 안내서

-부동산 외 자산의 비중을 늘릴 때에는 안전자산의 비중을 우선적으로 높이는 것이 좋다. 높은 수익을 올리는 것도 좋지만 투자의 안전성 확보가 더 중요하기 때문이다.

-국내에서 내 집 마련을 하게 되면 원화 자산의 비중이 매우 높아진다. 만약 외화 표시 자산이 없거나 매우 적은 경우라면 달러 표시 자산 비중을 만드는 것이 손실 방어에 도움을 줄 수 있다. 미국 주식, 미국채, 달러 예금을 활용해 보도록 하자. 동일한 자본 규모 내에서도 충분히 외화의 비중을 높일 수 있다.

-주택 매수 이후 대출 이자가 부담이 된다면 대출 원금을 직접 갚는 것보다는 이자를 상쇄시킬 수 있는 현금흐름을 만들어 주는 자산(배당주, 리츠, 채권 등)에 투자를 하는 것을 추천한다. 인플레이션이 지속되며 화폐 가치가 하락함에 따라 시간이 지날수록 대출 원금 또한 줄어드는 것과 같은 효과가 발생하기 때문이다. 부동산 대출을 갚는다는 것은 곧 부동산의 자산 비중이 늘어남을 의미한다. 자산 배분 차원에서도 대출을 상환하는 대신 다른 자산을 모으는 것이 더 유리하다. 은퇴 이전까지는 레버리지의 비중을 낮추는 것보다는 일정 수준으로 계속 끌고 가며 활용하는 것이 좋다.

연도	월 평균 임금	1억의 가치
2010년	229만원	월 평균 임금의 43배
2020년	323만원	월 평균 임금의 30배

출처: 통계청, 경제활동인구조사

-시간이 흘러 부동산, 주식, 안전자산의 비중이 적정 수준으로 조절이 되었다면 그 이후부터는 자신의 투자 성향에 잘 맞는 자산을 차근차근 모아 보도록 하자. 현금흐름 상승과 시세차익으로 더욱 빠른 자산의 성장을 만들어 낼 수 있을 것이다. 이 시기에는 자산의 안정성이 충분히 확보가 되어 있으므로, 전체 자산의 5% 정도는 높은 성장성이 기대되는 자산에 장기적인 관점으로 투자해 보는 것도 좋은 방법이다.

-주거 안정성 획득과 함께 충분히 자산을 축적하였다는 판단이 든다면, 이 시기부터는 나를 즐겁게 해주는 소비에도 조금씩 관심을 가져보도록 하자. 미래를 대비하는 것도 중요하지만 현재의 즐거움을 누리는 것도 행복해질 수 있는 방법이기 때문이다. 물론 불필요한 지출로 힘들게 모은 자산을 낭비하는 것은 금물이다.

포트폴리오3: 은퇴준비기

은퇴준비기 SWOT 분석	
S	가장 높은 소득
W	은퇴 이후 소득 감소
O	충분한 시드머니
T	적은 투자 기회

　모든 일에 끝이 있는 것처럼, 오랜 직장 생활을 하다 보면 언젠가는 직장 생활을 마무리해야 하는 은퇴의 시기가 찾아온다. 직장인이라면 시간이 흘러 누구나 겪게 되는 일이므로, 안정적 노후를 위한 은퇴 준비는 매우 중요하다. 특히 평균 수명이 점차 늘어나 은퇴 이후 삶의 기간이 늘어나면서 은퇴 준비의 중요성은 더욱 확대되고 있다. 예상 은퇴 시기가 10~15년 이내라면, 자산 증식과 동시에 노후 대비에도 관심을 가져야 할 때다.

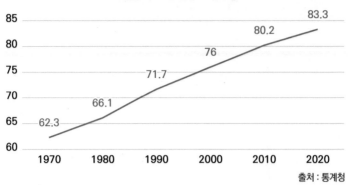

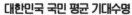

대한민국 국민 평균 기대수명

출처 : 통계청

　은퇴 준비기에 접어든 직장인의 가장 큰 장점은 높은 소득이다. 만약 자녀가 독립을 한 상태이고 질병이나 부모의 부양 등 큰 지출이 필요한 문제가 없다면, 현금흐름도 가장 많은 시기다. 여기서 발생하는 잉여 자산을 노후 대비에 활용한다면 안정적으로 노후를 대비할 수 있다. 반면 투자가 가능한 기간이 상당히 줄어들었으므로 충분한 시드머니를 갖고 있더라도 투자의 기회가 많지 않고, 은퇴 이후에는 노동 소득이 발생하지 않아 소득이 줄어들게 된다는 점은 단점으로 작용한다.

　은퇴 준비기에 가장 필요한 것은 '**안정성**'이다. 노후에 대한 두려움 없이 은퇴를 할 수 있도록 준비를 해야 하기 때문이다. 이 시기에는 일궈놓은 자산을 안정적으로 관리하며 손실을 최소화하고, 은퇴 이후 필요한 소득을 만들 수 있는 자산 구조를 만드는 데 노력을 기울여야 한다.

　은퇴 준비기의 포트폴리오는 은퇴 전과 은퇴 후로 구분해 볼 수 있다.

　　　　　　　　　　경제적자유를 찾는 여행자를 위한 안내서

1. 은퇴 전

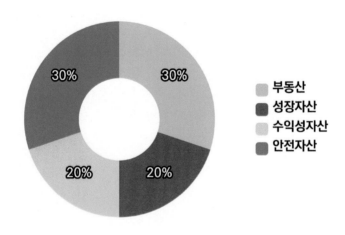

자산구성:

부동산 30%

성장자산 20%

수익성자산 20%

안전자산 30%

-은퇴가 멀지 않은 시점부터는 적극적으로 리스크를 테이킹하는 것보다는 안정적인 자산 구조를 만드는 데 관심을 가져야 한다. 변동성은 크지 않지만, 꾸준히 월세를 받을 수 있는 수익형 부동산이나 배당주 투자에 관심을 가져보도록 하자. 이를 통해 발생하는 현금흐름은 은퇴 시까지는 재투자 목적으로 활용하여 복리 효과를 극대화 하는 것을 추천한다.

-아직 은퇴까지 시간이 충분히 남아 있는 상태라면 성장 자산에 대한 투자도 유효하다. 시장의 흐름에 따라 성장 자산과 안전자산의 비중을 조절하는 방법으로 꾸준히 자산의 규모를 늘려나가도록 하자. 안정적인 투자를 위해 지수 ETF를 활용하는 것도 좋은 방법이다.

-은퇴 준비기에 접어든 시점부터는 소득이 늘어나더라도 소비는 더 이상 늘리지 않는 것이 좋다. 이미 부족하지 않은 수준으로 생활하고 있다면, 앞으로 늘어나는 소득은 노후에 내가 사용할 돈이라는 생각으로 꾸준히 자산으로 바꾸어 모아두어야 한다.

-이 시기에는 성년에 가까운 자녀를 두고 있는 경우가 많기 때문에 자녀의 교육비나 결혼 비용 등에 무리한 지출을 하는 모습을 쉽게 볼 수 있는데, 자녀에게 사용할 수 있는 적정 수준의 비용을 이성적으로 판단하고 그 범위 내에서 지출하려고 노력해야 한다. 이런 이야기를 하면 자녀에게 뭐든 해주고 싶은 것이 부모 마음인데 어떻게 그러냐는 식으로 이야기를 하는 사람들이 있는데, 다시 한번 생각해 보길 바란다. 대한민국의 부모들은 현재 1~2자녀를 두고 있는 케이스가 가장 많다. 자녀의 수가 적다는 것은 자녀를 6~7명씩 낳던 과거와 다르게 노부모에 대한 부양 부담이 매우 높아졌다는 것을 의미한다. 나의 노후 생활을 책임져줄 자산을 깎아서 자녀를 돕는 것보다는 부양에 대한 부담을 자녀에게 지워주지 않는 편이 훨씬 자녀에게 도움이 된다. 자녀를 돕는 것은 나의 노후 대비가 완료된 뒤에 해도 늦지 않다.

-그럼에도 어떻게든 자녀를 돕고 싶은 마음이라면, 큰돈을 한 번에 직접 증여하는 것보다는 자녀의 부동산 대출 이자 비용을 지원해 주거나, 기 보유 자산이 벌어오는 현금 흐름 중 일부를 나눠주는 식으로 간접적인 지원을 해주는 것이 좋다.

2. 은퇴 후

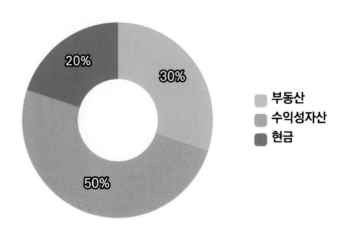

자산구성:

부동산 30%(대출상환)

수익성자산 50%

현금 20%

-직장 생활을 그만두고 나면 은퇴 이전보다 소득이 크게 줄어들 수밖에 없다. 이를 해결하기 위해서는 그간 보유하고 있던 성장 자산을 수익형 자

산으로 바꾸어 현금흐름을 더욱 늘리는 것이 도움이 된다. 아직 일을 하는 데 별다른 어려움이 없다면 소득이 크지는 않지만 무리 없이 즐겁게 할 수 있는 일을 찾아 소득을 만들어 보는 것도 좋은 방법이다.

-소득이 줄어들면 대출 이자 상승으로 인한 리스크가 높아진다. 전체 자산 중 대출 비율이 높은 경우라면 리스크 관리 차원에서 대출 원금을 일부 상환하도록 하자. 이자 비용도 줄어들기 때문에 현금흐름이 늘어나는 효과도 누릴 수 있다.

-은퇴 이후 시점에는 노동 소득이 발생하지 않으므로 질병 또는 사고와 같은 예상치 못한 지출이 발생하는 경우 경제적 어려움을 겪을 가능성이 있다. 향후 어떤 지출이 발생할 가능성이 있는지 생각해 보고, 자산 소득을 이용하여 그의 2배 정도는 현금을 쌓아두는 것이 좋다.

-잉여 현금 축적을 통해 질병 또는 사고와 같은 예상치 못한 지출에 대한 대비마저 완료되었다는 생각이 든다면, 이제는 자산의 성장보다는 소비에 더 집중해야 한다. 가지고 있는 돈과 시간을 나를 행복하게 해줄 의미 있는 곳에 아낌없이 사용하고, 가끔은 주변에 베풀기도 하며 후회 없는 즐거운 노후를 누리도록 하자. 몇십 년간 열심히 노력해 왔다면, 그럴 만한 자격이 충분히 있다.

-증여에 대해 고민해 볼 수 있을 만큼 자산이 충분한 상황이라면, 절세 방안에 대해 생각해 보며 증여 계획을 세워두는 것이 좋다. 이 경우는 비용

을 지불하고 세무사의 도움을 받는 것을 추천한다. 세법은 시기나 상황별로 적용 기준이 달라지는 경우가 많으므로 공부하기가 상당히 복잡한 데다, 잘못 알고 있는 정보로 인해 실수가 발생하는 경우는 손해가 크기 때문이다. 자산 규모가 크다면 절세는 가장 안전하게 많은 수익을 올릴 수 있는 방법이다.

-리밸런싱

포트폴리오를 설정하고 투자를 지속하다 보면, 자산 가격이 변화함에 따라 포트폴리오를 구성하는 자산의 비율이 눈에 띄게 달라지는 순간이 올 것이다. 보유 자산 간 가격 변화의 방향과 속도가 각기 다르기 때문이다. 이런 순간이 오면 투자자는 리밸런싱에 대하여 고민해 볼 수 있다. 리밸런싱이란, 일정 주기마다 포트폴리오의 자산 비중을 재조정하여 초기에 설정했던 자산 비중을 유지하는 것을 말한다.

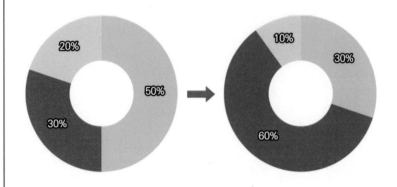

위와 같이 포트폴리오의 비율이 변화하였다면, 리밸런싱을 해야 할까? 말아야 할까? 리밸런싱에 대해 쉽게 결정하려면, 해당 자산에 투자한 근거를 생각해보면 된다. 보유 자산 중 가격이 올라 비중이 커진 자산이 있더라도, 여전히 투자의 근거가 유효하다고 생각된다면 계속 보유하는 것이 합리적인 선택일 것이다. 이런 경우엔 상대적으로 비중이 적어진 자산을 추가로 매수하는 방법으로 리밸런싱을 할 수 있다. 반면 투자의 근거가 사라졌거나 약해졌다는 생각이 든다면, 오른 자산을 일부 매도하여 다른 자산으로 옮기는 방법으로 비중을 조절하면 된다.

경제적자유를 찾는 여행자를 위한 안내서

-미세조정

투자자의 생애 주기별로 포트폴리오를 제시하였는데, 이는 하나의 기준일
뿐이다. 투자자의 상황이나 성향, 목적, 투자 기간 등에 따라 자산의 비중을
조절하여 자신만의 포트폴리오를 설정해보도록 하여야 한다.

투자 규모	
투자 규모가 작은 경우	안전자산 비중 ↓
투자 규모가 큰 경우	안전자산 비중 ↑

투자 성향	
시세차익을 중요하게 생각하는 경우	성장형 자산 비중 ↑
현금흐름을 중요하게 생각하는 경우	수익형 자산 비중 ↑

주요 투자처	
주요 투자처가 부동산인 경우	주식 비중 ↑
주요 투자처가 주식인 경우	부동산 비중 ↑

시장 상황	
상승장이 오래 지속된 경우	자산 비중 ↓
하락장이 오래 지속된 경우	자산 비중 ↑

[미세조정 예시]

내가 경제적 자유를
꿈꾸게 된 이유

대한민국 신체 건강한 남성이라면 모두 국방의 의무를 수행해야 한다. 나도 다행히(?) 신체적, 정신적 하자가 없었기에 2017년 의무경찰로 입대를 하게 되었다. 직업 특성상 취직 후 입대를 하게 되었는데, 그마저도 차일피일 미루다 26살이라는 다소 늦은 나이에 입대를 하게 되었다. 군대 생활은 분명 보람 있던 시간이었고 좋은 기억들도 많이 남아있다. 하지만 사회생활을 몇 년간 맛보고 와버린 탓일까, 나의 개인적 관점에서 본 군 생활은 비교적 우울한 시간이기도 했다.

통장에 따박따박 들어오던 월급은 18만원이 되어 있었고, 자는 것도 쉬는 것도 마음대로 할 수 없는 통제된 집단 속에서 나는 하루아침에 손발이 묶인 기분이었다. 한편 먼저 복무를 마친 선배나 친구들을 보고 있으면, 왠지 앞으로 나아가지 못하고 뒤처지는 느낌마저 들었다. 야간 근무를 설 때마다 바다를 바라보며 미래에 대한 걱정, 답답함에 생각에 잠기던 날들이 아직도 기억에 남는다. 자유의 소중함을 절실히 느끼고 있었던 것이다.

그러던 중, 우연히 인터넷에서 군 휴가를 해외로 다녀온 사람에 대한 이야기를 보게 되었다. 알아보니 절차가 조금 복잡할 뿐 해외에 다녀오는 것이 가능하다는 것을 확인했다. 답답한 군 생활에 기분 전환이 될까 하여 나는 곧바로 준비를 시작했고, 10일간의 휴가를 일본에서 보내기 위해 비행기에 몸을 실었다.

나는 목적지를 일본의 카가와[香川]라는 소도시로 정했다. 복잡한 도시보다는 한적한 시골에서 여유로운 시간을 보내고 싶었기 때문이다. 내가 한 것은 여행이라기보다는 일상에 가까웠다. 공원 찻집에서 차 한 잔 마시며 연못가 풍경을 보거나, 자전거를 타고 발길이 닿는 대로 다니며 상점가 구경을 하거나, 오전에 느긋하게 일어나 편의점에서 사 온 식사로 아침을 때우며 게스트하우스의 스태프 씨와 이런저런 이야기를 나누는 것과 같은 시간이 전부였다. 남들에게 별 볼 일 없었을 10일간의 일상은 첫 휴가를 나온 군인이 자유로움을 느끼기에 충분했다. 행복한 시간이었다.

여행을 마치기 하루 전, 숙소에서 마지막 밤을 보내는 날이 되었다. 짐을 정리하며 다시 부대로 복귀할 생각에 아쉬워하고 있을 무렵, 문득 이런 생각이 들었다.

'이런 여유롭고 행복한 날들을 보내며 인생을 살 수는 없을까?'

여행이 끝나 군대로 다시 돌아가는 것이 답답하기도 했지만, 그보다 열흘간의 행복이 끝나버리는 것이 더 아쉬웠다. 전역 후 언젠가 다시 이런 생활을 이어나갈 수 있으면 좋겠다는 생각이 들었다.

언젠가 분명히 군 생활은 끝이 나고 나는 자유로워진다. 하지만 그것은 내게 진정한 자유의 의미는 아니었다. 나는 다시 직장에 돌아가 일을 하며 인생의 많은 시간을 보내야 했다. 물론 군대보다야 훨씬 자유롭겠지만, 그것이 내가 여행 속에서 느낀 이런 행복과 편안함을 줄 수 있을까? 내 결론은 '아니다'였다.

사람의 생명은 유한하다. 대부분 백 살을 채 넘기지 못한다. 그런 사람들이 인생의 5분의 1을 학교에서 공부하는 데 소모하고, 인생의 절반에 가까운 시간을 직장에서 생활하며, 누군가를 위해 일하다가 노인이 된다. 사람들은 정말 자유로운 게 맞는 것인가? 가만히 생각해 보니, 사람들은 가지고 있는 시간 중 꽤 많은 시간을 하기 싫은 일을 하는 데 사용하고 있었다. 아마 가장 큰 이유는 살아가기 위해 필요한 돈 때문일 것이다. 아무리 많은 돈이 있어도 살 수 없는 시간을, 돈을 벌기 위해 소모하고 있었다. 역설적이지 않은가? 머리를 한 대 얻어맞은 기분이었다.

생각이 여기까지 미치자 그렇게 소모될 나의 시간들이 너무 아까웠다. 내가 생각하는 진정한 자유와 행복을 위해 굴레에서 벗어나고 싶었다. 짐을 챙기던 나는 새벽에 갑자기 노트를 펴고 펜을 들었다. 그러고는 아래와 같은 말들을 적기 시작했다.

경제적자유를 찾는 여행자를 위한 안내서

'이런 생활을 지속할 수 있으려면 무엇이 필요할까?
그것은 돈이다.'

'얼마나? 나는 한 달에 얼마나 있으면
이런 여행 같은 일상을 지속할 수 있는가?'

'최소한 200만원 이상은 있어야 한다.
월 200은 어떻게 만들지?'

'저렴한 아파트 월세가 50만원 정도,
아파트 네 채가 있으면 되겠네?'

'월세 50정도 받을 수 있는 저렴한 아파트가
1.5-2억 정도네.'

'그럼 나는 6억만 있으면 내가 살고 싶은 대로 살 수 있겠다.'

당시 경제 및 투자 지식이 전혀 없었던 나는 위와 같은 생각들을 하며 되는대로 끄적였다. 그 결과 내게 필요한 돈은 6억 정도라는 것을 알게 되었다. (본격적으로 하고 싶은 일이 생기면서, 필요한 금액이 더 많아져 지금의 목표는 그보다 훨씬 커졌다.)

문제는 기간이었다. 1억을 모으는 데 100만원씩 8년, 200만원씩 4년이 걸린다. 내 월급을 아무리 적게 쓰고 최대한 저축을 해도 목표 금액을 달성하려면 대략 20년 정도는 걸린다는 계산이 나왔다. 월 200을 만들어내는 데 그렇게 오랜 기간이 걸린다는 것에 크게 놀랐고, 새삼 6억이라는 금액이 너무나도 멀게 느껴졌다. 나는 크게 실망했다.

하지만 절대 목표를 버리고 싶지 않았다. 시간을 내 맘대로 사용할 수 있게 되는 것이 행복의 첫걸음이라는 확신이 있었기 때문이다. 가만 생각해보면, 내 또래 중에도 부자들은 꽤 많다. 그에 비하면 훨씬 더 현실적인 목표일 수도 있겠다는 생각이 들었다. 나는 방법을 찾기로 마음먹었다. 이 세상에 젊은 부자들이 존재하는 한, 불가능한 것은 아니라는 결론에 닿았다.

그렇게 나는 경제적 자유, 투자, 자산이 뭔지도 모르는 상태에서 어렴풋이 그것들을 깨닫기 시작하게 되었다. 그때부터 나는 부자가 된 일반인들의 이야기를 책이나 인터넷 속에서 찾아보며 투자 공부를 시작했고, 전역후 지금까지 그것들을 실천하며 살고 있다.

결과적으로 군 생활의 기분 전환을 위한 짧은 여행은 나의 경제적 자유를 위한 커다란 터닝포인트가 되어주었다. 당시 공무원의 월급만으로 이루기 어려울 것 같던 목표는 하나씩 달성되어 가고 있으며, 현재 가지고 있는 경제적 목표를 반드시 현실로 만들 수 있다는 확신과 자신감을 가질 수 있게 되었다.

혹시 현재의 삶이 맘에 들지 않는다면,
한 번쯤 스스로에게
이렇게 질문해 보길 바란다.

'지금이 혹시 터닝포인트는 아닐까?'
하고 말이다.

당신은 이미
문제의 정답을 알고 있을지도 모른다.

부록

중요한 것은
꺾이지 않는 마음

세상 속 온갖 흥미롭고 재미있는 컨텐츠가 넘쳐나는 가운데, 나의 글을 택하고 읽어준 당신에게 깊은 감사를 전한다. 대단한 것 없는 글이지만, 당신이 경제적 자유의 힌트를 얻는 데 조금이나마 도움이 되었길 바란다.

마지막으로 당신에게 이런 질문을 던지고 싶다.

'당신이 부자가 되는 것은 불가능한 일이라고 생각하는가?
아니면 얼마든지 실현 가능한 일이라고 생각하는가?'

만약 그것이 가능의 영역이라는 생각이 들었다면, 이미 당신이 부자가 될 가능성은 매우 높아졌을 것이라고 나는 확신한다. 스스로의 가능성을 믿는 사람은 생각을 현실로 만드는 능력이 있다.

남다른 경제적 목표를 이루기 위해서는 남들이 가지 않는 길을 걸어야 한다. 그 과정은 결코 편안하지 않다. 모두가 걷지 않으려 하는 길은 외롭고 힘들기 때문이다. 그 길을 걷는 모습을 지켜보던 누군가는 간단한 말 한마디로 당신의 노력을 아무런 의미 없는 것으로 만들어버리기도 하고, 가끔은 자기 자신조차 고민 끝에 내린 선택이 정답이 맞는 것인지 의심하며 불안에 휩싸일 때도 있을 것이다. 본래 소수의 길을 걷는 이에게 시련은 불가피한 일이다.

방법이 어려운 것이 아님에도 불구하고 우리 주변에 부자가 많지 않은 이유는 여기에 있다. 대다수는 열매를 얻기 위해 감수해야 할 고통이 두려워 시작조차 하지 못하는 경우가 많다. 고통 끝에 얻게 될 열매의 가치가 우리가 생각한 것과는 비교도 안 될 정도로 클지도 모르는데도 말이다.

중요한 것은 꺾이지 않는 당신의 마음이다. 가끔 무기력과 회의감이 당신을 괴롭히더라도, 가고자 하는 길이 원하는 목표를 달성하게 해줄 올바른 방향이라면 사사로운 것에 개의치 말고 우직하게 나아가라. 언젠가는 아무도 당신에게 틀렸다고 말하지 못하는 날이 올 것이다. 그런 신념을 바탕으로 한 선택과 노력은 분명 오늘보다 더 나은 미래를 만들어준다.

나날이 성장하게 될 당신을 진심으로 응원한다.

-투자 김선생

경제적 자유를 찾는 여행자를 위한 안내서

발 행 | 2024년 04월 19일

저 자 | 투자 김선생(김기정)

펴낸이 | 한건희

펴낸곳 | 주식회사 부크크

출판사등록 | 2014.07.15.(제2014-16호)

주 소 | 서울특별시 금천구 가산디지털1로 119 SK트윈타워 A동 305호

전 화 | 1670-8316

이메일 | info@bookk.co.kr

ISBN | 979-11-410-8176-8

www.bookk.co.kr